SOPHIE KINSELLA

Née à Londres en 1969, Sophie Kinsella est une véritable star. Elle est reconnue dans le monde entier pour sa série culte des aventures de Becky : *Confessions d'une accro du shopping* (2002), *Becky à Manhattan* (2003), *L'accro du shopping dit oui* (2004), *L'accro du shopping a une sœur* (2006), *L'accro du shopping attend un bébé* (2008), *Miniaccro du shopping* (2011), *L'Accro du shopping à Hollywood* (2015) et *L'Accro du shopping à la rescousse* (2016) ; série dont les deux premiers volets ont été adaptés au cinéma. Elle est également l'auteur de : *Les Petits Secrets d'Emma* (2005), *Samantha, bonne à rien faire* (2007), *Lexi Smart a la mémoire qui flanche* (2009), *Très chère Sadie* (2010), *Cocktail Club* (2012), *Poppy Wyatt est un sacré numéro* (2013) et *Nuit de noces à Ikonos* (2014). Tous ses romans sont publiés chez Belfond et repris chez Pocket. Sophie Kinsella écrit aussi des romans pour la jeunesse, avec notamment *Audrey retrouvée* (Pocket Jeunesse, 2016). *Ma vie (pas si) parfaite* a paru aux éditions Belfond en 2017.

L'ACCRO DU SHOPPING À LA RESCOUSSE

SOPHIE KINSELLA

L'ACCRO DU SHOPPING À LA RESCOUSSE

Traduit de l'anglais
par Daphné Bernard

belfond

Titre original :
SHOPAHOLIC TO THE RESCUE

Publié par Bantam Press,
une marque de Transworld Publishers, Londres

Pocket, une marque d'Univers Poche,
est un éditeur qui s'engage pour la préservation
de son environnement et qui utilise du papier fabriqué
à partir de bois provenant de forêts gérées
de manière responsable.

© Sophie Kinsella 2015.

© Belfond département place des éditeurs 2016
pour la traduction française.
ISBN 978-2-266-27257-5

À Linda Evans
Avec mon affection
et mes remerciements pour tout

De : dsmeath@locostinternet.com
À : Brandon, Rebecca
Objet : Une « demande »

___

Chère Madame Brandon,

Cela fait longtemps que je n'ai pas eu la chance de vous avoir. J'espère que tout va bien pour vous et votre famille.

En ce qui me concerne, tout en appréciant pleinement mon existence de retraité, je me rappelle souvent avec plaisir certains moments de ma vie professionnelle à la Endwich Bank. J'ai donc décidé de commencer à écrire une autobiographie ou des mémoires dont le titre provisoire est : « Crédits et créances : les hauts et les bas du directeur patient (mais pas toujours) d'une banque de Londres ».

J'ai déjà rédigé deux chapitres qui ont été très bien reçus par les membres du club d'horticulture auquel j'appartiens. Certains ont même déclaré : « On devrait en faire une série télé. » Je n'irais pas jusque-là.

Chère Madame Brandon, vous avez assurément été l'une de mes clientes les plus originales. Je me souviens de votre façon unique de gérer vos finances (je suis certain qu'aujourd'hui votre manière d'aborder ce domaine est nettement plus raisonnable). Bien que nous ayons été en désaccord à maintes reprises il me semble que, à la veille de mon départ à la retraite, nous étions arrivés à un statu quo ou, comme on dit en français, à une sorte d'*entente cordiale*.

Tout cela pour vous dire que je souhaiterais vous interviewer pour mon livre. Au moment qui vous conviendra. En espérant une réponse positive de votre part, je vous adresse, chère Madame, mes sincères salutations.

Derek Smeath
Directeur de banque (retraité)

Chère Madame Brandon,

C'est avec regret que je vous réponds. Je vous avais écrit en toute bonne foi, en tant que banquier et même, si j'ose le dire, en tant qu'ami. J'espérais que vous me considériez ainsi.

Refuser de figurer dans mes mémoires est votre droit le plus strict. Mais élaborer un tel mensonge pour ne pas y apparaître ? J'avoue ne pas bien comprendre votre attitude. Car, franchement, cette histoire de « poursuite de votre père dans l'Ouest américain » afin de « découvrir un mystère » et de vous assurer que « le pauvre Tarkie n'est pas victime d'un lavage de cerveau » me paraît de la plus haute fantaisie.

Combien de fois, dans le passé, m'avez-vous adressé des lettres où vous juriez que vous vous étiez cassé une jambe, que vous souffriez d'une fièvre glandulaire ou que votre chien (imaginaire) venait de mourir ? Je pensais qu'étant mariée et mère de famille, vous vous

étiez assagie. Mais je vois avec tristesse que je me
suis trompé.
Je vous prie d'accepter, chère Madame, l'expression
de mes hommages déçus.

Derek Smeath

Chère Madame Brandon,

Dire que je suis sidéré par votre dernier mail serait au-dessous de la vérité. La série des photos jointes me permet de mieux saisir les faits et je vous en remercie. Je me rends compte que vous êtes effectivement dans le désert. Je vois le camping-car que vous indiquez du doigt et le gros plan d'une carte de Californie. Sur un des clichés j'aperçois également votre amie, lady Cleath-Stuart. Sachez cependant que ce n'est pas à moi de juger à « l'expression tragique de son visage » que « son mari a disparu ».

Puis-je vous demander d'être plus explicite ? Votre père s'est volatilisé, ainsi que le mari de votre meilleure amie ? Tous les deux en même temps ?

Je vous prie de recevoir, chère Madame, l'expression de mes hommages perplexes.

Derek Smeath

De : dsmeath@locostinternet.com
À : Brandon, Rebecca
Objet : Re : Re : Re : Re : Re : Re : Une « demande »

Chère Madame Brandon,

Mais quelle histoire ! Votre mail étant un peu confus, je me permets de récapituler les faits – en espérant ne pas me tromper.
• Votre père est venu vous rendre visite à Los Angeles après avoir eu des nouvelles d'un ami complètement perdu de vue.
• Il a ensuite disparu pour accomplir une « mission » en laissant un mot où il était question de « rectifier une terrible erreur ».
• Il a enrôlé pour l'épauler lord Cleath-Stuart (Tarkie), qui vient de traverser une période difficile et se trouve actuellement dans un réel « état de fragilité ».
• Il a aussi demandé à un dénommé Bryce (ils ont de curieuses façons d'orthographier les noms en Californie !) de les accompagner.
• Vous êtes à leur poursuite et vous craignez que ce

14

Bryce à l'esprit malfaisant cherche à extorquer de l'argent à lord Cleath-Stuart.

En réponse à votre demande, je dois bien vous avouer que je n'ai pas de suggestion éblouissante à vous faire et qu'aucune situation aussi étrange ne s'est présentée lorsque je travaillais à la banque. Ah si ! Un individu a essayé un jour de déposer sur un compte un plein sac de billets de vingt livres, et je me suis vu contraint de prévenir les autorités. Je ne manquerai pas de raconter cet épisode dans mon livre.

Bien sûr, si je puis vous être d'une aide quelconque, n'hésitez pas à reprendre contact avec moi.

En vous souhaitant de retrouver les trois personnes que vous recherchez, je vous prie d'agréer, chère Madame, l'expression de mes hommages déconcertés.

Derek Smeath

1

— Allez, pas de panique ! dit Luke calmement.

Pas de panique ? Luke me demande de ne pas paniquer ? Non. Noooon. Il y a quelque chose qui ne va pas. Mon mari ne dit jamais « pas de panique ». S'il le dit, c'est qu'à son avis il y a toutes les raisons de paniquer.

Résultat ? Je panique.

Les gyrophares de la voiture de police clignotent, la sirène continue de hurler. Toutes sortes de pensées démentes me traversent l'esprit : *Les menottes, ça fait mal ?*, *Qui je vais appeler de ma cellule ?*, *Les uniformes de prisonnières, ils ne se font qu'en orange ?*

Un policier s'approche de notre camping-car Class C sept mètres (rideaux en vichy bleu, banquettes recouvertes de tissu à fleurs, six lits – bien qu'appeler « lits » ces matelas posés sur des planches me semble largement exagéré). Il a la dégaine typique des flics américains – bronzage uniforme et lunettes miroirs. Je flippe à mort. Mon cœur s'emballe et je regarde partout autour de moi pour voir où je pourrais bien me cacher.

D'accord, je dramatise un peu. Mais depuis que j'ai cinq ans, la vue des représentants de l'ordre me rend nerveuse. Je m'explique : je venais de piquer six paires de chaussures de poupée dans un magasin quand j'ai vu un policier se diriger vers moi. Lorsqu'il m'a demandé de sa grosse voix : « Eh bien, jeune fille, fais donc voir ce que tu as là », j'ai flippé à mort. En fait, il admirait simplement mon ballon de baudruche.

Je précise que dès que maman et papa ont découvert mon larcin, nous avons renvoyé les chaussures dans une enveloppe avec une lettre d'excuses écrite de ma main et le magasin a répondu très gentiment de ne pas m'en faire. (Ce jour-là, j'ai réalisé pour la première fois qu'une lettre peut permettre de se tirer sans trop de mal d'un mauvais pas.)

— Luke, je marmonne, affolée. Dis-moi vite ! On est censés lui donner de l'argent ? Combien on a en cash ?

— Pas de panique, Becky, répond-il calmement. S'il nous a demandé de nous ranger sur le bord de la route, c'est qu'il y a une raison.

— On doit tous sortir ? demande Suze.

— Non, à mon avis, on ne bouge pas ! s'exclame Janice. Faisons comme si on n'avait rien à cacher.

— Mais nous n'avons rien à cacher, s'énerve Alicia. Allez, relax !

— Il est armé, commente maman après un coup d'œil par la fenêtre. Janice, regarde, il a un revolver.

— Janice, calme-toi, s'il te plaît, dit Luke. Je vais sortir et lui parler.

Quand il quitte le camping-car, nous échangeons des regards anxieux. Nous, c'est-à-dire ma meilleure amie, Suze, ma meilleure ennemie, Alicia, ma fille, Minnie, ma mère et *sa* meilleure amie, Janice. Nous sommes en route pour Las Vegas et l'air conditionné et le choix des sièges ont déjà donné lieu à des disputes. Autre sujet de discussion : faut-il laisser Janice écouter de la musique celtique pour se calmer les nerfs ? (Le « non » l'a emporté à cinq voix contre une.) Ça fait à peine deux heures que nous avons quitté Los Angeles et l'ambiance est déjà tendue. Il ne manquait plus que la police.

Le flic est en train de parler à Luke.

— Oh, le toutou ! s'écrie Minnie. Gros, gros toutou !

Un deuxième policier se dirige vers Luke, tenant en laisse un énorme chien policier. Le chien-loup renifle les pieds de Luke. Puis, il lève le museau vers le camping-car et se met à aboyer.

Janice pousse un cri d'horreur.

— Et voilà ! J'en étais sûre ! C'est les stups. Ils vont me repérer.

— *Quoi ?*

Janice est une femme entre deux âges dont les deux passions consistent à faire des bouquets et à maquiller ses copines en forçant nettement sur le blush.

— Il faut que je vous avoue… J'ai des substances illicites avec moi. Pardon, tout le monde !

Silence sépulcral. Mon esprit se refuse à assembler ces trois mots. Substances ? Illicites ? Janice ?

— De la *drogue*, Janice ? Tu dis n'importe quoi ! réagit maman.

— C'est un médicament contre le décalage horaire, gémit Janice. Mon médecin n'a rien voulu savoir alors je suis allée sur Internet. Annabel, ma copine du club de bridge, m'a donné le nom d'un site. Il y avait un avertissement sur la boîte : « Ce produit est prohibé dans certains pays. » Maintenant, le chien va le sentir et nous allons être interrogés…

Un aboiement infernal lui cloue le bec. Il faut dire que le chien paraît particulièrement attiré par notre camping-car. Il tire sur sa laisse en glapissant. Et son maître a l'air très énervé.

Suze explose.

— Vous avez acheté des substances illicites ? Mais pourquoi ?

— Janice, à cause de toi ce voyage risque d'être un désastre ! s'emporte maman. Faire entrer une drogue de catégorie A aux États-Unis ? Tu as perdu la tête !

Je mets mon grain de sel :

— Je suis sûre que ce médicament n'est pas de catégorie A.

Mais maman et Janice sont dans un tel état d'hystérie qu'elles ne m'écoutent pas.

— Débarrasse-toi de ce truc, ordonne maman. En vitesse.

— Voilà !

Janice sort d'une main tremblante deux boîtes blanches de son sac.

— Si j'avais su, je n'aurais jamais acheté ça, commente-t-elle.

— Bon, alors on en fait quoi ? demande maman.

— Chacun n'a qu'à avaler une plaquette, propose Janice en ouvrant les boîtes.

— Vous êtes dingues, s'insurge Suze. Ne comptez pas sur moi pour avaler des cachets trouvés sur Internet.

Maman prend alors les choses en main :

— Janice, tu vas jeter ces trucs immédiatement. Sors du camping-car et va les éparpiller le long de la route. Je me charge d'occuper le flic. À vrai dire, on s'en charge toutes. Allez, zou ! Tout le monde dehors.

— Mais les flics vont me remarquer, gémit Janice.

— Pas si tu es rapide, réplique maman, très remontée. Tu m'entends, Janice ? Ils ne te verront pas.

Elle ouvre la portière et nous descendons dans la chaleur déjà torride. Nous sommes garés sur le bas-côté de l'autoroute au milieu d'un désert broussailleux qui s'étend à perte de vue.

— Vas-y, Janice ! ordonne maman.

Tandis que son amie s'aventure sur le sol aride, maman s'avance vers le policier, suivie de Minnie et d'Alicia, sous le regard sidéré de Luke.

— Jane, vous n'aviez pas besoin de sortir !

Le regard qu'il me lance est clair. *C'est quoi ce bordel ?* Je me contente de hausser les épaules d'un air impuissant.

— Bonjour, monsieur l'agent, fait maman au premier policier. Mon gendre a dû vous expliquer la situation. Mon mari a disparu au cours d'une mission secrète. Une question de vie ou de mort.

Je me dois d'éclaircir la situation.

— Pas *forcément* de vie ou de mort, je rectifie.

Chaque fois que maman utilise l'expression « une question de vie ou de mort », je jurerais que sa tension monte de dix points. J'essaie de la calmer mais je ne suis pas certaine qu'elle souhaite être calmée.

— Il se trouve en compagnie de lord Cleath-Stuart, poursuit-elle. D'ailleurs je vous présente sa femme, lady Cleath-Stuart. Ils vivent à Letherby Hall, une des plus belles demeures de toute l'Angleterre, ajoute-t-elle fièrement.

— On s'en fiche ! s'écrie Suze.

Un des flics retire ses lunettes pour l'examiner.

— Comme dans *Downton Abbey* ? Ma femme est folle de cette série.

— Letherby est bien mieux que Downton, corrige maman. Vous devriez aller le visiter.

Du coin de l'œil, j'aperçois Janice au milieu du désert qui, dans son ensemble vert d'eau à fleurs, entreprend nerveusement de se débarrasser de son stock de pilules derrière un cactus géant. Pas vraiment discrète. Heureusement, maman a de quoi distraire les policiers en leur racontant le contenu de la note qu'a laissée papa.

— Elle était sur son oreiller, s'indigne-t-elle. Il appelle ça « un petit voyage ». Quel genre de mari décide tout à coup, comme ça, de partir pour « un petit voyage », je vous le demande.

— Messieurs les agents, intervient Luke, qui tente de placer un mot, merci de m'avoir prévenu que mon feu arrière ne marchait pas. Pouvons-nous continuer ?

Silence. Les flics s'interrogent du regard.

— Pas de panique, déclare Minnie, qui jusqu'à maintenant jouait avec sa poupée préférée.

Après un sourire radieux à l'un des policiers, elle répète :

— Pas de panique !

— Tu as raison, mon chou, répond-il avec un grand sourire. Comment tu t'appelles, ma jolie ?

— La police ne va *rien* remarquer, poursuit Minnie sur le ton de la conversation.

Soudain, tout se fige. Mon estomac fait des bonds. Je n'ose pas croiser le regard de Suze.

— Excuse-moi, mon chou, tu disais quoi ? demande

le policier avec un sourire figé. Qu'est-ce qu'on ne remarquera pas ?

— Rien du tout, dis-je d'une voix perçante. Un truc qu'on a vu à la télé. Vous savez comment sont les enfants...

— C'est fait ! s'exclame Janice, hors d'haleine, en venant nous rejoindre. Bonjour, messieurs, on peut vous aider ?

Les flics paraissent très étonnés par son irruption.

— Où étiez-vous, madame ? demande l'un des deux.

— Derrière le cactus. Pour satisfaire un besoin naturel, précise Janice, très fière de la réponse qu'elle a préparée.

— Votre camping-car n'a pas de toilettes ? demande le flic blond.

Janice est décontenancée.

— Euh, si, sans doute.

Son assurance a disparu. Elle lance aux flics des regards éperdus.

— Mon Dieu... En fait... je... j'avais envie de faire quelques pas.

Le flic aux cheveux châtains croise les bras.

— Quelques pas ? Derrière un cactus ?

— La police ne va rien remarquer, dit Minnie à Janice d'un ton confiant.

Cette dernière sursaute comme un chat ébouillanté.

— Minnie ! Ma puce jolie ! Remarquer quoi ? Ha, ha, ha !

— Quelqu'un peut faire taire cette enfant ? s'impatiente Alicia.

— C'était une promenade botanique, explique

23

Janice d'une petite voix. J'admirais les cactus. Superbes... euh... ces épines !

Des superbes épines ? C'est tout ce qu'elle a trouvé ? Jamais plus je ne partirai en voyage avec Janice. Elle a l'air agité et coupable. Normal que les flics soient méfiants. (Bon, c'est vrai, l'intervention de Minnie n'a pas vraiment aidé.)

Les policiers échangent des regards entendus. Dans une minute, ils vont nous annoncer qu'ils nous embarquent ou qu'ils appellent le FBI. Je dois intervenir. Mais comment ? Comment ? *Creuse-toi les méninges, Becky...*

Tout à coup j'ai une inspiration.

— Monsieur l'agent ! Je suis bien contente de vous voir. En fait, j'ai un service à vous demander. Un de mes jeunes cousins veut entrer dans les forces de l'ordre et serait ravi de faire un stage. Est-ce qu'il pourrait prendre contact avec vous ? Vous êtes l'agent Kapinski...

Je sors mon portable et commence à noter le nom inscrit sur son badge.

— Pensez-vous qu'il pourrait faire équipe avec vous ?

— Il existe une procédure officielle, répond froidement l'agent Kapinski. Dites-lui de consulter notre site web.

— Oui, mais tout est une question de contacts personnels, c'est connu, fais-je en battant des paupières d'un air innocent. Vous êtes libre demain ? On pourrait se voir après vos heures de service. Oui ! C'est ça ! Je vous attendrai à la sortie du commissariat.

Je me rapproche de lui tandis qu'il recule avec effroi.

24

— Il est tellement doué et loquace, mon petit cousin. Vous allez l'adorer. Donc, demain, d'accord ? Et j'apporte des croissants, d'accord ?

L'agent Kapinski flippe totalement.

— Vous pouvez y aller, murmure-t-il.

Sur ce, il tourne les talons. Trente secondes plus tard, il a repris la route, avec son collègue et le chien.

— Bravo, Becky ! applaudit Luke.

— Tu as été géniale, ma puce, renchérit maman.

— Il s'en est fallu de peu, chevrote Janice. Vraiment d'un cheveu. Il faut être plus prudents.

— C'est quoi, cette histoire ? s'étonne Luke. Pourquoi vous êtes descendues du camping-car ?

— Janice est recherchée par la brigade des stups, je réponds, me retenant de rire devant son expression médusée. Je t'expliquerai en chemin. Allons-y.

2

Ça fait deux jours qu'ils ont disparu. Vous me direz peut-être : Et alors ? Ils font sans doute une petite balade entre mecs. Pourquoi ne pas attendre tranquillement qu'ils reviennent ? En fait, c'est ce que les policiers ont dit. Mais la situation est plus compliquée qu'elle n'en a l'air. Tarquin a été un peu déprimé ces derniers temps. Il est également extrêmement riche. Du coup, il est devenu une victime idéale pour Bryce et ses pratiques malhonnêtes. Suze s'inquiète et le soupçonne de vouloir « enrôler son mari dans une secte ».

Ce n'est qu'une hypothèse. Mais parmi des tas d'autres. Franchement – et jamais je ne l'avouerai à Suze –, je pense que la clé du mystère se trouve peut-être à Los Angeles, dans un de ces cafés ouverts jour et nuit où papa et Tarquin auront passé tout ce temps. De son côté, Suze croit que Bryce a déjà poussé Tarquin au fond d'un canyon après lui avoir ponctionné tout son argent (elle préférerait mourir plutôt que de l'admettre, mais je sais qu'elle pense ça).

Nous devons nous organiser. Avoir un *plan*. Nous procurer un de ces tableaux qu'ils ont dans les séries policières, sur lequel on noterait les indices, on punaiserait des photos de papa et de Tarkie, on crayonnerait des flèches. (Non ! Ils ressembleraient trop à des victimes d'assassinat. Mieux vaut s'abstenir.) Nous avons besoin d'agir avec méthode. Or, jusqu'à présent, tout s'est passé dans le plus grand désordre.

Très tôt ce matin, le remue-ménage a commencé, avec les valises à faire et les recommandations à la nounou qui va garder les trois enfants de Suze à la maison pendant notre absence. Ensuite, Luke est arrivé avec le camping-car de location et j'ai réveillé maman et Janice, qui n'ont eu que quelques heures de sommeil depuis leur arrivée d'Angleterre. Finalement, nous avons tous embarqué en criant : « À Las Vegas ! »

Pour être tout à fait honnête, nous n'avions pas vraiment besoin de louer un camping-car. Au départ, Luke voulait qu'on parte à deux voitures. Mais je lui ai fait remarquer que nous aurions besoin d'échanger des idées, et donc de rester ensemble. D'où le camping-car. D'ailleurs, il était inenvisageable de se lancer dans une expédition sur les routes d'Amérique sans camping-car.

Depuis le départ, Suze n'a pas arrêté de chercher les sites des sectes existantes sur son ordinateur. Grave erreur. Maintenant, elle a une trouille de tous les diables. Surtout depuis qu'elle est tombée sur un groupe dont les membres se peignent le visage en blanc et se marient avec des animaux. Luke, lui, a passé le plus clair de son temps au téléphone avec son bras droit, Gary, qui le représente à une réunion, à Londres. Luke dirige sa propre société de relations publiques. En ce moment il a énormément de travail mais il a tout mis en stand-by pour conduire le camping-car. C'est vraiment adorable de sa part de nous manifester ainsi son soutien. Bien évidemment, je ferais exactement la même chose pour lui si le cas se présentait.

Janice et maman n'ont cessé d'échanger des propos sinistres d'où il ressort que papa, en pleine déconfiture morale, serait allé vivre dans le désert en poncho. (Pourquoi en poncho ? Mystère.) Quant à Minnie elle a déjà dû hurler : « Cactus, maman ! Cac-TUS ! » au moins trois mille fois de suite. Moi, je suis restée silencieuse à me tripoter les cheveux en laissant toutes sortes de pensées tourbillonner dans ma tête. Des pensées plutôt sombres.

J'essaie vraiment de me montrer positive et pleine d'entrain. D'entretenir une atmosphère joyeuse. Je m'efforce de ne pas trop m'appesantir sur le passé. Mais, dès que je baisse ma garde, tout revient, dans une immense vague de culpabilité. Car voici la vérité. Si ce voyage a lieu, c'est à cause de moi. Tout est ma faute.

Une demi-heure après l'épisode flics, nous nous arrêtons dans un *diner* pour nous ressaisir et petit-déjeuner. J'emmène Minnie aux toilettes, où nous nous entretenons longuement des différentes variétés de savon proposées. Elle tient absolument à les tester tous, ce qui prend des siècles. Quand nous finissons par regagner la salle à manger nous voyons Suze, plantée toute seule devant une affiche style vintage. Je m'approche d'elle et lui dis pour la millionième fois :

— Écoute, Suze, excuse-moi.

— T'excuser de quoi ? demande-t-elle, les yeux fixés sur le mur.

— Tu sais bien. Pour tout…

Je me sens tellement malheureuse que je m'interromps. Que pourrais-je ajouter ? Suze est ma plus ancienne et ma meilleure amie. Avec elle, je me suis toujours sentie formidablement à l'aise. Et maintenant, face à elle, j'ai l'impression de me trouver sur une scène de théâtre, d'avoir oublié mon rôle et qu'elle me laisse me dépatouiller toute seule.

C'est au cours de ces dernières semaines, à Los Angeles, que les choses ont commencé à se dégrader. Pas seulement entre Suze et moi. Sur tous les plans. J'ai perdu les pédales. J'ai déraillé pour une histoire de boulot. Je voulais tellement devenir styliste de mode et travailler pour les célébrités que j'ai perdu la tête. J'ai peine à croire qu'hier soir, comme je me tenais sur le tapis rouge avant une première de film, je me suis rendu compte que je n'avais aucune envie de me retrouver dans une salle de cinéma, entourée de toutes ces stars. J'étais enfermée dans une bulle. Et cette bulle a éclaté.

Luke a compris ça. Nous avons fait une grande promenade hier soir et mis pas mal de choses à plat. Ce qui m'était arrivé à Hollywood était effarant, m'a-t-il dit. En une seule soirée j'étais devenue célèbre sans le vouloir, et ça m'avait complètement désarçonnée. Mes amis et ma famille ne m'en tiendraient pas rigueur longtemps, m'avait-il assuré. Ils allaient me pardonner.

Lui m'a sans doute pardonné. Mais pas Suze.

Le pire, c'est que j'ai cru hier soir que tout était arrangé. Suze m'a suppliée de la laisser partir avec nous et je lui ai promis de tout laisser tomber.

Quand elle a fondu en larmes en me disant que je lui avais manqué, j'ai éprouvé un immense soulagement. Mais, depuis ce matin, son attitude a changé. On dirait qu'elle regrette que je sois là. Elle ne veut pas en parler, mais je sens son hostilité.

Je sais bien qu'elle s'inquiète pour Tarkie. Je sais bien que je dois me montrer indulgente. Mais c'est... dur.

— Peu importe, dit Suze brusquement.

Et, sans un regard, elle rejoint la table. Tandis que je la suis, je vois Alicia, la Garce-aux-longues-jambes, me jeter un regard dédaigneux. Je n'arrive pas à croire qu'elle fait partie de notre troupe. Alicia, la Garce-aux-longues-jambes, ma pire ennemie.

En fait, je devrais dire Alicia Merrelle. Car c'est son nom depuis qu'elle a épousé Wilton Merrelle, fondateur de La Paix d'or, le fameux centre de yoga, de bien-être et de désintox. Un complexe géant avec toutes sortes de salles de cours et une boutique de cadeaux. J'étais fana de l'endroit. Et je n'étais pas la seule. Jusqu'à ce que Tarquin se mette à le fréquenter assidûment en compagnie d'un dénommé Bryce, qu'il déclare à sa femme qu'elle était « toxique » et devienne un peu bizarre. (Rectification : un peu plus bizarre. Car ce vieux Tarkie n'a jamais vraiment été comme tout le monde.)

C'est Alicia qui a découvert qu'ils se rendaient à Las Vegas. Alicia qui a apporté une glacière pleine de bouteilles d'eau de noix de coco pour le voyage. Alicia qui est l'héroïne du jour. Mais je me méfie toujours d'elle. Elle est ma *bête noire*[1] depuis le premier

1. En français dans le texte. (*N.d.l.T.*)

jour de notre rencontre, il y a des années, avant mon mariage. Elle a tout fait pour foutre en l'air ma vie et celle de Luke. Chaque fois qu'elle a pu, elle m'a humiliée et rabaissée. Elle prétend aujourd'hui que c'est du passé, que nous devons oublier, qu'elle a changé. Désolée, je n'en crois pas un mot. Impossible.

— Nous devons établir un plan, je dis en prenant une voix professionnelle.

Je sors un stylo et un carnet de mon sac, j'y inscris PLAN en lettres majuscules et je le place au centre de la table afin que tout le monde puisse le voir.

— Examinons les faits, j'ajoute.

— Ton père a embarqué Tarkie et Bryce dans une histoire liée à son passé, lance Suze avec le regard accusateur qui m'est désormais familier. Mais tu ignores ce dont il s'agit, puisque tu n'as pas pris la peine de lui poser la question.

— Tu as raison, je marmonne. Navrée.

J'aurais dû parler davantage à mon père. Si je pouvais revenir en arrière, je me comporterais différemment. Bien sûr. *Bien sûr*. Mais c'est trop tard. Désormais, tout ce que je peux faire c'est me racheter.

— Donc, récapitulons ce que nous savons, je propose avec un optimisme feint. Graham Bloomwood est venu aux États-Unis en 1972. Il a voyagé en compagnie de trois amis américains : Brent, Corey et Raymond. Et voici leur itinéraire.

J'ouvre la carte de papa et l'étale d'un geste large.

— Pièce numéro 1.

Pour la millième fois, nous examinons le document. C'est une carte routière classique, usée et toute jaunie, avec un trajet souligné au marqueur rouge. En vérité, ça ne nous aide pas beaucoup mais nous continuons à la scruter, au cas où. Je l'ai dénichée dans la chambre de mon père après son départ. En dehors de ça et d'un vieux magazine, je n'ai rien trouvé.

— J'en déduis qu'ils suivent cette route, commente Suze, le nez sur la carte. De Los Angeles à Las Vegas. Regarde, ils sont passés par le Grand Canyon.

— Pas sûr, je réplique, avant qu'elle ne décrète que papa et Tarkie gisent au fond du Grand Canyon et que nous devons immédiatement y aller en hélicoptère.

— Ton père est du genre à revenir sur ses pas ? demande Alicia. Je veux dire : est-il du genre rétro-passéiste ?

« Rétropasséiste » ? C'est quoi, ça ?

— Eh bien, de temps en temps, je réponds en toussotant.

Alicia me bombarde de questions difficiles. Et clôt sa prestation par un clignement de paupières triomphant, comme pour me signifier : Pauvre nouille, tu es vraiment larguée, hein ?

En plus, elle s'exprime de cette voix posée qui me fait sortir de mes gonds. Alicia ne ressemble plus à la chargée de relations publiques qu'elle était à Londres. Désormais elle porte des pantalons de yoga, se coiffe en queue-de-cheval et émaille sa conversation d'expressions New Age. Mais elle est aussi pimbêche qu'avant.

J'improvise :

— Parfois, il revient sur ses pas, parfois pas du tout. Ça dépend.

— Bex, tu as sûrement des informations supplémentaires, s'agace Suze. Raconte-moi encore ta visite au parc de mobile homes. Un détail t'a peut-être échappé.

J'obéis.

— Papa voulait que je rende visite à son vieux pote Brent. Dès que j'ai eu l'adresse, j'y suis allée pour apprendre que Brent venait d'être fichu dehors.

Soudain, une sorte de bouffée de chaleur m'oblige à avaler une gorgée d'eau. C'est là que j'ai vraiment merdé. Mon père m'a demandé de retrouver Brent, mais j'ai sans cesse remis à plus tard ce que je considérais comme une corvée. Parce que, eh bien... parce que j'avais autre chose de plus amusant à faire. Si je lui avais rendu ce service à temps, si j'y étais allée sans traîner, papa serait peut-être parvenu à parler à Brent avant que celui-ci reçoive son avis d'expulsion. Il ne serait peut-être pas parti. Tout aurait peut-être été différent.

Je poursuis :

— Papa ne voulait pas croire à cette expulsion. Il pensait que Brent était riche.

— Comment se fait-il qu'il ait cru ça, vu qu'ils n'avaient pas communiqué depuis au moins quarante ans ?

— Je ne sais pas. Il s'imaginait que Brent vivait dans une grande propriété.

— Alors ton père a pris l'avion pour L.A. afin de revoir son copain ?

— Oui. Il voulait se rendre dans le parc de mobile homes. Ils avaient un problème à régler.

— Et c'est la fille de Brent qui t'a mise au courant, hein ? Rebecca ?

Silence. Nous arrivons à la partie la plus bizarre de l'histoire. Une fois encore, je me repasse la scène. La fille de Brent est sur les marches de la caravane. Les vagues d'hostilité qu'elle dégage sont aussi brûlantes

33

qu'une route goudronnée un jour de canicule. Sidérée, je l'observe en me disant : Mais qu'est-ce que je lui ai fait, à cette nana ? C'est alors qu'elle prononce la phrase qui tue : « Nous nous prénommons toutes Rebecca. » Je n'ai toujours pas compris ce qu'elle voulait dire par « toutes ». Et elle n'allait sûrement pas me l'expliquer.

— Elle t'a dit quoi d'autre ? s'impatiente Suze.

— Rien ! Si tu n'es pas au courant, tant pis pour toi.

Suze lève les yeux au ciel.

— Très utile comme réponse !

— Visiblement, elle ne pouvait pas m'encadrer, c'est le moins qu'on puisse dire.

Je me garde d'ajouter qu'elle s'est moquée de « ma petite voix branchée » et que ses derniers mots ont été : « Et maintenant tirez-vous, princesse de mes fesses ! »

Suze tapote nerveusement son stylo sur la table.

— Elle n'a pas parlé de Corey ?

— Non.

— Mais Corey est le copain qui habite Las Vegas. Il y a des chances que ton père aille le voir.

— Je pense, oui.

— Tu *penses* ? riposte Suze. Bex, il nous faut des faits concrets.

Tout ça, c'est bien joli, mais ni maman ni moi ne connaissons les noms de famille de Corey et de Raymond. D'ailleurs, nous ignorons tout d'eux. Maman nous a confié que papa en parlait seulement quand il se remémorait son fameux voyage, une fois par an, au moment de Noël, et qu'elle n'avait jamais vraiment écouté. (Commentaire maternel : « Si, comme il me l'a raconté un million de fois, il faisait aussi chaud dans la vallée de la Mort, pourquoi ils ne sont pas restés au bord d'une piscine au lieu d'aller se promener ? »)

J'ai googlé *corey las vegas, corey graham bloomwood, corey brent*, entre autres entrées. Le problème est qu'il y a des tonnes de Corey à Las Vegas.

— Très bien, merci quand même, dit Alicia en fermant son portable.

Elle vient de téléphoner à tous les gens qu'elle connaît pour savoir si Bryce avait parlé de l'endroit où il allait séjourner à Las Vegas. Jusqu'à maintenant elle a fait chou blanc.

— Rien de neuf ?

— Non, fait-elle en soupirant. Suze, j'ai l'impression de t'être inutile.

— Pas du tout, rétorque Suze en serrant la main d'Alicia. Tu es un ange.

Toutes deux m'ignorent. De toute façon, c'est le moment de faire une pause.

— Je vais me dégourdir les jambes, j'annonce avec un sourire forcé. Apparemment, il y a une basse-cour derrière. Vous me commandez des gaufres au sirop d'érable ? Et des crêpes et un milk-shake à la fraise pour Minnie ? Allez, viens, ma puce !

Sentir la petite main de ma fille dans la mienne me réconforte. Son amour à elle est inconditionnel.

Ce sera au moins le cas jusqu'à ce qu'elle atteigne ses treize ans et qu'elle me haïsse parce que je l'empêcherai de porter un minishort à l'école.

(Horreur ! C'est déjà dans onze ans ! Pourquoi elle n'a pas deux ans et demi pour toujours ?)

3

En me dirigeant vers l'arrière du *diner*, je tombe sur maman et Janice qui sortent des toilettes. Janice a relevé ses lunettes de soleil à monture blanche sur sa tête. Minnie les regarde, éperdue d'admiration.

— Minnie adooore, se pâme-t-elle, en les montrant du doigt. S'il te plaîîîîît !

— Tu les veux, ma choute ?

— Non, Janice ! je me récrie. Il ne faut pas !

— Oh, mais j'en ai plein !

Je dois avouer que Minnie est adorable avec ces lunettes trop grandes pour elle. Mais je ne dois pas laisser passer ce caprice.

— Tu n'as pas dit merci, ma puce. Et tu ne dois pas demander qu'on te donne des choses. La pauvre Janice, elle va faire comment, maintenant, sans lunettes de soleil ?

Les lunettes glissent sur le nez de Minnie qui les retient en réfléchissant.

— Merci, lance-t-elle finalement. Merci Wouanice (elle n'arrive pas à prononcer le *j*).

Elle retire le nœud en vichy rose de ses cheveux et le tend à Janice :

— Pour Wouanice.

Je ne peux retenir un rire.

— Mon chou, Janice ne porte pas de nœud dans les cheveux.

— Bien sûr que si. C'est ravissant, Minnie. Merci beaucoup, dit Janice en fixant la barrette.

Sur ses cheveux gris, le nœud a un petit air incongru. Je ressens soudain un élan d'affection pour elle. Je la connais depuis toujours. D'accord, elle est un peu loufoque, mais quand même, elle n'a pas hésité à sauter dans un avion pour L.A. uniquement pour être avec maman. Elle nous amuse en nous racontant toutes sortes d'anecdotes sur ses cours d'art floral. Sa présence apporte une note gaie et bon enfant. Sauf, évidemment, quand elle transporte des substances illicites.

— Merci d'être venue, Janice, je lance spontanément.

Et je la serre dans mes bras autant que je le peux étant donné que la pochette où elle a caché son argent fait une grosse bosse sous son top et lui donne l'air d'être enceinte. Maman et elle portent le même modèle de pochette. Une vraie incitation au vol, à mon humble avis. Comme si elles se trimballaient avec une pancarte proclamant : RÉSERVE DE DOLLARS. Mais je n'ai fait aucune remarque. Maman a bien assez de soucis comme ça.

— Ne t'en fais pas, maman, dis-je en l'enlaçant. Papa va bien, j'en suis sûre.

Elle est si tendue qu'elle ne me rend pas mon étreinte comme elle le fait d'habitude.

— Si tu le dis, Becky ! Mais tous ces mystères et ces secrets, c'est très éprouvant à mon âge.

— Je sais.

— Ton père ne voulait pas qu'on t'appelle Rebecca. C'est *moi* qui aimais ce prénom.

— Je sais.

Nous avons eu cette conversation au moins vingt fois. « Pourquoi je m'appelle Rebecca ? » C'est pratiquement la première question que je lui ai posée quand elle a débarqué de l'avion.

— À cause du livre. Le roman de Daphné du Maurier.

— Je sais.

— Mais ton père ne voulait pas. Il a suggéré Henrietta, m'explique maman une fois de plus, la bouche tremblante.

— *Henrietta ?*

Je ne me vois pas en Henrietta !

— Mais *pourquoi* ne voulait-il pas de Rebecca ? insiste maman.

Sa voix grimpe dans les aigus.

Nous nous taisons. Le seul son audible est celui des perles avec lesquelles maman joue nerveusement. C'est papa qui lui a offert ce collier ancien, de l'époque victorienne. Je suis allée chez le bijoutier avec elle pour l'aider à choisir. Elle était tellement contente. Chaque année, papa reçoit une SP – une Super-Prime – qu'il dépense en jolis cadeaux pour nous tous.

Mon père est vraiment quelqu'un d'étonnant. Bien qu'il soit à la retraite, il touche toujours cette SP, en récompense des quelques consultations d'assurances qu'il donne ici et là. D'après Luke, il doit avoir une spécialité particulièrement rare, pour recevoir une telle somme d'argent. Mais il est très modeste, il ne se vante jamais. Il se contente de nous gâter et de nous inviter à des déjeuners de fête à Londres. Papa est comme ça. Généreux. Affectueux. Attentif à sa famille. Ce qui arrive maintenant lui ressemble bien peu.

J'éloigne doucement la main de maman de son collier de perles.

— Tu vas le casser. Essaie de te calmer ! S'il te plaît.

— Allez, Jane ! Allons nous asseoir et manger quelque chose, propose Janice en lui prenant le bras.

Ici, c'est café à volonté. La serveuse revient toutes les trente secondes proposer de remplir les tasses. Quel bon système ! C'est tellement mieux que tous ces *latte* et ces « grandaccinos »…

Tandis qu'elles entrent dans la salle de restaurant, je prends Minnie par la main et nous allons vers la porte de derrière. Dès que je suis dehors, je me sens mieux, malgré la chaleur écrasante. J'avais besoin de sortir. Tout le monde est tendu, irritable. J'aimerais vraiment m'asseoir tranquillement avec Suze pour parler sérieusement. Mais comment faire, avec cette Alicia toujours dans nos pattes… ?

Oh, oh !

Je m'arrête net. Pas devant la basse-cour qui consiste en trois chèvres miteuses parquées dans un enclos mais devant une pancarte annonçant VENTE D'ARTISANAT LOCAL. Et si j'achetais un petit truc pour me remonter le moral ? Pour m'égayer l'humeur et soutenir l'économie locale en même temps ? Oui, quelle bonne idée !

Six stands proposent des objets d'artisanat et des vêtements. Une fille maigrichonne en bottes de daim à talons hauts remplit un panier de colliers en expliquant à la vendeuse :

— Non seulement je les adore, mais en plus, tout mon shopping de Noël est fait.

Je m'approche. Une vieille dame grisonnante surgit sans crier gare et me fait sursauter. Un véritable objet d'artisanat ambulant. Sa peau parcheminée et brune a l'air tannée ou ressemble à un morceau de bois patiné, au choix. Son chapeau de cuir est maintenu par un cordon sous le menton. Il lui manque une dent et sa jupe écossaise semble avoir cent ans d'âge.

— Vous êtes en vacances ? demande-t-elle alors que je jette un coup d'œil à ses sacs.

— Plus ou moins. À vrai dire, je fais partie d'une expédition. Nous recherchons des gens.

— Une chasse à l'homme, constate-t-elle sans se démonter. Mon grand-père était un chasseur de primes.

Chasseur de primes ? Waouh ! Quel métier super-cool ! Je ne peux m'empêcher d'imaginer ce que peut être la carte de visite professionnelle correspondante. Peut-être :

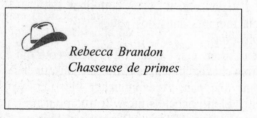

Rebecca Brandon
Chasseuse de primes

— Je suis moi-même un genre de chasseuse de primes, m'entends-je décréter avec nonchalance. Enfin, en un sens !

C'est un peu vrai, non ? Je suis bien en train de pister des gens.

— Vous avez des tuyaux à me donner ? j'ajoute.

— Je peux vous en donner une besace pleine, ma

jolie. Comme mon grand-père avait coutume de dire :
« Si tu peux pas l'attraper, fais-toi des copains. »

— Et ça veut dire quoi ?

— Ça veut dire : sois malin. Cours pas après une
cible en mouvement. Cherche ses amis. Sa famille.

Elle produit tout d'un coup un étui en cuir brun
foncé.

— C'est-y pas un beau petit holster, ma jolie ? Du
cousu main.

Un holster ?

Un holster pour… mettre un *pistolet* ?

Je suis toute décontenancée.

— Bien sûr ! Un holster. Waouh ! C'est… top ! Le
problème c'est que… (petite toux embarrassée)… je
n'ai pas de pistolet.

Elle semble abasourdie par la nouvelle.

— Pas d'arme du tout ?

Je me sens complètement nulle. Premièrement, je
n'ai jamais eu de pistolet en main et deuxièmement,
je n'ai jamais envisagé d'en acheter un. Je dois avoir
l'esprit étroit après tout. On est dans l'Ouest ici. On
porte un chapeau, des bottes, un pistolet. Quand les
filles du coin se promènent en ville, elles lorgnent
sûrement sur les armes à feu des autres nanas, comme
moi à Londres je reluque les sacs Hermès.

— Je n'ai pas d'arme *pour le moment*, je rectifie.
Pas sur moi. Mais quand j'en aurai une, je viendrai
vous acheter un holster.

En m'éloignant, je me demande si je ne devrais pas
prendre des leçons de tir, me procurer un permis de
port d'arme et un Gluck. Ou un Glock ? Je ne sais
plus. Ou un Smith and… Wagon ? Quelle marque est

41

la plus sympa ? Il faut que je creuse la question. Un *Vogue* spécial pistolets, voilà qui me serait utile.

Je me dirige vers le stand voisin où la maigrichonne que j'ai remarquée en arrivant remplit un second panier.

— Bonjour, lance-t-elle gentiment. Je vous signale qu'il y a cinquante pour cent de rabais sur les châles.

— Et même soixante-quinze pour cent sur certains, précise la propriétaire du stand, dont la longue natte grise est ornée de rubans du plus bel effet. Je fais une grande braderie.

— Waouh !

Je déplie un des châles. En laine toute douce, avec des ravissantes broderies d'oiseaux. Et pas cher pour ce que c'est.

— J'en prends deux, un pour ma mère et l'autre pour moi, m'informe la maigrichonne. Et allez voir les ceintures à côté. Moi, des ceintures, je n'en ai jamais assez.

— Je suis d'accord. On ne peut pas vivre sans.

— C'est vrai, dit la fille avec enthousiasme en réclamant un autre panier et en demandant si elle peut payer avec une carte American Express.

J'examine deux châles. Bizarre, je ne dois pas être d'humeur dépensière aujourd'hui. Même si je les trouve super, je n'ai pas envie de les acheter. Exactement comme si je voyais passer un chariot croulant sous de délicieux desserts mais que je n'avais plus faim.

Du coup, je vais jeter un coup d'œil au stand des ceintures.

Elles ne sont pas mal du tout. Et plein de couleurs. Avec des boucles originales. Zéro défaut. Mais ça ne me fait ni chaud ni froid. En fait, l'idée d'acheter me donne vaguement la nausée. C'est invraisemblable.

La maigrichonne a aligné cinq paniers pleins à ras bord sur la caisse et fouille frénétiquement dans son sac Michael Kors.

— J'étais sûre que cette carte de crédit fonctionnait. Je vais essayer avec une autre. Oh, merde ! s'exclame-t-elle en faisant tomber son sac.

Elle se baisse pour récupérer tout ce qui s'est éparpillé par terre. Au moment où je me penche pour l'aider, j'entends qu'on m'appelle.

— Bex ? Le petit déjeuner est servi.

C'est Suze, à la porte du *diner*. Les yeux fixés sur les cinq paniers, elle s'exclame :

— Encore du shopping ! Du Bex tout craché ! Décidément, tu n'as pas changé.

Ce qu'elle peut être critique, alors ! Je pique un fard sans piper. Pas la peine de me justifier. De toute façon, Suze est déterminée à me prendre en faute quoi que je fasse. Elle rentre dans le *diner* et je respire un grand coup.

— Allez, ma puce. C'est l'heure du petit déj. Il y a même un milk-shake qui t'attend.

— Un milk-shake ! se réjouit Minnie. Un milk-shake de vache. Une vache au chocolat ?

— Non, aujourd'hui c'est une vache à la fraise, je réponds en lui chatouillant le menton.

Bon, d'accord. Un jour il faudra qu'on rétablisse la vérité à propos des vaches. Mais rien ne presse. Minnie croit dur comme fer qu'il y a des vaches au chocolat, à la fraise, à la vanille. C'est trop chou.

— Oui, c'est une délicieuse vache à la fraise, fait Luke en s'avançant vers nous.

Il me fait un clin d'œil et ajoute :

— Ta commande est sur la table, Becky.

— Merci. On arrive.

— On fait la balançoire ? demande Minnie, le visage crispé d'espoir.

— D'accord, mon chou, répond Luke en riant.

Pendant quelques minutes, nous marchons en balançant Minnie entre nous.

— Ça roule, Becky ? demande Luke au bout d'un moment. Tu étais bien silencieuse dans le camping-car.

Je suis étonnée qu'il l'ait remarqué.

— Oh, tu sais, je suis plongée dans mes pensées.

Mensonge. Je suis silencieuse parce que je n'ai personne à qui parler. Suze et Alicia font équipe ; maman et Janice aussi. Reste Minnie, complètement absorbée par *Il était une fois*, qu'elle regarde en boucle sur l'iPad.

J'ai pourtant fait de mon mieux. En quittant L.A., je me suis assise à côté de Suze et je lui ai fait une bise sur la joue. Peine perdue : elle est restée raide comme un piquet avant de se détourner délibérément. Je me suis sentie si bête que je me suis renfoncée dans mon siège en faisant semblant de m'intéresser au paysage.

Mais je ne vais pas parler de ça. Inutile d'embêter Luke avec mes problèmes. Il a été tellement formidable. Le moins que je puisse faire est de ne pas l'assommer avec mes soucis idiots. Je serai digne et réservée, comme une bonne épouse. Alors j'ajoute :

— Tu es un trésor d'être venu, de m'accompagner, alors que tu as tant de boulot.

— Je n'allais pas te laisser conduire dans le désert seule avec Suze, rétorque-t-il avec un petit rire.

C'est Suze qui a voulu se précipiter à Las Vegas

– Alicia et elle étaient persuadées qu'elles allaient retrouver Bryce très vite. Pour le moment, elles n'ont pas réussi. Et nous voici à mi-chemin, sans réservation d'hôtel, sans plan précis, sans rien...

Croyez-moi, je suis partante pour courir les routes, mais je me rends bien compte que cette expédition est un peu folle. Cela dit, si je l'exprime à voix haute, Suze va me tailler en pièces. Penser à elle me déprime. Impossible de garder tout ça pour moi. Je serai digne et réservée une autre fois.

— Luke, j'ai l'impression qu'elle ne veut plus être mon amie. Elle m'évite, elle ne m'adresse plus la parole...

Il esquisse une grimace.

— Oui, j'ai remarqué.

— Je ne veux pas la perdre. C'est mon amie de trois heures du mat.

— Ta *quoi* ?

— Tu sais, l'amie que tu peux appeler au milieu de la nuit si tu as un problème et qui accourt sans poser de questions. Janice est l'amie de trois heures du mat de maman. Gary est ton pote de trois heures du mat.

— OK. Compris.

Gary est le mec le plus loyal du monde. Le plus fidèle ami de Luke. En cas de besoin, il arriverait ventre à terre à trois heures du matin pour être avec Luke, qui ferait de même pour lui. Je pensais que Suze serait pour moi ce genre d'amie jusqu'à la fin de mes jours.

Je regarde Luke tristement.

— Aujourd'hui, si j'étais dans les ennuis à trois heures du mat, je n'appellerais sans doute pas Suze. Elle m'enverrait paître.

— N'importe quoi ! Elle t'adore autant que tu l'adores.

— Non, je fais en secouant la tête. Mais je ne lui fais pas porter le chapeau. Tout est ma faute....

Luke a un rire qui me surprend.

— Pas du tout. Tu te trompes !

Comment peut-il dire ça ?

— Mais si ! Si je m'étais dépêchée d'aller voir Brent, nous n'en serions pas là.

— Beck, ce n'est absolument pas ta faute, proteste Luke avec fermeté. Tu ignores ce qui se serait passé si tu avais rencontré Brent. Et j'ajoute que ton père et Tarquin sont des adultes. Et que tu ne peux pas te sentir responsable d'eux. D'accord ?

Il a tort. Il ne comprend pas.

— De toute façon, Suze n'en a que pour Alicia.

— Alicia essaie de te démolir psychologiquement, affirme Luke.

— Tu crois ?

— C'est évident. Elle dit n'importe quoi. « Rétropasséiste » est un mot qui n'existe pas.

— C'est vrai ? Je croyais que j'étais demeurée.

Soudain, mon moral remonte.

— Idiote, toi ? Jamais.

Lâchant la main de Minnie, il m'enlace et, en me regardant droit dans les yeux, il dit :

— Madame Catastrophe quand tu te gares, parfois, mais demeurée, jamais. Ne te laisse pas abattre par les agissements de cette garce.

— Tu sais ce que je crois ? je murmure, bien que personne ne soit à portée de voix. Alicia mijote quelque chose.

— Genre quoi ?

— Je ne sais pas encore. Mais je vais le découvrir.

— Fais attention, Becky. Suze est à fleur de peau ces temps-ci.

Je sais. Pas besoin de me le rappeler.

Il me serre fort contre lui et je me détends. En fait, je suis éreintée.

— Allez, Becky, on y retourne. Au fait, Janice s'est fait arnaquer. Ces fameux cachets ? J'ai regardé la liste des composants actifs. Eh bien, ce n'est ni plus ni moins que de l'aspirine déguisée sous des mots savants.

— C'est trop marrant, je commente en revoyant Janice dispersant frénétiquement ses médicaments dans le désert. Enfin, pas la peine de lui dire…

Quand nous revenons dans le *diner*, la table croule sous la nourriture. Mais personne ne semble avaler quoi que ce soit, à l'exception de Janice qui dévore une assiette d'œufs brouillés. Maman remue son café avec fureur, Suze se mordille la peau du pouce (signe de grand stress chez elle) et Alicia touille une sorte de poudre verte dans un bol. Sûrement un de ses répugnants compléments alimentaires.

— Salut, la compagnie, je dis en m'asseyant. C'est bon, tout ça ?

— On essaie de réfléchir, grommelle Suze. Nous devons nous creuser *beaucoup plus* les méninges.

Alicia lui murmure un truc à l'oreille. Suze hoche la tête. Et toutes deux me jettent un regard en coin. Pendant un abominable moment je me crois revenue au temps de l'école, quand des pestes se moquaient de ma tenue de gym. (Je portais un vieux survêt, alors que les autres filles en avaient de nouveaux, car maman trouvait que c'était une dépense inutile. Je ne lui en veux pas mais j'entends encore leurs ricanements chaque fois que nous avions sport.)

Bon, ce n'est pas le moment de se laisser abattre. Je suis une femme adulte avec une mission à accomplir. Je prends un morceau de gaufre, me penche sur la carte routière et l'examine jusqu'à ce qu'elle devienne floue. J'entends encore les mots de la vieille femme pleine de sagesse. « Cherche ses amis. Sa famille. »

Derrière cette énigme, il y a quatre copains. Reprenons depuis le début. Corey est le copain de Las Vegas. C'est notre indice le plus sérieux. Il faut le retrouver. Nous montrer malins. Mais comment ?

J'en sais certainement plus que je ne le pense. Oui, certainement. Je dois me concentrer. Je ferme les yeux et reviens en arrière. C'est Noël. Je suis assise près du feu qui brûle dans la cheminée de la maison de mes parents à Oxshott. Odeur de chocolat à l'orange. Voix de papa qui a étalé sa vieille carte sur la table basse. Souvenirs épars de son voyage américain.

« … on n'arrivait pas à maîtriser l'incendie. Croyez-moi, ce n'était pas une partie de plaisir… »

« … on dit "têtu comme une mule". Je sais pourquoi – cette abominable bête refusait de descendre dans le canyon… »

« … on restait éveillés tard dans la nuit à boire de la bière locale… »

« … Brent et Corey étaient très intelligents – diplômés en sciences… »

« … ils échangeaient leurs théories et notaient leurs idées… »

« … Corey avait de l'argent. Sa famille était riche… »

« … rien de mieux que camper et assister au lever du soleil… »

« … Raymond était tellement entêté que nous avons failli perdre la voiture dans un ravin… »

« … Corey faisait des croquis. Il était doué pour le dessin, comme pour beaucoup de choses, d'ailleurs… »

Minute !

Corey était doué pour le dessin. J'avais oublié ce détail. Il y avait autre chose concernant Corey et ses talents d'artiste. Mais quoi ?

Lorsqu'il s'agit de donner des ordres à mon cerveau, je suis assez bonne. C'est une de mes qualités. Quand je veux, par exemple, oublier mes factures Visa, apaiser une discussion, voir l'aspect positif d'une situation. Je le somme donc de mettre en marche ses connexions vers le passé. De fouiller dans tous les recoins poussiéreux de ma mémoire que je n'ai jamais pris la peine de nettoyer. De se souvenir. Car je sais qu'il y a un détail… J'en suis sûre…

Oui !

« … il avait l'habitude de tracer un aigle sur chacun de ses dessins, comme une marque de fabrique… »

J'ouvre les yeux. Un aigle ! Je savais bien que je dénicherais une indication. Pas énorme, d'accord, mais c'est quand même un début.

Je sors mon iPhone, tape *corey peintre aigle las vegas* et attends le résultat. Comme le réseau est faible, je pianote avec impatience sur le clavier tout en sollicitant mes neurones afin d'obtenir plus d'informations. Corey le peintre. Corey le riche héritier. Corey le scientifique. Quoi d'autre ?

— Je viens d'avoir des nouvelles de mon dernier contact, lance Alicia qui vient de raccrocher. Rien de rien, ma pauvre Suze. Il va falloir retourner à L.A. et revoir nos plans.

— Abandonner ? se crispe Suze.

Cette idée me panique. Nous nous sommes précipités dans le désert en surfant sur une vague d'adrénaline et de drame. Si nous laissons tomber pour rentrer à la maison, Suze va craquer.

— Ne lâchons pas tout de suite, je lance en essayant de paraître optimiste. À force de réfléchir nous allons forcément aboutir à quelque chose.

— Tu crois vraiment, Bex ? fulmine Suze. C'est bien sympa d'affirmer ça, mais tu nous aides en quoi, dis-moi ? En rien ! Tu fais quoi, d'ailleurs, en ce moment ? Probablement des achats en ligne !

— Pas du tout ! Je mène des recherches.

— Ah ! Et quel genre ?

Ma connerie d'écran s'est bloquée. Je presse frénétiquement la touche Rechercher.

— Luke, vous devez avoir de l'influence, intervient maman. Vous connaissez le Premier ministre. Il ne pourrait pas nous donner un coup de main ?

— Le *Premier ministre* ? fait Luke sidéré.

Soudain, les résultats demandés s'affichent sur mon écran. En les parcourant, je me sens remontée à bloc. C'est lui ! Le Corey du voyage de papa !

Le **peintre** local, **Corey** Andrews… sa signature en forme d'**aigle**… a exposé à la **Las Vegas** Gallery.

Ça ne peut être que lui, non ?

Je clique sur « Corey Andrews » en retenant mon souffle. Au bout d'un moment, plusieurs entrées apparaissent. Wikipedia, un article financier, un article immobilier, une entreprise du nom de Firelights Innovations, Inc. Toutes renvoient à la même personne. Corey Andrews, de Las Vegas !

— Et si vous faisiez appel à ce type important que vous connaissez à la Banque d'Angleterre ? insiste maman.

— Vous voulez dire le gouverneur de la Banque d'Angleterre ? demande Luke après un temps d'arrêt.

— Absolument ! Appelez-le !

— Je ne pense pas que ce soit possible, répond-il poliment.

Et, s'adressant à Alicia :

— Tu as encore des pistes ?

— Non ! J'ai épuisé toutes mes possibilités.

— Moi, j'en ai une, je dis nerveusement.

Aussitôt, toutes les têtes se tournent.

— *Toi* ? grince Suze.

— J'ai essayé de retrouver le Corey du voyage. Corey Andrews. Ça te dit quelque chose, maman ?

Maman fronce les sourcils.

— Corey Andrews. Oui, il me semble, Andrews… Oui, Becky, c'est ce type ! Tu as mis le doigt dessus ! Papa disait toujours qu'il avait beaucoup d'argent. Est-ce qu'il n'était pas peintre, aussi ?

— Parfaitement. Il vit à Las Vegas. J'ai son adresse.

— Bien joué, ma choute ! s'exclame Janice.

Et je ne peux m'empêcher de rougir.

— Comment tu as dégotté ça ? aboie Alicia.

On dirait presque qu'on vient de l'insulter.

— Euh… tu sais. Une approche diagonale du problème. Tiens, voilà le code postal, j'ajoute en tendant mon portable à Luke. Allons-y !

De : wunderwood@aarpf.com
À : Brandon, Rebecca
Objet : Re : devenir chasseur de primes

Chère Madame Brandon,

Tout d'abord, merci pour votre mail. Si vous désirez faire partie de l'Association des agents de recherche des personnes en fuite, je vous prie de remplir le dossier ci-joint avant de le retourner avec un chèque de 95 dollars pour frais d'inscription. Dès réception, nous vous enverrons la carte officielle de notre association accompagnée de la liste des différentes offres de cadeaux mentionnées sur notre site.

En ce qui concerne votre demande, j'ai le regret de vous répondre que nous ne disposons pas de badges ou autres accessoires estampillés « Chasseur de primes ». Je vous précise également que, si nous avons un programme débutants, nous ne proposons malheureusement aucun séminaire spécial sur les « recherches de pères disparus » ou sur la « façon d'entretenir des relations amicales avec des collègues chasseurs de primes ».

En vous souhaitant bonne chance pour vos recherches, je vous adresse mes amicales salutations.

Wyatt Underwood
Directeur opérationnel de l'Association
des agents de recherche des personnes en fuite.

4

Nous nous dirigeons vers le domicile de Corey à Las Vegas. Dans le camping-car, l'ambiance est au calme. Maman et Janice se taisent. Suze et Alicia, assises en face de moi, bavardent à voix basse. Et moi, je colle des stickers avec Minnie en pensant à Bryce.

Son nom complet est Bryce Perry et il était – il est – à la tête du département du Développement personnel à La Paix d'or. Je l'ai souvent croisé quand je fréquentais l'institut et plusieurs questions me taraudent. Comment a-t-il séduit Tarquin ? Pourquoi papa lui a-t-il demandé de l'accompagner dans sa mission ? Pourquoi tous les deux lui font-ils confiance ? En fait, je crois que je connais la réponse : c'est parce que Bryce est très beau gosse.

Rien à voir avec l'homosexualité ou un truc de ce genre. Les gens beaux sont tout simplement irrésistibles. En particulier les mecs à la mâchoire bien dessinée avec une barbe de trois jours et des yeux intenses. On tombe sous leur charme et on croit tout ce qu'ils disent. Par exemple, moi, si demain je tombais sur Will Smith, qu'il m'affirmait être poursuivi par des membres du gouvernement corrompus et me demandait de l'aide, je goberais immédiatement son histoire.

Pareil avec Bryce. On chancelle sous son regard fascinant. On boit ses paroles. On se dit : Bryce, tu as vraiment raison, sur toute la ligne ! Même s'il vous récite les horaires des cours de yoga.

Suze a succombé au charme de Bryce, j'en suis sûre. Ça fait ça à tout le monde. Avant de le rencontrer, Tarquin était au plus bas. Problèmes familiaux, échec professionnel embarrassant : son moral était en berne. Et tout à coup Bryce est apparu avec ses parties de beach volley, sa conversation amicale et sa personnalité envoûtante. Il n'en fallait pas plus pour ensorceler Tarkie.

Que Bryce soit intéressé par son argent ? Pas étonnant. Quand vous êtes aussi riche que Tarkie, tout le monde est intéressé par votre argent. Pauvre vieux ! Il possède une fortune, des propriétés en pagaille, des montagnes de titres mais il n'est pas heureux pour autant, franchement...

— OK, on y est dans vingt minutes.

Interrompant mes pensées, Luke me fait sursauter. Je ne suis pas la seule. Les exclamations fusent :

— Vingt minutes ?

— Déjà ?

— Mais on n'est pas encore à Las Vegas !

— On arrive dans ses abords, explique Luke, les yeux fixés sur le GPS. C'est une banlieue résidentielle. Avec plein de terrains de golf.

— Des golfs ! s'écrie Janice. Peut-être que Graham et son ami font une partie. Qu'en penses-tu, Jane ?

— Oui, il aime bien jouer au golf, fait maman d'un air peu convaincu. Suzie, Tarquin joue aussi, non ?

— Je ne sais pas. Un peu.

— Eh bien voilà, c'est une histoire de golf, s'enthousiasme Janice en battant des mains.

Une histoire de golf ?

Nous échangeons des coups d'œil ahuris. Alors comme ça, papa s'offrirait un petit séjour golfique dans le désert, et nous serions partis comme des flèches à ses trousses uniquement pour le voir en chaussettes écossaises sur le green du dix-huitième trou et l'entendre s'écrier : « Bonne balle, Tarquin » ?

— Et Bryce, il joue au golf ? demande Suze à Alicia.

— Aucune idée. A priori, je dirais non. Mais ça ne sert à rien de se perdre en spéculations. On verra de quoi il retourne une fois arrivés à destination.

Que voilà une réaction raisonnable ! Et décourageante ! Notre excitation retombe d'un coup. Nous restons silencieux jusqu'à ce que nous débouchions dans une grande artère bordée de vastes maisons et que Luke nous annonce :

— Avenue Eagles Landing.

Nous regardons par les vitres, estomaqués. Je croyais qu'à Las Vegas il n'y avait que des lumières, des hôtels et des casinos. J'imaginais que tout le monde vivait à l'hôtel. À l'évidence, l'endroit comporte aussi des maisons. Ou plutôt des palais. Construits au milieu d'immenses parcs plantés de palmiers géants et fermés par des grilles imposantes, comme pour proclamer : Je vis ici et je ne suis pas à plaindre.

Nous observons sans piper mot le numéro 235. C'est la plus grande maison du coin. Un bâtiment gris flanqué de quatre tourelles, comme un château de princesse. Je ne serais pas étonnée d'apercevoir Raiponce penchée à une fenêtre.

— Il fait quoi, déjà, ce Corey ? s'enquiert Luke.

— Il a une boîte de recherche. Tous ses brevets sont déposés. Il est aussi dans l'immobilier. Et dans des tas d'autres choses.

— Quel genre de brevets ?

— Comment tu veux que je sache ? C'est bourré de charabia scientifique.

Je reviens aux notes prises sur Google et lis à voix haute les résultats. « Corey Andrews, décoré par l'Institut des ingénieurs en électricité… Corey Andrews a démissionné de son poste de directeur général de Firelights Innovations, Inc… Corey Andrews a augmenté son parc immobilier… » Oh ! Attends ! Un extrait du *Las Vegas Herald* d'il y a quelques années : « Corey Andrews célèbre son cinquantième anniversaire au Mandarin oriental avec ses amis et associés… »

Consternée, je relève la tête.

— Ses cinquante ans ? Je pensais qu'il avait le même âge que papa.

— Merde, fait Luke en éteignant le moteur. Tu crois qu'on s'est trompés ? De lieu et de type ?

— Comment savoir ? En tout cas, ce Corey Andrews signe ses œuvres d'un aigle.

— C'est peut-être Corey Junior, suggère Suze.

— Peut-être. Mais alors, le père et le fils seraient tous les deux peintres, et ils auraient la même signature ?

Cette remarque nous laisse perplexes.

— Il n'y a qu'une seule façon de le découvrir, lance Luke.

Il descend du camping-car et s'approche de l'interphone. Quelques minutes plus tard, il se remet au volant, et les portes de la propriété s'ouvrent.

— Comment ils ont réagi ? s'impatiente Janice.

— Ils s'imaginent que nous venons à une fête. Je ne les ai pas contredits.

Au bout de l'allée, un homme vêtu d'un costume en lin gris nous fait signe de nous garer à côté d'un bâtiment qui ressemble à un hangar à avions. Le parc est immense, avec des arbres gigantesques et d'énormes pots de fleurs un peu partout. Nous apercevons un court de tennis. Des haut-parleurs invisibles diffusent du jazz. Toutes les autres voitures garées là sont des décapotables rutilantes avec des plaques d'immatriculation personnalisées. L'une indique DOLLAR 34, une autre KRYSTLE. Quant à la troisième, c'est une longue limousine peinte façon tigre.

— Une voiture-tigre ! s'emballe Minnie. Maman, une voiture-tigre.

— Magnifique, ma puce, je réponds en essayant de garder mon sérieux.

Et j'ajoute, à l'adresse de mes compagnons de route :

— Alors, les amis, on fait quoi maintenant ? Je vous rappelle que nous sommes entrés par effraction.

— Je n'ai jamais vu un endroit pareil ! s'exclame Suze.

— Pourtant tu es propriétaire d'un château en Écosse, je lui fais remarquer.

— Oui, mais pas un comme *ça*. Celui-ci est un château digne de Walt Disney. Regarde ! Il y a une piste d'atterrissage pour hélicoptère sur le toit.

L'homme en lin gris s'approche et nous dévisage d'un air soupçonneux.

— Vous venez pour la fête de Peyton ? Puis-je avoir vos noms, s'il vous plaît ?

Nous sommes loin de ressembler à des invités. D'ailleurs, nous n'avons même pas de cadeau pour Peyton.

Luke reste d'un calme olympien.

— Nous ne figurons pas sur la liste des invités, mais nous aimerions voir Corey Andrews. Il s'agit d'une question assez urgente.

— Une question de vie ou de mort ! s'écrie maman.

Janice ajoute son grain de sel :

— Nous venons d'Oxshott. Oxshott en Angleterre.

— Nous voulons retrouver mon père, j'explique.

— Et mon mari, ajoute Suze, qui s'avance au premier rang du groupe. Il a disparu. M. Andrews est peut-être en mesure de nous aider.

L'homme en lin gris paraît perplexe.

— M. Andrews est occupé pour le moment. Donnez-moi les éléments de votre requête, je les lui transmettrai et...

— Nous devons le voir tout de suite, trépigne maman.

— Nous n'en avons que pour une minute, insiste Luke.

— Veux monter dans la voiture-tigre, déclare Minnie avec emphase.

— Nous ne l'ennuierons pas, affirme maman, si vous pouviez seulement...

— Auriez-vous l'amabilité de donner ceci à M. Andrews ?

Alicia s'approche du type en lin gris en lui tendant une des cartes blasonnées de La Paix d'or.

L'homme la prend. Il lit en silence les quelques mots qui y sont écrits et aussitôt son expression change.

— Parfait. Je vais prévenir M. Andrews de votre présence.

Dès qu'il a tourné les talons, nous dévisageons Alicia qui, comme d'habitude, affiche cette expression à la fois suffisante et faussement modeste qui me fait sortir de mes gonds.

— Tu as écrit quoi ? je demande.

— Quelques mots qui à mon avis peuvent débloquer la situation.

Derrière nous, maman et Janice y vont de leurs commentaires mezzo voce :

— Aux États-Unis, le nom d'Alicia Merrelle est l'équivalent d'un titre princier.

— Pense à tous les gens célèbres qu'elle a dû rencontrer à La Paix d'or.

— Oui, mais elle n'en parle jamais. Elle est tellement discrète et gentille, cette fille.

Discrète et gentille ? Ça alors ! Il faudra que je leur explique en long, en large et en travers qui est réellement Alicia la Garce-aux-longues-jambes.

Enfin bon ! Passons !

Quelques instants plus tard, l'homme en lin gris réapparaît et nous entraîne sans un mot vers la maison. Nous le suivons, à l'exception de Luke, qui reste dans le camping-car pour répondre à un coup de fil de Gary (au cours du dîner-conférence, il a appris un potin de premier choix concernant un jeune ministre) et qui nous rejoindra après. La porte d'entrée en bois massif est hérissée de gros clous. Je ne serais pas étonnée si un pont-levis s'abaissait pour nous laisser passer. Mais nous bifurquons. Nous contournons cette demeure-château pour nous engager entre des haies aussi impeccablement taillées que celles du labyrinthe de Hampton Court. Et nous débouchons sur une grande pelouse occupée par un château gonflable, une table couverte de nourriture, des hordes d'enfants qui s'agitent sous une grande bannière proclamant : Joyeux Anniversaire pour tes cinq ans, Peyton !

Ah, c'est donc la fameuse Peyton. Mais, comme toutes les petites filles présentes arborent des robes de princesse brillantes, il est difficile de la repérer. En revanche, l'identité de Corey ne fait aucun doute. Il suffit de voir avec quelle déférence l'homme en lin gris s'adresse à lui, avant de gesticuler dans notre direction.

Plutôt canon, ce Corey ! Bronzé, avec des cheveux noirs épais et des sourcils très bien dessinés – et même épilés, si vous voulez mon avis. Il a l'air drôlement plus jeune que mon père. C'est peut-être le fils du copain de papa, après tout. Même si cela semble bizarre qu'ils signent tous les deux leurs tableaux d'un aigle. À côté de lui se tient une femme que je devine être Mme Corey. En la regardant, un seul mot me vient à l'esprit : « clinquante ». Elle porte un top brillant sur un jean à motifs en relief, des sandales recouvertes de strass, et une quantité insensée de bagues et de bracelets, ainsi qu'un bijou dans ses cheveux brillants et blonds. Pour résumer, on dirait qu'elle a renversé sur elle un plein pot de paillettes. J'oubliais ! Sa paire de seins gros calibre et archibronzés déborde de son décolleté profond. Je veux dire *vraiment* profond. Pour le goûter d'anniversaire de sa fille !

Au bout d'un moment, le dénommé Corey se dirige vers nous. Les membres de notre groupe échangent des regards interrogateurs. Qui va parler ? Et pour dire quoi ? Comme d'habitude, Alicia s'impose :

— Monsieur Andrews, je suis Alicia Merrelle.

— Très honoré de votre visite, madame Merrelle, dit Corey en lui serrant la main. Que puis-je faire pour vous ?

De près, il ne fait pas si jeune. En fait, il affiche la peau architendue des gens qui ont abusé de la chirurgie esthétique. Du coup, je ne sais plus quoi penser. Est-il le Corey de papa ou non ? Je suis sur le point de le lui demander quand Mme Corey le rejoint. Si on l'habillait d'une simple robe de coton et qu'on lui retire sa triple couche d'ombre à paupières nacrée, elle paraîtrait sans doute vingt-trois ans. Au fond, elle a peut-être vingt-trois ans.

— Qu'est-ce qui se passe, mon poussin ? demande-t-elle.

Son mari laisse échapper un petit rire nerveux.

— Je ne sais pas. En tout cas, je te présente Alicia Merrelle, la propriétaire de La Paix d'or. Alicia, voici ma femme, Cyndi.

Cyndi étouffe un hoquet de surprise avant de dévisager Alicia.

— Vous êtes la propriétaire de La Paix d'or ? Quel endroit merveilleux ! J'ai votre DVD, une de mes amies a séjourné chez vous… En quoi pouvons-nous vous aider ?

Je me lance :

— Nous recherchons mon père, Graham Bloomwood.

Vous figuriez parmi ses connaissances, il y a pas mal d'années. Ou peut-être était-ce votre père ? Il s'appelle également Corey ?

— Son père s'appelle Jim, rigole Cyndi. Le seul, l'unique Corey Andrews se trouve devant vous. Pas vrai, mon poussin ?

— Bonne nouvelle ! je m'exclame. Donc, vous avez fait un voyage avec mon père en 1972. En voiture. Vous étiez quatre.

Quelque chose me dit que j'ai mis les pieds dans le plat. Le visage de Corey reste impassible mais ses yeux m'envoient un message hostile.

— En 1972 ? s'étonne Cyndi. Mais il aurait été trop jeune pour ça. Tu avais quel âge, poussinet ?

— Désolé, mais je ne peux pas vous aider, la coupe son mari. Si vous voulez bien nous excuser...

Quand il fait demi-tour, j'aperçois de minuscules cicatrices derrière ses oreilles. Malheur ! Quelle vanité ! C'est pour cette raison qu'il nie avoir connu papa. Cyndi se précipite pour aider un enfant à se relever. Au moment où Corey va pour nous quitter, maman le retient par le bras.

— Mon mari a disparu. Vous êtes notre seul espoir ! gémit-elle.

Je renchéris :

— Écoutez, vous êtes forcément le même Corey. J'en suis certaine. Mon père est-il venu ici ? Vous avez eu de ses nouvelles ?

Il me regarde avec colère.

— La conversation est terminée.

Je persiste :

— Êtes-vous en contact avec Brent ou Raymond ? Saviez-vous que Brent vivait dans un mobile home ?

Mon père n'arrête pas de dire qu'il doit remettre les choses en ordre. Vous savez de quoi il parle ?

— Je vous prie de quitter les lieux. C'est l'anniversaire de ma fille. Je suis navré de ne pas être en mesure de vous aider.

— Pouvez-vous au moins me donner le nom de famille de Raymond ?

— Raymond Earle ! lance Cyndi, qui est revenue parmi nous. C'est le seul Raymond que Corey mentionne.

Corey est livide.

— Cyndi, je te demande de ne pas adresser la parole à ces gens. Ils s'en vont. Retourne avec les enfants.

— Cyndi, où vit Raymond ? je demande en vitesse. À Albuquerque ? San Diego ? Ou est-ce... Milwaukee ?

J'ai lancé ces noms de ville au hasard, en espérant qu'ils déclencheront une réponse. Et ça marche.

— Euh, en fait, il vit près de Tucson, c'est ça, non ? fait Cyndi en lançant un regard interrogateur à son mari. Mais il est un peu dingue, hein, poussin ? Un vrai ermite. Je t'ai entendu parler...

Devant l'expression glaciale de son mari, elle s'arrête net.

— Si je comprends bien, vous êtes en contact avec lui !

Je suis furieuse. Nous avons donc trouvé la bonne piste. Mais si ce crétin au visage plastifié ne nous donne pas un coup de main, nous sommes coincés. Alors j'insiste :

— Corey, que s'est-il passé en 1972 ? Pourquoi

mon père a-t-il décidé subitement de s'acquitter d'une mission ? *Que s'est-il passé ?*

— Allez-vous-en ! J'appelle la sécurité. C'est une fête privée.

À présent, je crie.

— Je m'appelle Rebecca ! Ça vous dit quelque chose ?

— Oh ! réagit Cyndi. Comme ta fille aînée, poussinet.

Corey me fixe d'un air étrange. Personne ne dit mot. J'ai l'impression que tout le monde retient son souffle. Sa fille se prénomme également Rebecca. Drôle de coïncidence, non ?

Finalement, il tourne les talons et rejoint la petite foule de gamins.

— Eh bien, c'était un plaisir de vous rencontrer, dit Cyndi. En partant, prenez une pochette-surprise pour votre petite fille.

— Oh non ! C'est pour vos invités !

— Nous en avons beaucoup trop. Allez, ne vous gênez pas !

Sur ce, elle s'éloigne en chancelant sur ses hauts talons pour aller retrouver son mari. Je l'entends demander :

— Poussinet, c'est quoi cette histoire ?

Un instant plus tard, l'homme en lin gris apparaît, suivi de deux malabars qui ne sont pas vêtus de lin gris mais sont en jean. Ils ont les cheveux rasés et le genre de bobines qui proclament « Je ne fais que mon boulot » quand ils vous réduisent en chair à pâtée.

Enfin, c'est ce que je pense.

— Allez, on s'en va, je déclare nerveusement.

— Mon Dieu ! s'affole Janice. Ces gars ont l'air vraiment menaçants.

— Des brutes épaisses, oui, s'indigne maman.

Une vision abominable s'impose soudain à moi : ma mère s'attaquant aux gros bras de la sécurité avec sa bande de copines du cours de self-défense d'Oxshott.

— Maman, on file, je dis, avant qu'une brillante idée ne lui vienne à l'esprit.

— Oui, allons-y, répète Alicia. Nous avons appris tout ce qu'il était possible d'apprendre.

J'ajoute, à l'adresse des gars au crâne rasé :

— Merci ! Nous partons. Formidable, cette fête. Nous allons juste prendre notre pochette-surprise...

Luke entraîne Minnie vers une table où s'amoncellent les pochettes-surprises et les cadeaux. Cocktail à la main, Cyndi se hâte vers nous.

— Mille excuses, fait-elle. Il arrive à mon mari d'être désagréable avec les gens qu'il ne connaît pas. Je n'arrête pas de lui dire : « Poussin, fais un effort ! »

Elle attrape un sac fermé par des rubans rouges et jette un coup d'œil à l'intérieur :

— Il y a une poupée ballerine. Tu aimes les danseuses, mon chou ?

Minnie est folle de joie.

— Un caaadeau ! Merci-pour-la-jolie-fête-madame.

— Tu es trop mignonne, sourit Cyndi. Et quel joli accent anglais !

— C'est une fête très réussie, je dis.

— Mon mari est extrêmement généreux. Nous avons beaucoup de chance mais nous savons apprécier ce que nous avons. Et ne rien tenir pour acquis. Pour chaque cadeau donné à un gamin invité, nous offrons le même à un enfant pauvre.

— Quelle bonne idée !

— J'aime donner un peu de ce que j'ai reçu. Je ne suis pas née dans cette opulence. (D'un geste du bras, elle désigne le château.) Nous devons toujours nous rappeler que bien des gens n'ont pas notre chance. C'est ce que je veux apprendre à Peyton.

— Bravo !

Décidément, cette Cyndi gagne à être connue.

— Corey a créé sa propre fondation de bienfaisance, poursuit-elle, l'œil embué. C'est le plus charitable des hommes. Il n'arrête pas de penser aux autres. Mais vous avez dû vous en rendre compte rien qu'en le voyant.

— Euh... oui... absolument, je mens. Eh bien, j'ai été ravie de faire votre connaissance. Au revoir !

— Au revoir ! Bye bye, mon chou, dit-elle en faisant une pichenette à Minnie. Et bonne chance pour tout !

— Encore une chose ! je dis, mine de rien, au moment de tourner les talons. Je me demandais... Savez-vous pourquoi Corey a appelé sa fille aînée Rebecca ?

— Non. En fait, ils ne communiquent pratiquement pas. Je ne l'ai même jamais rencontrée. C'est triste.

Je digère l'information.

— J'aurais dû éviter de parler d'elle. Corey n'aime pas qu'on se réfère au passé. D'après lui, ça porte malheur. Une année, j'ai voulu l'inviter pour Thanksgiving mais...

Après un court instant d'abattement, elle se reprend :

— Peu importe ! Puis-je vous proposer quelques petits en-cas pour le voyage ?

5

La pochette-surprise est d'une somptuosité indécente.
Quand, une demi-heure après avoir quitté le château, nous faisons halte dans un autre *diner* pour nous ressaisir et déjeuner, Minnie en profite pour l'ouvrir sous nos yeux stupéfaits. Elle ne contient pas seulement une poupée ballerine. Il y a aussi une montre DKNY, un sweat-shirt à capuche Versace Enfant, deux billets pour le spectacle du Cirque du Soleil. Suze se montre particulièrement horrifiée. Elle n'aime pas les pochettes-surprises, les trouvant vulgaires. (Elle n'emploie jamais ce mot mais sa façon de faire des nœuds avec ses doigts est assez parlante. Quand elle organise des goûters d'enfants, elle offre, en guise de cadeaux, des ballons et des caramels faits maison enveloppés dans du papier sulfurisé.)

Tandis que Minnie extrait encore de la sienne une ravissante pochette rose Kate Spade, maman et Janice vont sur Google pour avoir une idée des prix de l'immobilier à Las Vegas. Elles veulent savoir combien vaut la propriété des Andrews. Pendant ce temps, je subtilise discrètement la pochette. Je vais la garder soigneusement jusqu'à ce que Minnie soit en âge de s'en servir. (Et dans l'intervalle il est possible que je l'emprunte une ou deux fois.)

— Comment a-t-il gagné tout cet argent ? s'interroge Janice. C'est incroyable ! Cette maison, là, est à vendre pour seize millions de dollars !

— L'immobilier, marmonne maman.

— Non, il a commencé avec des brevets, j'explique. Des inventions d'ingénieur. Apparemment, il a mis au point un ressort original.

J'ai trouvé ces renseignements sur Google en lisant un portrait de Corey publié dans le *Wall Street Journal*. D'après l'article, le ressort a été sa première invention et continue à lui rapporter de l'argent. Je me demande comment on peut inventer un ressort. Ce n'est jamais qu'un bout de fil de fer en tortillons, non ?

— Tu vois, Becky, je t'avais bien dit de te concentrer sur les cours de sciences, maugrée maman. Janice, regarde, cette maison a deux piscines.

— Très tape-à-l'œil, commente sa copine. Mais ils ont une de ces vues !

Je réfléchis tout haut.

— Comment peut-il mentir à ce point sur son âge ? C'est incompréhensible. Corey est forcément de la même génération que papa. Pourtant, j'ai beau chercher sur Internet, je ne trouve aucune indication qui remette en question son prétendu « cinquantième anniversaire ». Alors, comme ça, on peut s'inventer un âge bidon de nos jours. Ça m'étonne. Que dit Google ?

— Il a sans doute commencé à mentir avant l'apparition de Google, signale Janice. Comme Marjorie Willis. Tu te souviens, Jane ? Un anniversaire sur deux, elle se rajeunissait d'un an.

— Ah oui, Marjorie ! Elle a fêté ses trente-quatre ans

au moins deux fois, sinon trois. C'est la meilleure façon de procéder, ma puce, me conseille maman. Commencer de bonne heure et y aller doucement.

— Oui. Si tu démarres maintenant, Becky, tu pourras perdre facilement dix ans, précise Janice.

Moi ? Me rajeunir ? Je n'ai même jamais pensé à tricher sur mon âge. Prétendre être plus vieille que l'on n'est me semble une démarche beaucoup plus judicieuse. Entendre tout le monde s'exclamer : « Waouh, elle est incroyable pour quatre-vingt-treize ans ! » quand on n'en a que soixante-dix…

Je suis interrompue dans mes pensées par Luke, qui me fait signe avec une expression bizarre.

— Qu'est-ce qu'il y a ? je lui demande en le rejoignant près de la fenêtre.

Sans répondre, il me tend son portable.

« Dis-moi Becky, fait papa, sans autre préambule, ta mère prend l'avion pour L.A. ? C'est quoi, cette histoire de fou ? »

C'est la voix de mon père. De… mon… père. Il est vivant. Si je n'étais pas sur le point d'éclater en sanglots, je tomberais dans les pommes.

« Mon Dieu ! Papa, c'est *toi* ? »

Les larmes ont déjà jailli de mes yeux. Je ne m'étais pas rendu compte que j'étais si inquiète. À quel point je me sentais coupable. Combien d'horribles images trottaient dans ma tête.

« Je viens de recevoir un message confus sur mon téléphone. Comme je viens de le dire à Luke, tu dois te débrouiller pour dissuader ta mère de venir. D'accord ? Dis-lui de rester en Angleterre. »

Il plaisante ou quoi ? Il n'a donc aucune idée de la crise que nous traversons ?

« Mais elle déjà là, aux États-Unis. Et Janice aussi. Papa, on se fait un sang d'encre à cause de toi. Et pour Tarkie, et aussi pour…

— Tout le monde va bien, s'agace papa. Dis à ta mère de ne pas se faire de bile. C'est seulement l'histoire de quelques jours.

— Mais où es-tu ? Que fais-tu ?

— Rien d'important, répond mon père. Un petit problème entre amis qui va se résoudre très vite, j'en suis sûr. Fais ton possible pour distraire ta mère pendant ce temps.

— Mais nous sommes à ta recherche ! »

Papa semble vraiment furieux.

« Arrêtez ! C'est ridicule ! Est-ce qu'il est interdit à un homme de s'occuper d'une affaire personnelle sans avoir sa famille aux trousses ?

— Mais tu n'as rien dit à maman ! Tu as tout simplement disparu !

— Je t'ai laissé un mot, s'impatiente mon père. Tu savais que je ne risquais rien. Ce n'était pas suffisant ?

— Papa, tu dois lui parler. Maintenant. Je te la passe…

— Pas question. Becky, je dois me concentrer sur la tâche que j'essaie de mener à bien. Je ne peux pas en plus subir les crises d'hystérie de ta mère.

— Mais elle ne… »

Je stoppe net. Ça ne me plaît pas de le reconnaître, mais papa a raison. Si maman prend le téléphone, ses vociférations dureront jusqu'à ce que la batterie du téléphone soit morte.

« Ramène ta mère à Los Angeles. Allez dans un spa et…comment tu dis, déjà ?… relax ! »

Là, il va trop loin, le paternel.

« Comment veux-tu qu'on soit relax ? Tu ne nous expliques rien. En plus, nous savons que Bryce essaie de manipuler Tarquin, Au fait, comment va-t-il ?

— Bryce ne manipule personne. Au contraire. C'est un type très serviable. Son aide m'est précieuse. Il connaît la région, tu sais. Et il a pris Tarquin sous son aile. Ils passent des heures à bavarder de choses et d'autres. »

Sous son aile ? Des heures à bavarder de choses et d'autres ? Je n'aime pas ça.

« Tarkie est là ?

— Oui. Tu veux lui dire un mot ? »

Quoi ? Incrédule, je regarde le téléphone. J'entends un bruit de pas, puis l'inimitable voix flûtée de Tarquin :

« Becky ? Salut !

— Tarkie ! je crie, tant je suis soulagée. J'appelle Suze tout de suite…

— Non… Ne te dérange pas ! Dis-lui juste que je vais bien.

— Mais elle se fait un tel souci ! Nous aussi, d'ailleurs. Tu sais, Bryce est un manipulateur de première. Il est dangereux, Tarkie. Il est intéressé par ton argent. Tu ne lui as rien donné, hein ? Surtout, tu ne lui files pas un dollar, OK ?

— Bien sûr qu'il est intéressé par mon argent. »

Le ton détaché de Tarquin me coupe la chique.

« Il m'en parle toutes les cinq minutes, poursuit-il. Pas très subtil. T'inquiète, je ne lui donne rien.

— Tant mieux ! Continue comme ça !

— Becky, je suis peut être une andouille, mais pas à ce point-là ! »

J'émets un « Oh ! » étouffé.

« Avec des types comme Bryce, il faut juste faire gaffe.

— Tu as raison. »

Ça alors ! Ce que dit Tarkie est parfaitement censé. Je croyais qu'il était en pleine dépression ?

Mais alors, que signifiait son attitude à L.A. ? Je le revois, à table, nous lançant à tous des regards noirs et disant à Suze qu'elle était « toxique ».

« Becky, je dois y aller, dit Tarquin. Je te repasse ton père.

— Nooon ! »

Trop tard.

« Becky ? »

C'est papa. Je respire un bon coup avant de me lancer :

« Écoute-moi, s'il te plaît ! Je ne sais pas ce que tu mijotes, et si tu ne veux rien me dire, je l'accepte. Mais tu ne peux pas planter maman de cette façon. Tu es loin de Las Vegas ? Parce que si tu nous aimes vraiment et que tu as une minute, tu pourrais nous rejoindre là-bas. On a besoin de te voir et d'être sûres qu'il ne t'est rien arrivé. Ensuite tu repartiras en mission. Papa, je t'en prie ! »

Long silence. Je peux sentir sa réticence.

« Je suis loin, dit-il enfin.

— Eh bien, on vient te retrouver. Donne-moi une adresse !

— Non. Certainement pas. »

Long silence. Je retiens mon souffle.

Mon père, si raisonnable – il a travaillé toute sa vie dans les assurances.

« D'accord, finit-il par dire. Retrouvons-nous pour un petit déjeuner rapide demain, à Las Vegas. Ensuite vous retournerez à L.A. et vous me ficherez la paix. Mais à une condition : pas de questions.

— Entendu. On ne te posera pas de questions. »

Mais comment m'en empêcher ? Je vais commencer à dresser une liste dès que j'aurai raccroché.

« On se retrouve où ? »

Ma connaissance de Las Vegas est très limitée. Même après avoir vu *Ocean's Eleven* à peu près un millier de fois.

« Au Bellagio, je déclare. Petit déj au Bellagio, à neuf heures.

— Parfait. À demain. »

Je comptais ne pas le questionner sur ce qui me tient à cœur parce que de toute évidence il ne voudra pas me répondre, mais impossible de me retenir. Alors je lâche :

« Pourquoi tu ne voulais pas m'appeler Rebecca ? »

Autre silence éloquent. Je retiens ma respiration. Mon père est toujours en ligne. Il est en ligne, il reste muet…

Et puis il raccroche.

J'appuie immédiatement sur le bouton Rappel mais je tombe sur sa messagerie. J'essaie le téléphone de Tarkie. Messagerie. Ils doivent avoir tous les deux éteint leur portable.

— Bien joué ! me félicite Luke. Dans les prises d'otages, tu ferais un négociateur hors pair. Si je comprends bien, nous avons rendez-vous avec eux pour le petit déjeuner.

— On dirait bien.

Je suis comme étourdie. Après tout ce stress et cette angoisse, il semble que papa et Tarkie se portent tous deux à merveille. Qu'ils ne gisent pas au fond d'un ravin.

— Allez, décompresse, Becky ! dit Luke en posant ses mains sur mes épaules. Les nouvelles sont excellentes. On les a retrouvés !

Je me permets enfin un sourire.

— Oui. Allons prévenir maman et Suze.

Je croyais que c'était les porteurs de mauvaises nouvelles qu'on accueillait mal. J'imaginais que maman et Suze me féliciteraient, qu'elles m'applaudiraient pour avoir convaincu papa de venir déjeuner avec nous à Las Vegas. Je m'attendais à une accolade générale. Erreur totale.

Ni maman ni Suze n'ont l'air spécialement ravies d'apprendre que leurs maris bien-aimés sont sains et saufs. Après un bref moment de joie au cours duquel Suze a laissé échapper un « Dieu merci ! », elles ont recommencé à se plaindre.

Et maman d'y aller de son refrain :

— Pourquoi mon mari ne me fait-il pas confiance ?

C'est le début d'un duo avec Janice.

— Tu as raison, Jane. Tiens, Jane, avale quelques M&M's.

L'argument massue de maman est qu'un mari qui disparaît et fait des secrets n'est pas digne de respect.

— C'est un adulte quand même. Il se prend pour qui ? Kojak ?

Que vient faire Kojak dans cet échange ? Mystère et boule de gomme. Au fait, qui est ce Kojak ? Sûrement un personnage de la télé au temps où on l'appelait « le petit écran ».

Les récriminations de Suze, elles, portent sur le fait que Tarkie n'a pas voulu lui parler. Elle compose son numéro au moins quatre-vingt-dix-neuf fois de suite. À chaque essai, elle tombe sur son répondeur et me lance un regard plein de reproches, comme si j'y étais pour quelque chose. Pendant le trajet vers le centre de Las Vegas, elle ne cesse de se ronger les ongles, tournée vers la vitre.

— Suze ? je dis doucement.

Elle me fait face et me regarde avec impatience, comme si je venais de l'interrompre dans une activité particulièrement importante.

— Oui ?

— Tarkie va bien. Ce n'est pas une bonne nouvelle, ça ?

Elle me lance un regard vide. Comme si elle ne comprenait pas le sens de mes paroles.

— Tu n'as plus à t'inquiéter. Quel soulagement !

Son visage affiche une expression douloureuse. Serais-je trop bête pour constater la réalité des faits ?

— Je serai soulagée quand je le verrai. Pas avant. Je crois toujours qu'il est sous l'emprise de Bryce. Qu'il subit une sorte de lavage de cerveau.

— Ce qu'il disait semblait pourtant très logique. Et puis, s'il était vraiment sous l'influence de Bryce, il ne viendrait pas nous retrouver. C'est plutôt bon signe.

— Tu ne comprends pas, Bex.

À ce moment-là, Alicia tapote gentiment le bras de Suze pour lui montrer qu'*elle* comprend, et qu'*elle* est une vraie amie.

Mon cœur se serre. Je prends Minnie sur mes genoux pour me consoler.

— Arrêter de me faire du mauvais sang ? s'insurge

maman, en réponse à Janice. Il va voir, Graham, de quel bois je me chauffe. Est-ce que j'ai eu des secrets pour lui, moi ?

— Et la table à bronzer dans le garage ? objecte Janice.

— Rien à voir ! Graham est embarqué dans un truc louche.

— Ce n'est pas son genre.

Janice a raison. Bien sûr, papa et maman ont connu des hauts et des bas, ils ont eu leur lot de surprises désagréables et de moments dramatiques. Mais, à ma connaissance, mon père ne s'est jamais montré aussi mystérieux, vis-à-vis de maman.

Pour changer de sujet, je demande à la cantonade :

— Où va-t-on passer la nuit à Las Vegas ? Pas dans un camping, si ?

— Non, dit Luke. On va garer le camping-car et aller à l'hôtel.

Ça suffit à me réjouir, malgré l'atmosphère ambiante. C'est la première fois que je mets les pieds à Las Vegas. Sachant que papa et Tarkie vont bien, on pourra commencer à décompresser.

— Tu as besoin de te détendre, Jane, fait Janice comme si elle lisait dans mes pensées. On devrait prendre rendez-vous dans un spa.

— Est-ce qu'il n'y a pas un hôtel avec un cirque ? s'enquiert maman, un peu rassérénée. J'aimerais bien aller au cirque.

— Et le Venitian ? je suggère. On en profiterait pour se promener en gondole.

Janice a l'œil fixé sur l'écran de son portable.

— Il y a un hôtel égyptien, le MGM Grand. Et on pourrait faire un tour au Caesar Palace. C'est fabuleux pour le shopping, Becky.

— Et Elton John ? intervient maman. Il se produit toujours à Las Vegas ?

— Comment pouvez-vous parler de gondoles, d'Elton John et du Caesar Palace ? nous coupe Suze d'une voix stridente. Nous ne sommes pas en vacances. Nous ne sommes pas là pour nous amuser.

Nous ouvrons de grands yeux, sidérées par l'accusation qui se lit dans son regard.

— OK. On réserve d'abord des chambres et on voit après pour le reste, je propose, afin de calmer le jeu.

— Pas dans un de ces atroces établissements à thème, déclare Alicia avec une petite moue snob. Dans un hôtel traditionnel, un endroit sérieux pour hommes d'affaires.

Je la regarde, ahurie. Un hôtel traditionnel ? Sérieux ? À *Las Vegas* ? Elle déraille. Premièrement, après toutes ces émotions, maman a besoin de se divertir, et pas de s'ennuyer dans une sinistre chambre sans caractère avec une connexion WiFi pour toute distraction. Deuxièmement, je veux que Minnie s'amuse. Elle le mérite bien.

— Nous passerons la nuit là où nous trouverons des chambres libres, j'annonce fermement. D'ailleurs, je suis volontaire pour passer les coups de fil.

* *
*

— Désolée, Suze, je répète pour la énième fois. Je sais que tu aurais préféré un hôtel pour hommes d'affaires.

Sous son regard soupçonneux, je m'arrange pour arborer une expression de réel regret alors que je suis aux anges.

Waouh ! Nous sommes dans le hall de l'hôtel Venitian et c'est complètement dingue. Il y a un gigantesque dôme orné de ce qui ressemble à des œuvres de grands maîtres vénitiens (enfin, en un peu plus coquin !), une fontaine avec un fantastique globe doré, et devant nous joue un accordéoniste au foulard rouge. Et nous n'avons encore rien vu !

Luke revient de la réception.

— Voilà ! annonce-t-il, en brandissant les clés. Nos chambres ne sont pas voisines, mais au moins nous sommes logés. Et comme c'est un jour de promotion, nous avons un cadeau. Des jetons gratuits pour le casino.

Il nous les montre, enveloppés dans un rouleau de papier, comme des bonbons. Trop bien ! Dommage qu'ils ne soient pas décorés. Je verrais bien des cœurs, par exemple. Si j'ouvrais un casino, mes jetons seraient agrémentés de phrases comme : « Bonne chance ! » ou : « Encore un essai ! »

— Des jetons gratuits ! s'indigne Alicia en nous servant sa moue dégoûtée. Typique de ce genre d'établissement ! Vous pouvez garder les miens.

Bon sang, quelle punaise ! Nous sommes à Las Vegas, la capitale du jeu. Je n'ai jamais essayé la roulette ou le baccara, mais je suis sûre que j'apprendrai très vite.

— Bon, organisons-nous, dit Luke en nous entraînant dans le coin où maman et Janice se sont assises sur leurs valises avec Minnie.

— J'adooooore ! s'exclame ma fille en tendant vers les jetons ses petites mains potelées. Tu me donnes une assiette de poupée ?

Elle croit que ce sont des assiettes de poupée. C'est mignon.

— Tiens, ma puce, je dis en lui tendant un jeton. Mais tu ne le mets pas dans ta bouche, d'accord ?

Suze me dévisage, interloquée.

— Tu donnes à Minnie des *jetons de casino* pour qu'elle joue avec ?

Je rêve !

— Minnie ne sait pas ce que c'est. Pour elle, c'est une assiette de poupée.

— Quand même !

Suze secoue la tête comme si je venais d'enfreindre une règle fondamentale de la déontologie parentale. Elle se tourne vers Alicia. Toutes deux affichent le même air désapprobateur.

— C'est un bout de plastique, je proteste. Au casino, oui, c'est un jeton mais dans la main de Minnie, c'est une assiette de poupée. Vous croyez quoi ? Que je vais laisser ma fille jouer au black jack ?

Vraiment, je ne comprends plus Suze. C'est fou ce qu'elle a changé. Je constate avec horreur que j'ai les larmes aux yeux. Je détourne la tête. Elle évite mon regard. Elle ne plaisante plus avec moi.

C'est à cause d'Alicia. Alicia la Garce-aux longues-jambes, a perverti Suze. Alicia n'a jamais eu le sens de l'humour, mais on moins on le savait. On connaissait le personnage, et on le détestait. Et maintenant elle joue les gentilles, tout miel, tout sucre, et elle a embobiné Suze. Mais au fond, elle est toujours la même. Froide. Pincée. Péremptoire. Et elle a contaminé ma meilleure amie.

Je suis tellement absorbée par ces tristes constatations

que je n'ai pas tout de suite vu qu'un SMS venait
d'arriver sur mon portable.

En route. Serai à Las Vegas en fin de journée.
Bizzz.
Danny.

Danny !! Quel bonheur ! Il va me faire rire. Il va
tout arranger.

En même tant qu'un créateur de mode célèbre et
une star, Danny Kovitz est mon grand ami. Dès qu'il
a su que Suze avait des problèmes, il a promis de
sauter dans un avion et de réquisitionner tout son
personnel, quel qu'en soit le prix. Il faut dire qu'il
adore aussi Tarkie. (À vrai dire, il est raide dingue
de Tarkie. Mais pas un mot à Suze !)

— Suze ! Danny arrive ! On va pouvoir se retrouver, dîner ensemble, se détendre...

J'essaie désespérément de lui insuffler un peu
d'optimisme, mais autant essayer de ramollir un mur
de briques.

Elle me crache presque sa réponse au visage.

— Bex, je ne pourrai pas me détendre avant d'avoir
vu Tarkie en chair et en os. Avant de savoir qu'il
n'est plus sous la coupe de cet... individu.

— Écoute, ma Suze, tu te fais encore du mouron,
je comprends. Mais tu devrais essayer de te changer
les idées. J'emmène Minnie à l'aquarium aux requins.
Tu viens avec nous ?

— Non, fait Suze en secouant la tête.

— Tu as besoin de t'occuper.

— Mais j'y compte bien. Avec Alicia, nous allons

chercher un cours de yoga. Ensuite j'ai des mails à écrire. Et je compte me coucher de bonne heure.

Écrire des mails ? Se coucher de bonne heure ? J'hallucine ! Mais restons zen.

— Je pensais qu'on pourrait aussi aller admirer les jeux d'eau du Bellagio, prendre un verre…

En voyant l'expression menaçante de Suze, je stoppe net.

— Ces frivolités touristiques m'ennuient, crache-t-elle, méprisante.

Alicia approuve d'un hochement de tête.

Depuis quand ? je me demande, blessée par sa remarque. Quand nous étions à Séville ensemble, ces « frivolités touristiques », comme elle dit, la passionnaient. Un soir, au dîner, on a porté les robes de flamenco qu'on venait d'acheter et on n'a pas arrêté d'échanger des « olé ! ». Mortes de rire ! C'est l'une des meilleures soirées de ma vie. D'ailleurs, maintenant que j'y pense, c'était Suze qui avait voulu étrenner sa robe à volants. Et puis, ça me revient, elle s'était aussi offert une guitare ornée de rubans. Ce n'était pas « frivole », peut-être ?

— Allez, Suze, viens au moins voir les jeux d'eau du Bellagio. C'est plutôt un symbole qu'un attrape-gogo. Tu te souviens, la première fois qu'on a vu *Ocean's Eleven* et qu'on s'est juré d'aller un jour à Las Vegas ?

Elle hausse les épaules et fixe son écran de portable comme si ce que je disais ne l'intéressait pas. Je suis au bord des larmes.

— Bon ! D'accord ! Amuse-toi bien ! je lance.

Suze me regarde d'un air accusateur.

— Tu n'as pas oublié que nous avons rendez-vous avec Tarkie et ton père à neuf heures demain matin ?

— Bien sûr que non !

— Tu ne vas quand même pas passer la nuit à picoler des cocktails gratuits jusqu'à t'effondrer sous la table de roulette ?

— T'inquiète ! Tu me trouveras ici même demain matin à huit heures et demie, fraîche comme une rose.

— Parfait ! À demain !

Suze et Alicia s'engagent dans un couloir qui ressemble à la chapelle Sixtine. Quant à moi, complètement déprimée, je rejoins les autres.

— Luke, tu viens voir les jeux d'eau avec moi ? Et vous, maman et Janice ?

— Et comment ! s'écrie maman, en descendant joyeusement la boisson qu'elle s'est procurée pendant que Luke s'occupait de nos chambres. N'essaie pas de nous freiner. Mon heure est venue, ma puce. Mon heure est venue.

— C'est-à-dire ?

— Si ton père a pris la poudre d'escampette, moi aussi, je peux me lâcher. S'il s'amuse à dépenser la fortune familiale, il n'y a aucune raison que je ne le fasse pas également.

Depuis qu'on a eu des nouvelles de papa, une drôle d'étincelle est née dans l'œil de maman. Sous l'effet du cocktail, c'est devenu une braise.

— Papa ne dépenserait pas la fortune familiale, je tempère.

— Comment savoir ce qu'il fabrique ? rétorque maman. Quand je pense que pendant toutes ces années j'ai été une épouse modèle. Je lui préparais ses dîners, je faisais son lit, j'étais suspendue à la moindre de ses paroles...

Foutaises ! Maman n'a jamais été suspendue aux paroles de papa et la plupart du temps, elle achète des plats tout prêts chez Marks & Spencer.

— Et maintenant, c'est secrets et mystères, continue-t-elle, mensonges et complots !

— Il fait seulement un petit voyage. Ce n'est pas la fin du monde...

— Oui, mensonges et complots, répète maman en m'ignorant. Janice, ça te dit de faire un tour aux machines à sous ? Moi, j'y vais.

— On revient vite, prévient Janice, essoufflée, s'efforçant de suivre maman.

D'accoooord ! Il va falloir que je surveille ma mère !

— Minnie, on va regarder les gros poissons ?

Je la serre très fort dans mes bras. Elle a été tellement sage, assise tranquillement dans le camping-car toute la journée. Elle a besoin de se distraire un peu.

— Ouiiiii ! Des poissons !

Et Minnie fait le poisson avec sa bouche.

Dans la brochure qu'on a donnée à Luke, je parcours la rubrique « Attractions pour enfants ». J'en reste baba. Il y a tout ! Une tour Eiffel, des gratte-ciel new-yorkais, des pyramides égyptiennes, des dauphins et un cirque. On dirait que quelqu'un s'est amusé à faire entrer le monde entier dans une seule rue en ne gardant que les aspects amusants.

— Allez, en route, ma cocotte ! je dis en attrapant la main de ma fille.

En tout cas, j'ai décidé qu'elle prendrait du bon temps.

6

Deux heures plus tard, toutes ces lumières, cette musique, ces bruits de circulation me donnent le tournis. Et surtout les *blip-blip*. Las Vegas est la plus blip-blip des villes. Partout où on met les pieds, un orchestre joue à plein volume un air unique, *blip-blip-blip*, avec pour seuls instruments des machines à sous. Sans jamais faire de pause. Sauf quand elles déversent des pièces. Là, les percussions prennent le relais.

J'ai un sacré mal de tête, à cause de ce raffut, mais tant pis, c'est génial. Nous circulons sur le Strip dans la limousine que le concierge de l'hôtel a mise à notre disposition et, rien qu'en pénétrant dans différents hôtels, j'ai l'impression de faire le tour du monde. J'ai même commandé du « poulet parisien » à Minnie pour son dîner (des nuggets, en fait).

Nous sommes de retour au Venitian, qui paraît bien calme et « normal », comparé à certains endroits que nous avons visités (Enfin, si l'on considère comme tels son décor de ciel, de nuages, de canaux et sa place Saint-Marc.) Luke regarde sa tonne de mails au centre de conférences. Maman et Janice ont été se renseigner avec Minnie sur les promenades en gondole. Et moi, je fais les boutiques. Enfin, Shoppes, comme on dit ici. Pourquoi les appellent-ils ainsi ? C'est du vieil anglais ?

Des Shoppes, il y en a pour tous les goûts : depuis les boutiques de couturiers jusqu'aux bazars de souvenirs. Cette galerie marchande est impressionnante. Le faux ciel parfaitement bleu est parsemé de nuages légers, la température est idéale. Une diva en robe de velours se balade en vocalisant un air d'opéra. Je sors de chez Armani, où j'ai repéré une veste en cachemire gris qui serait *divine* sur Luke. (Évidemment, elle coûte huit cents dollars, ce qui me fait hésiter. À ce prix, il faut au moins qu'il l'essaie.) Tout ça est à couper le souffle ! Je devrais être enchantée ; à vrai dire, il n'en est rien.

Je n'arrête pas de penser à Suze, et ça me rend malade. Elle m'ignore totalement. C'est pourtant elle qui a demandé à faire partie de notre expédition. Quand nous étions à Los Angeles, elle m'a même pris la main en me disant « J'ai tellement besoin de toi ». Son attitude est insensée.

Nous avons déjà connu une période d'éloignement, Suze et moi. C'était pendant mon voyage de noces. Mais ça n'avait rien à voir. C'était une séparation. Là, on dirait bien une rupture.

J'entre dans le Big Souvenir Store et, le cœur lourd, je commence à remplir un panier. *Arrête de t'apitoyer, Becky ! Concentre-toi sur ton shopping.* J'ai déjà une boule à neige du skyline de Vegas, des magnets-dollars et tout un assortiment de tee-shirts « C'EST ARRIVÉ À VEGAS », et je m'apprête à saisir un cendrier en forme de chaussure en me demandant qui je connais comme fumeur…

Mais je n'arrête pas de ressasser mon problème avec Suze. Alors c'est ça ? Notre amitié est terminée ? Après toutes ces années, tout ce que nous avons traversé, c'est vraiment la fin ? Que s'est-il passé ? Je n'arrive pas à mettre le doigt dessus. D'accord, je me suis comportée comme une buse à L.A. Mais de là à tout gâcher…

Il y a un présentoir de bijoux en dés. Sans enthousiasme, je mets deux colliers dans mon panier. Maman et Janice vont adorer. Avant, j'aurais acheté le même pour Suze et pour moi et on aurait rigolé comme des folles. Aujourd'hui, je préfère m'abstenir.

Qu'est-ce que je vais devenir ? Que faire ?

Je tourne en rond dans ce magasin en passant continuellement devant les mêmes objets. *Ressaisis-toi, Becky ! Tu ne peux quand même pas passer ton temps à marcher en broyant du noir.* Bon, je vais payer mes achats et voir ensuite si maman a eu de la chance avec les horaires des gondoles.

Il y a du monde dans le magasin. Trois files d'attente se sont formées. Quand j'arrive à la caisse, une jolie employée en veste brillante me sourit, toutes fossettes dehors.

— Bonjour ! J'espère que vous avez apprécié notre magasin.

— Oui ! Super. Merci.

— Si vous avez le temps d'évaluer votre séance de shopping, nous vous en serions très reconnaissants.

Elle me tend une petite carte sur laquelle je lis :

Ma séance de shopping a été

☐ **Formidable** (Vous nous faites très plaisir !)
☐ **Pas mal** (Oh ! Et pourquoi ?)
☐ **Horrible** (Désolés ! Quel est le problème ?)

Je devrais cocher *Formidable*. La boutique est sympa. J'ai trouvé ce que je voulais. Je n'ai aucune réclamation à faire. Va pour *Formidable*.

Mais je ne sais pas pourquoi, ma main refuse d'aller sur la case *Formidable*.

— Ça fera soixante-six dollars et quatre-vingt-douze cents, dit la fille en me regardant avec curiosité tandis que je règle mes achats. Tout va bien, madame ? ajoute-t-elle.

— Bof.

Horreur ! Je suis sur le point de pleurer.

— Je ne sais pas quoi cocher. A priori, c'est la case *Formidable* mais je n'y arrive pas. Ma meilleure amie a coupé les ponts et ça me prend la tête. En ce moment, rien n'est *Formidable* pour moi. Même pas le shopping. Désolée de vous faire perdre votre temps.

Au lieu de me donner mon reçu, la fille (Simone : c'est inscrit sur son badge) me considère avec inquiétude.

— Êtes-vous satisfaite de vos achats ? demande-t-elle en ouvrant le sac.

À la vue de tous ces trucs, je me sens hébétée.

— Je n'en sais rien, j'avoue. Je ne sais même pas pourquoi j'ai acheté ces souvenirs.

— Ah !

— Et j'ignore à qui je les destine. Je suis censée réfléchir avant d'acheter. J'ai suivi une thérapie complète à ce sujet à La Paix d'or.

— Moi aussi ! fait-elle.

— Pas possible.

— En ligne, explique-t-elle en rougissant. Leurs stages sont trop chers pour moi, mais ils proposent une appli. J'étais vraiment une acheteuse compulsive...

Vous imaginez, avec mon travail ici ? Mais je suis venue à bout de mon problème.

— Bravo ! Alors vous comprenez ce que je veux dire.

— « Achetez calmement et en toute conscience », récite-t-elle.

— Exactement ! J'ai ce commandement brodé et encadré.

— « Demandez-vous ce qui vous pousse à acheter. »

— Oui !

— Avez-vous besoin de ça ?

— Nous avons passé toute une séance là-dessus…

— Non, rectifie Simone. Là, on vous pose une question. Vous avez besoin de ça ou c'est un moyen de vous apaiser ?

Simone s'empare de la boule à neige et me la fourre sous le nez.

— Vous en avez vraiment besoin ? insiste-t-elle.

— Je ne sais pas. Enfin, non, je n'en ai pas besoin à proprement parler. Personne n'en a besoin. Je me suis dit que je l'offrirais à… à mon mari, peut-être.

— Bien ! Pensez-vous vraiment que ce cadeau lui fera plaisir ?

J'essaie de me représenter Luke en train de secouer ce truc et de regarder la neige tourbillonner. Il le fera… une fois.

— Pas sûr. Peut-être.

— Seulement peut-être ? À quoi pensiez-vous quand vous l'avez mis dans votre panier ?

Touché ! Je ne pensais à rien. Je l'ai juste balancé dedans.

— En fait, je n'en ai ni besoin ni envie, j'admets en me mordant la lèvre. Et je n'en veux pas.

— Alors ne l'achetez pas. Je vous rembourse ?

— S'il vous plaît, oui.

— Et ces tee-shirts ? reprend Simone en les retirant du sac. Vous savez à qui vous allez les offrir ?

Je la regarde, ébahie. J'ignore quels en sont les destinataires. Je les ai achetés parce que je suis dans une boutique de souvenirs et que ce sont des souvenirs.

Simone me regarde et demande :

— Je vous rembourse ?

— S'il vous plaît, oui.

À mon tour. Je sors les colliers en dés.

— Et ça aussi. Ils étaient pour ma mère et sa meilleure amie. Mais bon, elles vont les mettre cinq secondes avant de les retirer et de les fourrer dans un tiroir. Et dans trois ans, ils atterriront dans une vente de charité où personne n'en voudra.

— Vous avez raison ! s'exclame derrière moi une femme entre deux âges à la voix rauque qui s'empresse de retirer six colliers en dés de son panier. Je les ai pris pour mes copines, mais elles ne les porteront jamais, hein ?

— Je confirme.

Dans la queue voisine, une cliente tout de jean vêtue, qui a tout entendu, demande à la caissière de la rembourser.

— Désolée, explique-t-elle, j'ai acheté toutes ces merdouilles sans savoir ce que je faisais.

Elle extrait de son sac une casquette de base-ball « Las Vegas » brillante de strass.

— Ma belle-fille n'en voudra sûrement pas.

La caissière, une rouquine, prend un air offensé :

— Un remboursement ? *Déjà ?*

— Elle le fait bien, elle, dit la cliente en jean en

me désignant d'un mouvement de tête. Vous voyez ?
Elle rend tout.

— Pas tout, je rectifie. Simplement, je m'efforce
d'acheter calmement et en toute conscience.

— Drôle d'idée ! commente la rouquine.

— « Calmement et en toute conscience », répète
Mme Denim. Ça me plaît ! Voyons voir ce que j'ai
d'inutile dans tout ce fourbi.

Elle fouille dans le sac d'où elle sort un mug « Las
Vegas » et une serviette de plage imprimée d'un dollar
géant.

— Et je vous le rends aussi.

À la dernière caisse, une autre femme marque un
temps d'arrêt.

— Attendez ! Pourriez-vous me rembourser cet
écriteau lumineux « Las Vegas » ?

— Stop ! s'écrie la caissière rousse, de plus en
plus déconcertée. Fini les retours !

— Comment ? Mais vous n'avez pas le droit de
refuser les remboursements, objecte la cliente en jean.
D'ailleurs, je rends ça aussi !

Et elle flanque sur la caisse un album de photos
rose vif.

— De toute façon, c'est ridicule. Je ne fais jamais
d'album, explique-t-elle.

— Et moi, je ne veux rien de tout ça, renchérit la
cliente de la troisième caisse, en vidant son sac sur
le comptoir. Si j'achète, c'est uniquement parce que
je m'ennuie.

— Moi, pareil !

Dans les queues, d'autres femmes examinent
le contenu de leurs paniers et commencent à faire

le vide. On dirait qu'un virus antishopping vient de contaminer le magasin.

— Qu'est-ce qui se passe ici ? tonne une femme en tailleur-pantalon qui s'avance avec autorité vers les caisses. Pourquoi ces clientes vident-elles leurs paniers ?

— Elles veulent toutes être remboursées, crache la rouquine. Elles sont devenues folles. C'est la faute à *celle-là*.

Et elle me pointe du doigt en me lançant un regard mauvais.

— Je n'avais aucune intention préméditée, je rétorque. C'est seulement que j'ai décidé de me montrer raisonnable. D'acheter utile, quoi.

— D'acheter *utile* ?

La gérante me regarde comme si je venais de proférer une insanité.

— Madame, je vous prierai de terminer vos achats et de bien vouloir quitter le magasin.

Franchement ! À croire que j'étais en train de tuer le système capitaliste à moi toute seule ! En m'escortant vers la sortie, la bonne femme en tailleur-pantalon me demande :

— Vous avez vu ce qui s'est produit au Japon avec la chute de la consommation ? Vous voulez que la même chose arrive chez nous ? C'est ça ?

Je me sens mal à l'aise. En fait, la situation m'a un peu échappé. À la fin, toutes les clientes vidaient leurs paniers et remettaient les articles où elles les avaient trouvés en se demandant les unes aux autres : « Mais pourquoi on achète tant ? » ou : « Ça sert à quelque chose, ce truc ? », tandis que les vendeuses couraient partout en essayant de les convaincre :

— Qui n'est pas content d'avoir un petit souvenir ? Cet objet est à moitié prix. Prenez-en trois !

Suis-je pour quelque chose là-dedans ? Je n'ai fait que remarquer à voix haute que personne n'allait jamais porter un collier en dés.

Au final, je n'ai gardé qu'un petit puzzle pour Minnie. Je ne dirais pas que j'ai pris mon pied avec cet achat, mais j'ai éprouvé un autre genre de plaisir. En pliant mon reçu (sept dollars trente-deux), je me suis sentie calme. Responsable. J'ai même coché la case *Formidable*.

Mais cette accalmie est de courte durée. Au fil de mon cheminement dans la galerie marchande, mon humeur s'assombrit de nouveau. J'envoie un SMS à Luke :

Tu es où ?

Il me répond immédiatement :

Toujours au centre de conférences. Je termine mes mails. Et toi ?

Le seul fait d'être en contact avec lui me fait soupirer de soulagement. Je tape :

Je suis dans les Shoppes. Luke, tu crois qu'on va se rabibocher, Suze et moi ? D'accord, j'ai ma part de responsabilité dans ce qui s'est passé à LA, mais depuis j'essaie de recoller les morceaux, et elle s'en fout. Il n'y en a que pour Alicia, et

Mince ! Je n'ai plus de place. Tant pis ! Il comprendra.

Après avoir appuyé sur Envoyer, je me dis que je n'aurais jamais dû balancer tout ça à Luke. Les longs SMS énervés le déconcertent. À vrai dire, j'ai toujours eu l'intuition qu'il ne les lisait pas. Comme c'était à prévoir, quelques instants plus tard, il m'écrit :

Tu as besoin de te distraire, ma chérie. Je termine et je t'emmène au casino. Ta mère s'occupe de Minnie. C'est arrangé. Bizz.

Waouh ! Je vais jouer au casino. Je suis à la fois excitée et inquiète. Les loteries sont le seul jeu de hasard auquel je me suis risquée. On tentait notre chance en famille au Grand National, mais c'était papa qui pariait pour nous. Je n'ai jamais mis les pieds dans un PMU, ni même joué au poker.

Cela dit, j'ai vu des tonnes de James Bond. Très instructifs dans ce domaine. On apprend des tas de trucs utiles, comme rester imperturbable, lever les sourcils en sirotant un cocktail. Ça je saurai faire. Les règles du jeu, c'est une autre paire de manches.

En m'arrêtant à un café pour prendre un *latte*, j'aperçois une blonde à queue-de-cheval assise à une table. La cinquantaine, en veste denim noire ornée de strass, elle est absorbée par un jeu de cartes sur son portable. Devant elle, un gobelet en carton grand modèle rempli de pièces pour les machines à sous. Et sur son tee-shirt, l'inscription ROCKWELL CASINO NIGHT 2008.

Le genre de nana qui doit s'y connaître. Et qui sera sûrement ravie d'aider une débutante. J'attends qu'elle marque une pause pour m'approcher.

— Excusez-moi. Je me demandais si vous pourriez me donner quelques conseils pour le casino.

— Quoi ?

Elle lève le nez de son portable et… Bon sang ! chacune de ses paupières est ornée du $ du dollar. Comment fait-elle ?

J'essaie de ne pas regarder trop ostensiblement ses yeux.

— Je suis de passage et je n'ai jamais mis les pieds dans un casino. Bref, je ne sais pas comment m'y prendre.

À l'évidence, la femme suspecte une entourloupe.

— Vous êtes à Las Vegas et vous n'avez jamais joué ?

— Je viens d'arriver. Je m'apprête à aller au casino, mais je ne sais pas par quel jeu commencer. Vous pourriez me donner des tuyaux sur la question ?

— Des tuyaux ? fait la femme en me fixant sans ciller.

Ses yeux sont rouges, comme injectés de sang. D'ailleurs, sous tous ses faux diams et son maquillage, elle ne semble pas en grande forme.

— Peut-être auriez-vous un guide à me recommander ?

Ma question est probablement trop stupide pour mériter une réponse. Elle l'ignore et retourne à son jeu de cartes. Je ne sais pas ce qu'elle voit sur son écran, mais tout à coup, elle a une grimace horrifiée.

— Mon tuyau c'est de ne pas y aller, lance-t-elle. Ne vous approchez d'aucun casino. Pour votre salut !

Je déchante.

— Oh ! je dis. Je projetais seulement d'aller quelques minutes à une table de roulette.

— Ouais, c'est ce qu'on dit toujours. Vous êtes du genre accro ?

Je prends le temps de réfléchir pour être scrupuleusement honnête avec moi-même. Est-ce que je suis du genre accro ? Sans doute, oui, un peu.

— J'adore le shopping, je confesse. J'ai été accro, autrefois. Je collectionnais les cartes de crédit. Et il m'est arrivé d'être un peu dépassée par les événements. Mais maintenant je vais beaucoup mieux.

La femme éclate d'un rire sans joie.

— Vous pensez que le shopping est une addiction ? Attendez de commencer à jouer, mon chou. Les jetons dans votre main. La montée d'adrénaline. Le bourdonnement. C'est comme la dépendance à la crystal meth. Une première défonce et ça y est, vous devenez esclave, votre vie part à vau-l'eau. Et à ce moment-là, les flics s'y mettent.

Je la dévisage, terrifiée. De près, elle a une tête sinistre. Les muscles de son visage ont des mouvements bizarres, ses extensions de cheveux sont visibles. Elle appuie sur une touche de son portable et se plonge dans un nouveau jeu.

— Très bien, je dis en reculant. Merci pour votre aide...

— De la crystal meth ! répète-t-elle d'une voix caverneuse en me fixant de ses yeux injectés du sang. Rappelez-vous. De la crystal meth.

— Oui, je fais. C'est ça. De la crystal meth.

De la *crystal meth* ?

Allons bon ! Est-ce que je vais quand même au casino, ou est-ce une très mauvaise idée ?

Une heure plus tard, je suis toujours sur les nerfs,

malgré un agréable tour de gondole avec Minnie, maman et Janice. Celles-ci sont parties au bar pour siffler en douce un autre cocktail, selon l'expression de maman tandis que, dans notre chambre, Minnie et moi jouons à la marchande en même temps que je me maquille tout en m'interrogeant sur une éventuelle dépendance au jeu.

Vais-je être accro du *premier coup* ? Au premier tour de roulette ? Je me vois, penchée sur la table au tapis vert, jetant des regards de folle à Luke en marmonnant : « Je vais gagner, je vais gagner » pendant qu'il essaie de m'écarter et que maman sanglote doucement, en arrière-plan. Je devrais peut-être m'abstenir d'aller au casino. C'est trop dangereux. Mieux vaut rester dans ma chambre.

— Encore des magasins, réclame Minnie en attrapant le dernier paquet de chips du minibar qu'elle s'approprie d'autorité.

— Magasin, allez maman, ma-ga-sin !

— D'accord, ma puce.

Je lui retire les chips des mains avant qu'elle les réduise en miettes et qu'il faille les payer.

Éduquer un enfant est affaire d'expérience. Et la règle utile que j'ai apprise aujourd'hui est : « Ne plus prononcer le mot "minibar" devant Minnie. » Elle croit que c'est Minnie bar, que c'est sa propre réserve personnelle de délices. Impossible de lui expliquer. Pour finir, je la laisse sortir tout ce qu'il contient. Le tapis est jonché de petites bouteilles et de minuscules sachets. Nous remettrons tout ça en place plus tard. (Évidemment, on aura des problèmes si c'est un minibar électronique mais Luke arrangera le coup à la réception : il est très bon pour ça.)

J'ai déjà « acheté » une bouteille de tonic et un Toblerone. Et je lui demande une brique de jus d'orange.

— S'il vous plaît, mademoiselle Minnie, pourrais-je avoir un jus d'orange ? je demande tout en m'appliquant du mascara.

Je tends la main vers la bouteille, mais Minnie refuse de me la donner.

— C'est impossible, madaaame, fait-elle sévèrement. Vous n'avez pas d'argent.

Tiens, tiens ? D'où sort-elle ça ?

Seigneur !

Mais de moi, bien sûr.

Est-ce que je suis vraiment méchante ? Est-ce que je suis une mauvaise mère ? Honnêtement, c'est le seul argument que j'ai trouvé pour la calmer quand nous faisons des courses ensemble.

Je m'explique. Minnie parle beaucoup mieux depuis un moment. C'est merveilleux, bien sûr. Tous les parents adorent entendre leurs enfants exprimer leurs pensées secrètes. Le seul ennui, c'est que la plupart des pensées secrètes de ma fille concernent ce qu'elle veut obtenir.

Elle ne crie plus : « À Minniiiie ! », ce qui a été un temps sa phrase préférée. Maintenant, c'est : « Minnie adooore. » Dans les allées du supermarché, elle répète à tout bout de champ : « Minnie adooore » avec une ferveur intense, comme si elle voulait me convertir à une religion nouvelle.

Elle n'adore pas nécessairement des choses extravagantes. Plutôt des balais, des sacs de congélation, des paquets d'agrafes. La dernière fois, elle n'arrêtait pas de dire « Minnie adoooore, s'il te plaîîîît », et je n'arrêtais pas de faire oui de la tête et de remettre les choses sur les étagères, hors de sa portée. Soudain, elle s'est mise à hurler : « Je veux acheteeeeer » d'un ton si désespéré que la plupart des clients qui assistaient à la scène ont éclaté de rire. Et quand elle a arrêté et regardé son public avec un grand sourire, leurs rires ont redoublé.

Je me demande parfois comment j'étais à son âge. Il faudra que je pose la question à maman.

(En y réfléchissant, je ne suis pas sûre de vouloir savoir.)

Donc, dans les magasins, ma nouvelle tactique est de dire à Minnie que nous n'avons pas d'argent. Elle comprend à peu près. Sauf qu'elle se met à accoster les gens en chouinant : « Nous n'avons pas d'argent », ce qui est parfois gênant.

Pour le moment, elle s'adresse à Speaky, sa poupée, d'une voix de stentor.

— Repose. Le. *Là.*

Elle lui confisque un paquet de cacahuètes et continue.

— Pas. À. Toi.

Bon sang ! Je parle comme ça ?

Je suggère :

— Sois gentille avec Speaky. Regarde, comme ça.

Je prends Speaky dans mes bras et la berce, mais Minnie vient la chercher avec des airs de propriétaire.

— Speaky pleure. Speaky est triste. Elle veut un… bonbon.

Il y a tant de malice dans son regard que j'ai du mal à ne pas éclater de rire.

— Mais, nous n'avons pas de bonbons, ma belle, je lui explique de mon air le plus impassible.

— Et ça ? Pas un bonbon ? demande Minnie en m'indiquant le Toblerone.

— Non, c'est une boîte très ennuyeuse pour les grands.

Elle examine le Toblerone avec attention. Sa petite cervelle travaille dur. Elle n'a jamais mangé de Toblerone. Pourtant, sa question était judicieuse.

J'insiste :

— Ce n'est pas un bonbon. On en achètera un autre jour. Maintenant on range tout.

Visiblement, sa conviction faiblit. Minnie a beau penser qu'elle sait tout, en fin de compte elle n'a que deux ans et demi.

— Merci, ma puce, je dis en récupérant fermement le chocolat. Tu veux bien compter les bouteilles ?

Bonne diversion. Minnie adore compter, même si elle oublie toujours le quatre. Nous remettons toutes les bouteilles dans le minibar et attaquons le rangement des friandises quand la porte s'ouvre. Maman apparaît, suivie de Janice. Elles ont toutes deux le visage rouge. Janice est coiffée d'une tiare en plastique, maman serre contre elle un gobelet en carton plein de monnaie.

— Salut ! Le cocktail était bon ?

— J'ai gagné trente dollars, triomphe maman. Ça lui apprendra, à ton père !

Réflexion absurde. Ça lui apprendra quoi ? Bon, pas la peine d'ergoter quand elle est dans ces dispositions.

— Félicitations ! je m'exclame. Et bravo pour le diadème, Janice.

— C'était gratuit. L'hôtel organise un concours de danse. Ils distribuent ça pour faire la promotion.

— On va souffler pendant que tu sors avec Luke,

ensuite on fera une virée en ville, annonce maman en agitant son gobelet. Mon chou, tu n'aurais pas des faux cils à me prêter, au fait ?

— Si, je crois. Mais je ne savais pas que tu portais des faux cils, maman.

— Ce qui arrive à Vegas reste à Vegas, claironne-t-elle avec un regard éloquent.

Ce qui arrive à Vegas ? Elle parle de quoi, là, exactement ? Des faux cils ou d'autre chose ? Elle ne déraillerait pas un peu sur les bords, ma chère mère ? Mais comment lui demander avec tact si elle se sent bien ? Avant que j'aie pu formuler ma question, un SMS s'affiche sur mon téléphone.

— C'est Danny. Il est en bas.

— Quel bonheur !

— Si tu es prête, descends donc l'accueillir, dit maman. Nous allons donner son bain à Minnie, et ensuite la mettre au lit. D'accord, Janice ?

— Bien sûr. La petite Minnie est un ange.

— Vous êtes sûre ? je dis. Parce que sinon…

— Ne sois pas bête, Becky, grogne maman. Pour une fois que je peux m'en occuper. Viens, ma Minnie, viens t'asseoir sur les genoux de Grana. On va raconter une histoire et puis on va jouer. Et puis, j'ai une idée… On va croquer un peu dans ce délicieux Toblerone.

7

Danny est installé à une table d'angle chez Bouchon, un restaurant chic avec nappes amidonnées et tout. Il est très bronzé (sûrement du faux, si vous voulez mon avis), et porte un blouson de motard bleu layette. En face de lui est assise une fille blonde et pâle, avec du rouge à lèvres violet pour tout maquillage.

Je me précipite vers lui et le serre dans mes bras.

— Danny ! Tu es vivant !

Je ne l'ai pas vu depuis son retour du Groenland, où il a participé à une expédition de bienfaisance sur la banquise. On l'a évacué en avion après une blessure au doigt de pied et il est allé se refaire une santé à Miami.

— Vivant ? À peine ! fait-il. Je reviens de loin, ma chérie.

Il exagère beaucoup. J'ai eu son directeur commercial au téléphone et je connais la vérité vraie. Mais il m'a demandé de la boucler car Danny est persuadé d'avoir échappé de justesse à la mort.

— Mon pauvre ! Cela a dû être terrifiant. Toute cette neige et… ces loups.

— Un cauchemar ! Tu sais, Becky, je t'ai laissé

un tas de trucs sur mon testament. Tu as été à deux doigts de les avoir.

Impossible de cacher mon intérêt.

— Vraiment ? Tu m'as laissé quoi ?

— Des fringues. Mon fauteuil Charles Eames. Une forêt.

— Une *forêt* ?

— Oui, dans le Montana. Je l'ai achetée pour des histoires d'impôts. Et je me suis dit que Minnie pourrait y aller jouer… Au fait, je te présente Ulla.

— Bonjour, Ulla, je dis en agitant joyeusement la main.

Elle marmonne un « bonjour » rapide en clignant des yeux nerveusement et se remet tout de suite au boulot. Elle dessine avec application sur un grand bloc l'arrangement floral de la table.

— Je viens d'engager Ulla comme « dénicheuse d'inspiration », se vante Danny. Elle a déjà rempli tout ce bloc. Ma nouvelle collection aura pour thème Las Vegas.

— Je croyais que ce seraient les Inuits.

La dernière fois que j'ai parlé avec Danny, il ne jurait que par les gravures sur os de l'artisanat inuit, l'infini des étendues blanches qu'il avait l'intention de représenter par une jupe-culotte pour homme géante.

— Un mélange de Las Vegas et d'Inuits, répond Danny sans se démonter. Alors, tu as déjà joué au casino ?

— J'ai la trouille. J'ai rencontré une bonne femme qui m'a assuré que jouer pouvait être aussi addictif que la crystal meth. Que si je commençais, je serai foutue pour la vie.

Je m'attends à ce qu'il rétorque : « Rien que des conneries ! », mais il hoche gravement la tête.

— Ça arrive. Une de mes vieilles copines de classe, Tania, ne s'est jamais remise d'une nuit passée à jouer au poker en ligne. Une vraie drogue. Après, elle n'a plus jamais été la même. Une histoire tout ce qu'il y a de tragique.

— Elle est devenue quoi ? je demande avec appréhension. Elle est… morte ?

— Presque. Elle est en Alaska.

— L'Alaska n'est pas la *mort* !

— Elle est allée travailler sur un derrick. Avec succès, d'ailleurs. Maintenant, elle dirige une exploitation pétrolière. Mais avant, elle était accro au jeu.

— Il n'y a rien de tragique à être à la tête d'une exploitation pétrolière, je réplique.

— Tu te rends compte de ce que ça représente ? riposte Danny. Tu as déjà été là-bas ?

J'oublie toujours combien il peut être pénible.

— De toute façon, ce n'est pas de ça que je voulais te parler, c'est…

— Je sais de quel sujet il s'agit, me coupe Danny, triomphant. J'ai même une sacrée avance sur toi, ma poule, avec mes prospectus, mes brochures, mes stylos, mes tee-shirts…

— Des tee-shirts ?

Je le regarde, interdite.

Danny retire son blouson pour me montrer un tee-shirt imprimé d'une photo de Tarquin. C'est un cliché en noir et blanc pris au cours d'une séance de photos de mode réalisée il y a des années. Tarkie est nu jusqu'à la ceinture, une corde enroulée autour du torse, et regarde l'objectif d'un air mélancolique.

Une extraordinaire prise de vue, mais j'ai un mouvement de recul. Suze hait cette image. Elle trouve que Tarquin ressemble à un mannequin gay (et, pour être honnête, c'est vrai). Elle ne va pas être contente de la voir reproduite sur des tee-shirts.

Sous l'image, on lit : RETROUVEZ-MOI !, suivi du numéro de portable de Suze.

— J'en ai une cargaison pleine, se réjouit Danny. Kasey et Josh distribuent les prospectus au Caesar Palace.

— Kasey et Josh ?

— Mes assistants. Il faut montrer son visage. C'est la première démarche à faire quand on recherche une personne disparue. Mes chargés de com sont en train de voir pour de nouveaux supports. Un des gars est en pourparlers avec des fabricants de briques de lait…

La réalité me tombe dessus d'un coup.

— Attends une seconde ! Ils distribuent des photos de Tarquin ?

— Toute la ville en aura. On en a imprimé dix mille.

— Mais nous l'avons trouvé.

— *Quoi ?*

Il sursaute sous le choc.

— Enfin, presque. Nous lui avons parlé. Et demain nous prenons le petit déjeuner ensemble au Bellagio.

— Au Bellagio ? Tu plaisantes ou quoi ? Je croyais qu'il avait été kidnappé et qu'il avait subi un lavage de cerveau.

— Suze le croit toujours. En tout cas, elle ne se détendra qu'après l'avoir contemplé en chair et en os… Mais montre-moi ces prospectus. Tu es formidable,

Danny. Absolument génial. Suze va t'être tellement reconnaissante.

— Il y en a de trois sortes, déclare Danny, amadoué par les compliments. Ulla, les prospectus !

Ulla fouille dans son grand sac en cuir d'où elle sort trois prospectus qu'elle nous tend. Chacun comporte une photo différente en noir et blanc. Sur les trois, Tarkie ressemble à une star de porno gay. Sur l'une est écrit : « RETROUVEZ-MOI ! », sur la deuxième : « OÙ SUIS-JE ? » et sur la troisième « JE SUIS PERDU ». Les trois donnent le numéro de portable de Suze.

— Cool, hein ?

— Euh… topissime.

Je dois empêcher Suze de voir ces prospectus.

— Pas la peine que Kasey et Josh les distribuent tous, je dis en m'éclaircissant la voix. Pas les dix mille.

— Mais je ferai quoi avec le reste ?

Ç'a l'air de le perturber un bon moment. Puis son front se détend.

— Je sais ! Une installation ! Ma prochaine collection s'inspirera de cette expérience.

Il rayonne. Et poursuit :

— Oui ! Esclavage sexuel ! Kidnapping ! Bondage ! Très noir, tu comprends ? *Very dark.* Des mannequins enchaînés. Ulla, note ça en vitesse : liens, chaînes, sacs en plastique, cuir. Minishorts, ajoute-t-il après un instant de réflexion.

— Et ta collection moitié inuit, moitié Las Vegas ?

— Après celle-là ! Au fait, où est Suze ?

Ma bonne humeur s'évapore instantanément.

— Avec Alicia. Tu te souviens d'Alicia, la Garce-aux-longues-jambes ? Elle a épousé Wilton Merrelle et…

— Je sais, Becky. C'est une grosse pointure. Sa maison est dans tous les numéros du magazine *Architectural Digest*.

— Inutile de me le rappeler. Écoute, Danny, c'est horrible. Elle a éloigné Suze de moi. Elles passent tout leur temps ensemble. Suze a complètement perdu son sens de l'humour. À cause d'Alicia. Je suis totalement déboussolée.

Je conclus ma tirade en me frottant le nez.

Danny réfléchit un instant avant de hausser les épaules avec philosophie :

— Les gens changent. L'amitié cesse. Si tu aimes Suze, ne la retiens pas.

Ça alors ! Il n'est pas censé me dire des trucs pareils. Je suis stupéfaite.

— Rien n'est immuable, ni les gens ni la vie... C'est ainsi. Le destin, peut-être.

Je fixe la nappe misérablement, dans un état de totale confusion. Perdre l'amitié de Suze, ce n'est pas le destin. *Sûrement pas.*

— Elle est comment Alicia, ces temps-ci ? demande Danny. Toujours aussi sympa ? Toujours en train de foutre la merde dans les couples ?

Je suis soulagée. Au moins, Danny sait de quoi Alicia est capable.

— Elle prétend avoir changé du tout au tout. Mais je n'en crois pas un mot. Elle mijote un truc, crois-moi.

— Ah bon ? Tu as une idée ?

— Je ne sais rien. Mais j'en suis persuadée. C'est toujours la reine des manigances. Garde un œil sur elle.

— Pigé, fait Danny.

— Mais tu ne la verras pas ce soir, j'ajoute tristement. Nous sommes à Las Vegas. Nous savons que
Tarquin et papa sont sains et sauf. Alors logiquement,
on devrait faire la fête. Mais Alicia et Suze refusent de
s'amuser. Elles vont se coucher tôt. Incroyable, non ?

— Eh bien, *moi*, je vais m'amuser.

Danny me prend la main.

— Allez, ma chérie, secoue-moi ce cafard. On fait
quoi ? Un petit coup de casino ?

— J'ai rendez-vous là-bas avec Luke dans un
moment. Mais ça me fait flipper.

— Pourquoi ?

Franchement ! Il n'a donc rien écouté de ce que
je lui ai confié ?

— Parce que ! je m'énerve. La crystal meth.

— Ne me dis pas que tu as pris ça au sérieux,
Becky. Jouer, c'est super-marrant !

— Tu ne comprends pas ! Je suis du genre accro.
Ma vie peut facilement partir en quenouille, dans une
spirale infernale de dépendance et d'addiction. Même
si tu essaies de m'aider à en sortir, tu n'y arriveras pas.

J'ai vu des tas de documentaires sur la drogue et
les drogués. Je sais comment ça arrive. Un jour on
dit : « J'essaie juste une fois », et le lendemain on se
retrouve au tribunal, tout crade, pour obtenir la garde
de ses enfants.

— On se calme, Becky ! dit Danny en attrapant la
note. Allons taquiner la chance. Si jamais tu montres
des signes d'addiction au jeu, je te sors du casino
par les cheveux.

— Même si je t'insulte en te crachant dessus ?

— Surtout dans ce cas ! Allons essayer de perdre

tout le fric de Luke. Je plaisante ! précise-t-il en voyant mon expression. *Je plaisante !*

Vingt minutes plus tard, nous sommes au casino. En entrant, je prends une grande inspiration. Alors voilà le véritable Las Vegas, le centre névralgique de la ville. Je regarde autour de moi, presque éblouie par les néons, la moquette à motifs, les vêtements brillants. D'une manière ou d'une autre, tout le monde a l'air de resplendir, ici, ne serait-ce qu'avec une montre incrustée de diamants qui reflète les lumières.

— Tu as des jetons ? demande Danny.

Je lui montre mes jetons gratuits. Comme Luke m'a donné les siens, j'en ai pas mal.

— Ça représente cinquante dollars, j'annonce, après quelques secondes de calcul mental.

— Cinquante ? Mais avec cette somme tu peux à peine jouer. Il te faut au minimum trois cents dollars.

— Pas question de dépenser trois cents dollars au jeu. C'est beaucoup trop. Pour cette somme, je peux m'offrir une jolie jupe.

— J'ai déjà l'équivalent de cinq cents dollars en jetons, rayonne Danny. On commence ?

— Cinq cents dollars ? je m'exclame.

— Je vais en gagner dix fois plus. Attends de voir, ma chérie. Je sens que j'ai la baraka ce soir. Une chance de cocu. Cette main va me porter chance, ajoute-t-il en soufflant sur ses doigts.

Son entrain est contagieux. En inspectant la salle de jeu, jetons en main, je ne peux pas m'empêcher d'être aux anges. Et terrifiée. Les deux en même temps.

C'est un endroit étonnant. Même *l'air* est contaminé par le virus du jeu. En circulant parmi les tables, on peut pratiquement sentir la tension dans l'haleine des gens. Des rugissements et des exclamations nous parviennent depuis les tables, où des joueurs sont en train de perdre ou de gagner. Avec, en fond sonore, le blip-blip ininterrompu des machines à sous.

— On joue à quoi ? je demande. À la roulette ?

— Plutôt au black jack, décrète Danny en m'entraînant vers une grande table.

Oh, là, là ! Tout a l'air tellement adulte, sérieux, et *vrai*. Personne ne lève le nez pour nous saluer quand nous nous installons sur deux chaises libres. C'est un peu comme s'asseoir à un bar, sauf que le bar est tendu de tissu et que, au lieu de nous servir un verre, le croupier distribue des cartes. Il y a deux hommes âgés à la table et une fille en smoking et chapeau à paillettes qui semble assez mal lunée.

— Comment on fait, je souffle à Danny, paniquée.

En fait, je sais vaguement. Ça doit ressembler à la variante du black jack twist auquel je joue avec papa et maman chaque année à Noël. Mais il y a peut-être des règles particulières à Las Vegas.

— Facile, répond Danny. Tu places des jetons. Vingt dollars.

Il prend un jeton dans ma main et le pose sans hésiter dans un cercle sur la table. La croupière, une fille sans doute d'origine japonaise, fait à peine attention à ma mise ; elle attend que chacun ait parié avant de distribuer les cartes.

J'ai un six de cœur et un six de pique.

— Twist, je déclare à haute et intelligible voix.

Tout le monde me regarde.

— Tu ne dois pas dire « twist », corrige Danny

en jetant un coup d'œil à mes cartes. Tu dois dire :
je veux splitter.

Aucune idée de ce que ça signifie, mais je lui fais
confiance.

— OK. Je fais un split, je lance.

— Tu ne dis pas « split », marmonne Danny. Tu
poses ton jeton supplémentaire là, sur la table, et tu
fais le signe deux avec tes doigts.

— OK.

Je suis ses conseils et aussitôt je me sens hypercool
et professionnelle. La croupière sépare mes cartes et
distribue encore.

— Oh, j'ai pigé ! je m'exclame quand elle me
donne un huit de trèfle et un dix de cœur. Maintenant,
j'ai deux piles, je suis sûre de gagner.

Je regarde les autres joueurs. Très amusant !

— Becky, c'est à toi. Tout le monde t'attend, murmure Danny.

— D'accord.

J'examine mon jeu. Je totalise quatorze sur une
pile, et seize sur l'autre. Qu'est-ce que je fais ? Je
tire ou je reste ? Impossible de décider.

— Becky ?

— Une seconde !

C'est fou ce que ce jeu est difficile. Vraiment difficile. Malédiction ! Je fais quoi ?

Je ferme les yeux en implorant les dieux du jeu.
Mais apparemment, ils sont aux abonnés absents.

— Alors, Becky ! me presse Danny.

Tout le monde fronce les sourcils en me regardant.
Quoi ? ! Ils ne se rendent pas compte comme c'est
compliqué !

Je passe la main sur mes sourcils.

— Hum… je ne sais pas. Je dois réfléchir…

— Madame, s'impatiente la croupière. Madame, vous devez jouer.

Qu'est-ce que c'est stressant ! C'est comme décider si on doit acheter un manteau démarqué aux soldes de chez Selfridges tout en se disant qu'on trouvera peut-être mieux chez Liberty mais que si on laisse échapper celui-là, quelqu'un d'autre va sauter dessus…

— Bon, alors, je fais quoi ? je demande à la table. Comment vous arrivez à garder votre calme ?

— Madame, *jouez*.

— OK. Je prends une carte. Enfin, je tire. Ou les deux. Ou je double pour moins.

Je me tourne vers Danny. Je n'ai aucune idée de ce que veut dire « je double pour moins » mais je l'ai entendu au cinéma, donc ça doit exister.

— Non, m'assène-t-il.

La croupière tire un neuf et un dix, finit son tour et me pique mes jetons.

— Quoi ? Qu'est-ce qui se passe ?

— Tu as sauté, constate Danny.

— C'est fini ? Elle n'a rien dit.

— Non. Elle récupère ta mise. Et la mienne aussi, putain.

J'observe la croupière muette, me sentant un tantinet offensée. Quand même ! On devrait y mettre un peu plus de cérémonie. Quand on achète un truc cher, on vous le met dans un joli sac en vous disant « Excellent choix », non ?

En fait, les magasins battent les casinos à plate couture. On y dépense les mêmes sommes, mais dans les boutiques on en a pour son argent. Parce que quand même, je suis perchée sur ce tabouret depuis à peine cinq secondes, et j'ai déjà dépensé quarante dollars ; et sans rien avoir en échange.

— Je fais une pause, j'annonce, en glissant à bas de mon tabouret. Allons boire un verre.

Je regarde mon téléphone. Luke a laissé un message. Il est en chemin.

— OK pour un verre, fait Danny. Alors ma chérie, ça y est, tu es accro au jeu ?

— Pas vraiment. Au fond, je ne dois pas avoir ça dans le sang.

— C'est parce que tu as perdu, constate Danny. Attends de commencer à gagner. À ce moment-là, tu ne pourras plus arrêter. Oh, salut, Luke !

Mon mari traverse la salle, sûr de lui. Ses cheveux bruns luisent sous les éclairages. Il gratifie Danny d'une claque dans le dos.

— Alors, mon vieux ? Tu as fini par décongeler ?

— Ne m'en parle pas ! C'est encore trop frais pour en parler.

Luke me regarde dans les yeux et je lui renvoie une petite grimace. Danny se prend très au sérieux. Mais il est tellement gentil qu'on s'en accommode.

— Alors, Becky, tu as gagné une fortune ?

— Non, j'ai perdu. Le jeu, c'est nul de chez nul.

— Mais tu n'as pas encore commencé. Essayons une autre table, propose Danny.

— Peut-être, je dis sans bouger.

Je ne suis toujours pas convaincue par cette histoire de jeu. Si on perd, c'est merdique, et si on gagne, c'est bien, mais on risque l'addiction.

— Tu n'es pas partante, Becky ? s'étonne Luke.

— Non. Sauf si… Et si je commence à gagner et que je devienne accro ?

— T'inquiète. Il suffit de décider d'une stratégie avant de démarrer et de t'y tenir.

— Quel genre de stratégie ?

— Par exemple : je joue pendant tant de temps et j'arrête. Je dépense tel montant et je pars. Ou simplement : « Je m'en vais quand j'ai gagné. » Ne mise jamais beaucoup d'argent après avoir perdu. Si tu perds, tu perds. Après une perte, n'essaie pas de regagner ce que tu as perdu.

J'ingère toutes ces règles en silence.

— OK. J'ai une stratégie.

— Super. Tu veux jouer à quoi ?

— Fini le black jack. C'est idiot. Allons à la roulette.

Nous nous installons sur des chaises hautes, devant une table vide. Le croupier, un chauve dans les trente ans, nous accueille avec un sourire pétillant.

— Bonsoir. Bienvenue à ma table.

Bien plus sympa que la fille du black jack. Une vraie rabat-joie, celle-là ! Pas étonnant que j'aie perdu.

— Bonsoir !

Je lui rends son sourire et pose un jeton sur le rouge, tandis que Luke et Danny misent sur le noir. Comme hypnotisée, je regarde la roulette tourner.

Allez le rouge, allez le rouge...

La bille s'arrête dans une des cases. Tout étonnée, je cligne des yeux. J'ai gagné ! J'ai gagné pour de bon !

— C'est la première fois que je gagne à Las Vegas, je déclare au croupier, qui sourit.

— Vous êtes peut-être dans une bonne passe.

— Peut-être.

Je place de nouveau mon jeton sur le rouge et fixe la table. Quel spectacle, cette roulette ! Presque envoûtant.

Tous les joueurs fixent la bille en train de tourner, incapables de détourner le regard avant qu'elle ralentisse et tombe dans une encoche.

— Yes ! Encore gagné !

OK. La roulette est le plus formidable jeu du monde. Pourquoi avons-nous perdu du temps à cette idiotie de black jack, mystère ! Une demi-heure après avoir commencé à miser sur la table de roulette, j'ai gagné si souvent que je me sens la reine du casino. Luke et Danny n'ont ni perdu ni gagné mais moi, j'ai accumulé une grande pile de jetons et je continue.

— Qu'est-ce que je suis douée !

Comment ne pas jubiler alors que je viens de gagner une nouvelle fois ? J'avale une gorgée de margarita et j'examine la table en réfléchissant à ma prochaine annonce.

— La chance est avec toi, me corrige Luke.

— La chance… le talent… c'est du pareil au même.

Après un instant de concentration, je pose tous mes jetons sur le noir. Luke en met quelques-uns sur impair. Captivés, nous regardons la bille tourner.

— Noir ! je m'écrie au moment où la bille stoppe sur le dix. J'ai *encore* gagné !

Ensuite, je mise sur le noir, puis sur le rouge, et une fois encore sur le rouge. Et je gagne. Un groupe de célibataires en virée s'approche. Le croupier leur dit que je suis dans une bonne passe. Ils entonnent « Beck-ee ! Beck-ee » chaque fois que je gagne. Avoir autant de veine est incroyable. Je suis un porte-bonheur ambulant.

Et vous savez quoi ? Danny avait raison. On ne voit plus le jeu de la même manière quand on gagne. Je plane grave. Ce qui m'entoure n'existe plus. La seule chose qui m'importe est la roulette, qui prend de la vitesse et qui s'arrête... jusqu'à ce que je gagne encore.

Mike, un des célibataires en goguette, me tape sur l'épaule :

— C'est quoi votre truc ?

Je fais ma modeste :

— Rien de spécial. Je me concentre. Je programme la couleur.

— Vous êtes une habituée ? demande un autre.

Être au centre de l'attention m'enivre.

— C'est la première fois de ma vie que je joue, mais je devrais peut-être devenir un pilier de casino.

— Et vous installer à Las Vegas.

— Mais oui ! je dis à Luke. Il faut absolument qu'on déménage ici.

Je récupère tous mes gains et, après un moment d'hésitation, je les place sur le numéro sept.

— Euh, vraiment ? s'étonne Luke.

— Vraiment ! J'ai un bon pressentiment. Oui, le numéro sept, j'ajoute, après une nouvelle gorgée de margarita, à l'intention de mes admirateurs. Le sept, c'est mon chiffre.

Deux d'entre eux commencent à psalmodier : « Le sept ! Le sept ! » tandis que d'autres posent en vitesse leurs jetons sur le sept. Nous fixons la roulette qui démarre, comme une bande de possédés.

— Le sept !

Les joueurs se déchaînent quand la bille se loge dans la case. J'ai gagné. Même le croupier me donne un high five.

— Elle est hot, cette fille ! s'exclame le dénommé Mike.

— Votre prochain pari, Becky ? s'enquiert un de ses copains.

— Allez, Becky, dites-nous !

— Becky !

— On mise sur quoi, Becky ?

Tout le monde attend. Mais je ne regarde pas la roulette. J'examine la pile de jetons qui s'élève devant moi en me lançant dans un rapide calcul. Deux cents… Quatre cents… Plus encore. Ouais ! Poing fermé, je fais un signe de victoire.

— Alors ? insiste un gars.

Je me tourne vers le croupier et dis avec un sourire triomphant :

— Je vais encaisser.

— Encaisser ? s'inquiète Mike.

— J'ai assez joué.

— Mais non ! Vous êtes bien partie ! Continuez !

— J'ai gagné huit cents dollars.

— C'est super ! N'arrêtez pas.

— Vous ne comprenez pas ! Avec ces huit cents dollars je vais acheter cette veste en cachemire pour Luke.

— Quelle veste ? s'étonne Luke.

— La Armani. En cachemire gris. Allons y jeter un coup d'œil. Elle est faite pour toi.

— Partir pour une veste, vous êtes dingue ! Vous ne vous pouvez pas quitter la table quand vous avez une veine pareille, s'insurge Mike.

— Si si ! C'est ma stratégie.

— Votre stratégie ?

— Mon mari m'a conseillé d'adopter une stratégie. J'ai décidé d'arrêter quand j'aurais gagné assez pour lui offrir la veste Armani. Et c'est fait.

— Mais… Mais…

Mike en perd presque la voix.

— Pourquoi stopper alors que vous avez une *veine d'enfer* ?

— Ça ne durera peut-être pas.

— Mais si !

Quêtant l'approbation de ses copains, il insiste :

— Elle va gagner, hein, les mecs ?

— Becky, c'est une gagnante ! s'enthousiasme l'un.

Ils sont bouchés ou quoi ? Me voilà obligée de leur mettre les points sur les *i* :

— Si je commence à perdre, je peux dire adieu à la veste !

Mike, qui a vraisemblablement plus d'un verre dans le nez, passe son bras autour de mes épaules.

— Allez ! Partez pas ! On se marre bien, non ?

— Oui, c'est cool. Vous êtes une bande hyper-sympa. Et j'adore jouer, enfin, oui… mais ce qui me fera encore plus plaisir ce sera d'offrir cette veste à Luke. Désolée, je dis au croupier. Je n'ai rien contre vous. Votre roulette est formidable.

Luke émet une sorte de rire étouffé.

— Quoi ? Qu'est-ce qu'il y a de drôle ?

— Rien, ma chérie ! Je remarque juste que la spirale infernale censée te mener dans l'enfer de l'addiction au jeu n'est pas pour tout de suite.

La veste va parfaitement à Luke. Elle est taillée près du corps et fait ressortir les reflets chocolat de ses cheveux. Quand il sort de la cabine d'essayage et se regarde dans un grand miroir, toutes les vendeuses sont en admiration. Dommage que Danny ne soit pas avec nous et ait préféré rester au casino avec le groupe de célibataires.

— Parfait ! Je savais qu'elle serait super sur toi.

— Merci, fait Luke en se contemplant dans la glace. Ton cadeau me touche beaucoup.

Je fais le compte du montant de mes gains pendant que la vendeuse plie la veste dans une jolie boîte rectangulaire.

— À mon tour de te gâter ! s'écrie Luke quand nous sortons du magasin. Voici un présent beaucoup plus modeste, ajoute-t-il en me tendant un mail imprimé. Une de nos équipes à Londres est le conseil de Mac, qui a envoyé à tout le personnel un bon de réduction de quatre-vingt-dix pour cent. Pendant un moment, j'ai cru qu'il s'agissait du Mac d'Apple, mais c'est la marque de maquillage. Tu peux utiliser mon bon d'achat.

— Un rabais de quatre-vingt-dix pour cent. C'est top !

Il regarde autour de lui.

— On trouve cette marque où ? Chez Barney ? On y va ?

— Pas la peine. Ça va être assommant pour toi.

— Tu ne veux pas y aller ?

Les yeux sur le bon de réduction, je tâche d'analyser ma réaction. À l'idée de choisir des produits de maquillage – même à prix réduit –, je me sens bizarre. Comme si une foule de papillons voletaient dans mon estomac.

Je sais ce qui se passe. J'ai adoré acheter cette veste pour Luke. J'ai adoré acheter le petit puzzle pour Minnie. Mais des trucs pour moi ? Bof ! C'est non… Étrange, quand même… Je n'ai pas…

Je ne le mérite pas. C'est ça ! Cette explication qui s'impose à moi me fait frissonner.

— Non, merci, je dis avec un sourire forcé. Allons plutôt libérer maman et Janice.

— Tu ne veux plus te balader ? Voir les lumières ?

— Non, merci.

Mon euphorie s'est dissipée. Au moment où Luke a parlé de me faire un cadeau, il m'a semblé qu'une voix s'insinuait dans ma tête pour me faire la morale. Pas une voix calme, façon La Paix d'or, m'enjoignant d'acheter avec mesure et après réflexion, mais une voix dure qui me serinait que je ne méritais rien.

Nous gagnons les ascenseurs, accompagnés par la rumeur des conversations ambiantes et par la musique. Luke me jette des petits regards en coin.

Il finit par se décider.

— Becky chérie, tu dois retrouver ta confiance en toi.

— Je ne l'ai pas perdue, je riposte.

— Oh ! que si. Qu'est-ce qui se passe, ma Becky ? dit-il en m'enlaçant.

La gorge serrée, je tente de m'expliquer :

— Rien ne va. Je culpabilise. Ce voyage, on le fait à cause de moi. Je n'aurais pas dû attendre pour aller voir Brent. J'aurais dû écouter papa plus attentivement. Pas étonnant que Suze…

Je m'arrête, au bord des larmes. Luke soupire :

— Suze reviendra.

— J'en ai parlé à Danny. Selon lui, ça arrive que les amitiés cessent. Et je ne dois pas essayer de retenir Suze.

— Sûrement pas ! Certaines amitiés durent toute la vie. Celle qui te lie à Suze en fait partie.

— Je ne pense pas. À mon avis, elle a déjà pris fin.

— N'abandonne pas, Becky. Tu n'es pas du genre à renoncer. Tu as connu une mauvaise passe, d'accord. Suze aussi. Mais je vous connais, toutes les deux, et je sais que votre amitié est de celles qui résistent. Vous vous retrouverez, grand-mères, à échanger des tuyaux pour tricoter des chaussons, je vous vois d'ici.

— Tu crois vraiment ? je demande avec un regain d'optimisme.

Je nous imagine en vieilles dames. Suze aura de longs cheveux blancs, une canne très chic et sera toujours aussi ravissante, avec seulement quelques rides. Moi, je ne serai pas très jolie mais je porterai des accessoires divins. On m'appellera « la Vieille Dame au fabuleux collier ».

— Ne laisse pas tomber Suze. Tu tiens à elle. Elle a besoin de ton amitié, même si en ce moment elle ne s'en rend pas compte.

— Il n'y en a que pour Alicia, je fais remarquer lugubrement.

— Oui, mais un jour elle retrouvera sa lucidité et elle percera Alicia à jour, prédit Luke en appuyant sur le bouton de l'ascenseur. En attendant, souviens-toi que tu es toujours son amie. Elle a demandé à t'accompagner dans cette expédition. Ne laisse pas Alicia te démolir.

— OK, je fais d'une toute petite voix.

— Je t'assure, insiste Luke. Ne te laisse pas intimider par Alicia. Bats-toi pour cette amitié, elle en vaut la peine.

Son optimisme est presque contagieux.

— D'accord. Je vais suivre ton conseil.

— Enfin ! Je retrouve ma Becky !

Nous sommes arrivés à notre chambre. Luke sort sa carte électronique, l'insère et pousse la porte. Le choc me paralyse. Qu...

Quoi ????

— Bonsoir, Rebecca ! Bonsoir, Luke, fait une voix glaciale que je connais bien.

Est-ce que je rêve ? Est-ce l'effet d'un abus de margaritas ? Ça ne peut pas être vrai !

Et pourtant, si. Elinor, ma belle-mère, en robe Diane von Furstenberg, trône, raide comme un piquet, sur un pouf et me considère de son regard froid.

— Mère ! s'écrie Luke, aussi sidéré que moi. Qu'est-ce que tu fais ici ?

En la regardant, je me sens bizarre. Les rapports entre Luke et sa mère n'ont jamais été simples mais, récemment, ils se sont encore compliqués. Il y a deux jours, à Los Angeles, j'ai organisé une réunion de réconciliation particulièrement désastreuse. Luke est parti en claquant la porte. Elinor l'a imité. Moi qui rêvais d'être le Kofi Annan des conflits mère-fils, quel ratage. Luke a été écorché vif. Et voilà que sa mère arrive sans prévenir.

Maman, assise avec Janice sur le canapé, explique avec emphase :

— Elinor est venue à mon secours. Comme je n'avais personne vers qui me tourner, je lui ai téléphoné.

Personne vers qui se tourner ? De quoi parle-t-elle ? Elle a un camping-car plein de gens à sa disposition.

— Maman, ce n'est pas vrai. Tu as moi, Suze, Luke…

— J'avais besoin d'une personne influente, explique-t-elle en faisant tourner son verre de vin. Puisque Luke a refusé de faire appel à ses contacts…

— Jane, intervient Luke, qu'attendiez-vous exactement de moi ?

— J'attendais que vous fassiez le maximum. Elinor m'a apporté une aide inestimable. Elle au moins a compris. N'est-ce pas, Elinor ?

— Mais on a localisé papa ! je vitupère. On a même retrouvé sa trace.

— Je l'ignorais quand je l'ai appelée, riposte maman. Elinor n'a pas hésité à me venir en aide. Comme une véritable amie.

C'est dingue ! Maman connaît à peine Elinor. Ce n'est pas comme si nous étions une de ces grandes familles heureuses dont les membres s'entendent à merveille et ont leurs coordonnées réciproques en numérotation rapide. À ce jour, nos relations familiales peuvent se résumer comme suit :

• Elinor méprise maman et papa (des banlieusards).

• Maman ne supporte pas Elinor (trop snob).

• Papa aime bien Elinor tout en la considérant comme une vieille bêcheuse (il n'a pas tort).

• Luke et Elinor ne se parlent pratiquement jamais.

• Minnie adore tout le monde, surtout « Grana » (maman) et « Madaame » (Elinor). Mais elle dort profondément et ne peut nous être d'aucune aide.

En bref, nulle part dans ce scénario il n'est mentionné que maman et Elinor sont « amies ». En fait, je ne savais même pas que maman avait le numéro de ma belle-mère. Je jette un coup d'œil à Luke. Il a son visage des mauvais jours.

— En quoi pensez-vous que ma mère va vous aider ? demande-t-il d'un ton neutre

— Nous sortons justement pour faire le point, répond maman. C'est la première fois qu'Elinor met les pieds à Las Vegas et nous aussi. Nous avons donc prévu une soirée entre filles.

— Solidarité féminine ! s'enthousiasme Janice.

— Vous êtes en forme, Elinor, je dis, sans pouvoir m'en empêcher. Votre robe est ravissante.

C'est moi qui lui ai suggéré de porter des robes portefeuille au lieu de ses habituels tailleurs compassés. Et, suprise, elle a tenu compte de mes conseils. Sa robe imprimée noir et blanc lui va à merveille – elle a dû la faire retoucher – et la rend beaucoup plus féminine. La prochaine fois, je lui recommanderai d'adopter une coupe de cheveux dégradée. (Une chose à la fois !)

Luke est furieux contre maman, bien qu'il essaie de ne pas le montrer.

— Mère, ne te crois pas obligée d'intervenir dans cette histoire. Jane n'avait pas à t'appeler.

— *Comment ça* ? réplique maman. Elinor fait partie de la famille. N'est-ce pas, Elinor ?

— Ma mère vient d'avoir des ennuis de santé, explique Luke. Se retrouver mêlée à des drames familiaux est bien la dernière chose dont elle ait besoin. Mère, tu as dîné ? Je propose de t'emmener avaler quelque chose. Becky, tu n'y vois pas d'inconvénient ?

— Bien sûr que non. Allez-y.

— En fait…, dit Luke d'une voix altérée, je regrette

mon attitude de l'autre soir. J'aimerais rattraper ça. Nous avons là l'occasion de nous rapprocher...

Il s'arrête, embarrassé. Je sais combien cette démarche est difficile pour lui, surtout devant des témoins.

— Et pour te présenter des excuses, dîner ensemble me semble approprié, conclut-il.

— J'apprécie ta démarche, Luke, dit Elinor après une pause. Merci. Je pense que si tu en exprimes le désir, nous pourrions... tirer un trait sur le passé et recommencer à zéro.

Elle a l'air aussi gênée que lui.

Je retiens mon souffle en observant Luke. Je n'en crois pas mes oreilles : ils vont se rabibocher ! J'espère que leur dîner va durer longtemps, qu'ils auront le temps de discuter à fond et que tout va changer.

— C'est merveilleux ! s'écrie Luke avec un sourire de soulagement. Je n'osais pas en espérer tant. Je vais retenir une table et pendant le dîner nous pourrons parler de ces vacances dans les Hamptons que nous projetons de...

— Je n'ai pas terminé, l'interrompt Elinor. Tes paroles me touchent, Luke, et j'aimerais en finir avec nos problèmes passés. Mais ce soir, j'ai décidé... Ce soir, je sors avec Jane et Janice.

J'en reste comme deux ronds de flan. Elinor et maman en virée à Las Vegas ?

— C'est bien, fait maman avec une petite tape encourageante sur l'épaule d'Elinor. Venez ! On va s'éclater.

— Solidarité féminine, répète Janice.

Elle a les joues bien rouges. Combien de petites bouteilles de vin du minibar a-t-elle descendues ?

— Tu sors avec *elles* et pas avec *moi* ? demande Luke, aussi estomaqué que moi.

Incroyable ! La première fois qu'Elinor a rencontré mes parents, elle les a pris de haut. Comme si les Bloomwood étaient des pestiférés.

— Jane a des photos de Minnie qu'elle a promis de me montrer, dit Elinor. De l'époque où elle était bébé. Ça m'a tellement manqué, ces moments.

Elle cligne des yeux, comme sous l'emprise d'une émotion lointaine et j'ai un pincement au cœur. La pauvre ! Elle est restée trop longtemps éloignée de nous.

— Bien sûr, Elinor ! Vous regarderez l'album sur mon iPhone, et je vous enverrai toutes les photos que vous voudrez, dit maman en se levant et en mettant sa veste. Vous pourrez faire un collage pour votre cuisine. Ou… je sais ! Vous aimez les puzzles, hein ? Pourquoi pas une photo de Minnie en puzzle ? Ils font ça chez Snappy Snaps.

— Un puzzle avec un portrait de Minnie ? Quelle bonne idée !

— J'ai des tas de bonnes idées ! dit maman en se dirigeant vers la porte. Tu es prête, Janice ? Elinor, vous avez déjà joué au casino ?

— Il m'arrive de jouer au baccara à Monte-Carlo, répond froidement Elinor. Avec les Broisier. Une vieille famille monégasque.

— Parfait !

— Vous nous apprendrez. J'ai besoin de décompresser, vous savez. Salut, Becky. On se voit au Bellagio demain matin à neuf heures précises. Ton père va avoir droit à quelques vérités bien senties. Dites-moi, Elinor, vous aimez les cocktails ?

Nous l'entendons encore jacasser en refermant la porte. Luke et moi échangeons un regard étonné.

Boîte vocale : 1 783 messages

De : numéro masqué
18:46
Salut, beau mec !

De : numéro masqué
18:48
Quand tu veux, où tu veux !

De : numéro masqué
18:57
**Retrouve-moi au Flamingo à 10 heures
Demande Juan**

De : numéro masqué
18:59
Combien de l'heure ?

De : numéro masqué
19:01
Tu me bottes, solitaire

De : numéro masqué
19:09
Combien ?

De : numéro masqué
19:10
Tu m'embrasses quand tu veux

De : numéro masqué
19:12
Je veux te booker

De : numéro masqué
19:14
Tu kiffes les hommes ou les femmes ?

8

On est le lendemain matin. Celui qui a inventé les lendemains matin mérite d'être abattu.

Il est neuf heures moins le quart. Je suis assise à une grande table ronde au restaurant du Bellagio et j'attends les autres.

La musique ambiante résonne dans ma tête déjà douloureuse. Je suis loin de me sentir au top. Ce qui démontre que le vin du room service est aussi alcoolisé que celui des restaurants.

Même remarque pour les cocktails.

Et les verres de digestif et autres liqueurs.

Le fait que Minnie nous ait réveillés à trois heures du matin n'a pas aidé. Elle criait dans son sommeil que son lit flottait sur l'eau. La faute à ces stupides gondoles. Ils devraient afficher des mises en garde.

Je lève les yeux. Luke arrive du buffet avec Minnie, qui tient un bol de corn flakes.

— Maman, des cooorn flakes ! s'écrie-t-elle comme si elle venait de découvrir un mets rare. J'ai des *cooorn flakes* !

— Formidable, ma chérie !

Et à Luke :

— Sur cet énorme buffet, elle a choisi des corn flakes ?

— J'ai essayé de l'intéresser à l'assiette de crevettes et homard. En vain.

Rien que les mots « crevettes » et « homard » me retournent l'estomac. Du homard au petit déj ! C'est n'importe quoi !

— On peut avoir une omelette aux truffes, m'annonce Luke, tandis que Minnie commence à mâchonner ses céréales.

— Épatant, je commente sans enthousiasme.

— Il y a aussi une fontaine à chocolat, des tranches de pain perdu et…

— Arrête ! Ne me parle pas de nourriture !

— Tu es souffrante ?

— Non, je réponds d'un air digne. En fait, je n'ai pas très faim.

Idée ! Et si je démarrais le régime 5:2 ? Cinq jours normaux et deux jours de détox par semaine. Aujourd'hui serait le jour de jeûne.

Un serveur vient remplir ma tasse de café. Je bois prudemment. Un instant plus tard, j'entends une voix familière. Maman ? Mon Dieu ! Est-ce bien ma mère que j'aperçois à la réception ?

Échevelée, le mascara en déroute, avec une espèce de fleur scintillante derrière l'oreille, elle s'adresse à un employé :

— Ma fille Becky, pourriez-vous la trouver s'il vous plaît ? J'ai vraiment besoin d'un café. Oh, ma pauvre tête ! gémit-elle en agrippant ses mèches désordonnées…

Je fais des gestes frénétiques.

— Maman, je suis là !

Elle porte la même robe qu'hier soir. *Est-ce qu'elle ne se serait pas couchée.*

— Maman ! je dis en traversant le restaurant pour la rejoindre. Ça va ? Où étais-tu ?

— Attends une seconde, j'appelle les deux autres. Ohé, les filles, par ici !

Elle agite les bras vers l'entrée et, à ma grande surprise, je vois Elinor et Janice s'approcher bras dessus, bras dessous en titubant.

Habillées comme la veille au soir mais dans un état... Janice arbore une grande écharpe brillante qui proclame « REINE DU KARAOKÉ ». Quant à Elinor, ses cheveux sont ornés de cierges magiques calcinés, enfin, ça en a tout l'air.

La vache ! J'étouffe un rire derrière ma main.

— Alors, la nuit a été bonne ? je demande.

— Becky, mon chou, ne me laisse plus jamais boire de Tia Maria, murmure Janice d'une voix à peine audible.

— Je ne me sens pas bien, déclare Elinor, blanche comme un linge. Ma tête... Des symptômes... très alarmants.

Elle ferme les yeux et je la soutiens pour l'empêcher de tomber.

— Vous n'avez pas dormi du tout ? je demande, me sentant comme une mère devant trois adolescentes. Vous avez bu de l'eau ? Mangé quelque chose ?

— On a somnolé, répond maman au bout d'un instant. C'était au Wynn, non ?

— Je ne me sens vraiment pas bien, insiste Elinor, la tête penchée comme celle d'un cygne.

— Vous avez la gueule de bois, je lui dis, compatissante. Asseyez-vous. Je vais commander du thé...

Luke, qui nous voit arriver, se lève d'un coup, l'air affolé.

— Mère ! Ça va ?

Je le rassure.

— Ne t'inquiète pas, elle a une bonne gueule de bois, c'est tout. Les deux autres aussi. Elinor, c'est la première fois que ça vous arrive ?

Elle me regarde sans répondre, tandis que je l'aide à s'asseoir.

— Vous savez ce qu'est une gueule de bois ?

— J'ai entendu l'expression, dit-elle en retrouvant un peu de son ton snob habituel.

— Eh bien, buvez à la santé de votre première gueule de bois, je dis en lui tendant un grand verre d'eau. Luke, tu as de l'aspirine ?

Au cours des minutes suivantes, Luke et moi, transformés en urgentistes spécialistes ès-gueules de bois, dispensons à nos patientes des verres d'eau, des cachets, des tasses de thé. Je n'arrête pas de croiser le regard de Luke et j'ai une énorme envie de rire mais l'état d'Elinor, qui n'est vraiment pas en forme, m'en empêche.

Quand ses joues reprennent un peu de couleur, je risque une question :

— Vous vous êtes bien amusée, au moins ?

— Je crois, fait-elle, déconcertée. Je m'en souviens à peine.

— Ça veut dire que vous avez pris du bon temps, commente Luke.

— Salut, mes chéris !

Depuis l'autre bout du restaurant, Danny nous hèle. Il porte une robe longue ornée de sequins et une bonne couche d'ombre à paupières violet nacré. Lui non plus ne s'est pas couché de la nuit.

— Danny ! C'est quoi cette tenue ?

Il m'ignore.

— Salut, mes chéries ! s'écrie-t-il à nouveau.

Et là, je comprends qu'il s'adresse à maman, Janice et Elinor.

— Dites donc, les filles, vous avez fait les folles hier soir. Elles ont été top, au karaoké du Mandalay Bay, m'explique-t-il. Ta mère s'est surpassée, avec « Rolling in the Deep ». Et Elinor, quel numéro !

— Elinor a participé au karaoké ?

— *Ce n'est pas possible* ! s'exclame Luke, abasourdi.

— Eh si ! (Danny rigole.) Un truc débile. En duo avec Janice.

— Non ! se récrie Luke.

Nos regards convergent vers Elinor, qui a posé sa tête sur la table. Pauvre Elinor ! La première cuite est toujours atroce. Et pour elle, de toute évidence, c'est bien de ça qu'il s'agit.

— Ça va passer, je lui dis en lui massant le dos. Tenez bon !

Comme je remplis son verre d'eau, j'aperçois du coin de l'œil Suze et Alicia s'approcher de notre table. Inutile de préciser qu'elles n'ont pas eu une soirée arrosée. Alicia arbore cette mine resplendissante qu'affiche tout le personnel de La Paix d'or. (Leur secret ? Pas le plein air, mais un sérum bronzant spécial.) Suze a les cheveux brillants et ressemble à un ange, dans son haut blanc à manches longues. Une odeur fraîche et légère émane d'elles. Je me demande si elles portent le même parfum. Peut-être bien, après tout : ne sont-elles pas devenues les meilleures amies du monde ?

Je m'oblige à être aimable.

— Salut, vous deux ! Vous avez passé une bonne soirée ?

— Nous nous sommes couchées tôt, m'informe Alicia. Et ce matin, nous avons assisté à un cours de tai-chi.

— Super, je dis avec un sourire forcé. Vous voulez de l'eau ? Ah ! Danny est là. Vous l'avez vu ?

Elles prennent place à la table au moment où Danny revient du buffet avec une assiette exclusivement remplie de homard et de raisin.

Il lui souffle un baiser.

— Suze chérie ! Je suis ici pour toi. Littéralement, je veux dire. Oui, pour toi. Dis-moi ce que je peux faire.

— Danny ! rétorque Suze avec une expression féroce. Tu fais quoi exactement ici ?

— Je suis venu aussi vite que j'ai pu, répond-il fièrement. Mes assistants et moi-même sommes à ta disposition. Dis-moi ce que je peux faire.

— Je vais te dire ce que tu *ne dois pas* faire !

Suze brandit un des prospectus de Danny.

— Tu n'as pas le droit d'inonder tout Las Vegas de photos de mon mari. J'ai eu un million d'appels de gens qui veulent « sortir » avec lui. Tu imagines le genre de coups de téléphone que je reçois ?

— Non, s'enthousiasme Danny. Ils disent quoi ?

Remarquant l'expression furieuse de Suze, il se ravise.

— J'essayais seulement d'être utile, Suze. Désolé

d'avoir déployé tous ces moyens pour t'aider. La prochaine fois, je ne prendrai pas cette peine.

Suze tremble de fureur. Puis elle se force à reprendre son calme. Quelques instants plus tard, elle s'excuse.

— Je sais que ça partait d'un bon sentiment. Mais *franchement* !

— Elles sont géantes, ces photos, tu ne trouves pas ? dit Danny avec un regard énamouré pour la moue de Tarkie.

— Je les déteste ! explose Suze.

— Je sais, mais elles sont quand même super. Tu dois l'admettre, Suze, avec ton œil d'artiste. Eh, il y a un manteau de ma nouvelle collection qui est fait pour toi. Avec un col genre fraise démesurée. Très Élisabeth Ire. Tu seras sublime dedans. Un cadeau de paix ?

Personne ne peut rester fâché longtemps avec Danny. Suze se détend et lève les yeux au ciel avant de se caler contre le dossier de sa chaise avec un soupir boudeur.

— Alicia, tu connais Danny Kovitz ? Danny, je te présente Alicia Merrelle.

— Je me souviens de vous au mariage de Becky, dit Danny aimablement. Vous aviez fait une sacrée entrée.

Le visage d'Alicia traduit quelque chose. De la colère ? Du remords ? Toujours est-il qu'elle ne répond pas. Suze lui passe un verre, et elles commencent à déguster leur eau avec élégance.

— Tu es allée où, hier soir ? demande Danny à Suze.

— Nulle part. Nous sommes restées à l'hôtel. On fait un tour au buffet, Alicia ?

Dès qu'elles ont le dos tourné, Danny se penche vers moi :

— C'est des bobards, murmure-t-il.

— Qu'est-ce qui est des bobards ?

— Alicia n'est pas restée à l'hôtel toute la soirée. Je l'ai vue dans le hall du Four Seasons, vers minuit, en train de parler à un gars.

— Tu plaisantes ?

— Tu plaisantes ? répète immédiatement Minnie.

— J'aimerais bien savoir ce qu'elle fabriquait. Et pourquoi elle ment.

Danny hausse les épaules et enfourne six grains de raisin d'un coup.

— Il me faut de l'eau glacée, réclame-t-il. Cette eau n'est pas assez froide. Où est Kasey ?

Pendant qu'il tape un SMS, j'observe Alicia qui choisit des quartiers de pamplemousse au buffet. Je *savais* qu'elle mijotait un truc. Que faisait-elle au Four Seasons à minuit ? C'est très louche. Je m'apprête à demander davantage de détails à Danny quand je constate qu'Elinor s'est endormie sur la table. Le visage sur la nappe, les cheveux en bataille, elle ronfle doucement.

Et si je prenais un selfie de nous deux ? Je suis tentée mais je résiste. Ce serait indigne de la belle-fille raisonnable que je suis.

— Elinor, je dis en la secouant tout doucement. Elinor, réveillez-vous !

— Hein ?

Elle revient à elle en sursaut et se frotte les yeux. Je la contemple avec effroi, m'attendant presque à voir des morceaux de peau lui tomber du visage.

— Buvez un peu d'eau !

En lui tendant un verre je regarde ma montre.

— Papa et Tarkie ne devraient pas tarder.

— S'ils viennent, intervient Luke qui pioche dans

une assiette d'œufs au bacon, en donnant une bouchée sur deux à Minnie.

Je le regarde, consternée.

— « S'ils viennent » ? Qu'est-ce que tu veux dire ? Bien sûr qu'ils vont venir.

— Tu plaisantes, fait Minnie. Tu plaisantes.

Enchantée par sa remarque, elle regarde autour d'elle et chipe une fraise dans l'assiette de ma mère. Mais maman ne fait pas attention, elle fixe Luke avec consternation.

— Qu'est-ce qui vous fait dire ça, Luke ? Graham vous a contacté ?

— Absolument pas, répond-il au moment où Suze revient s'asseoir. Simplement, il est neuf heures dix. À ce genre de rendez-vous, on est ponctuel. J'ai une sorte de pressentiment, c'est tout.

— Un pressentiment ? s'étonne maman.

— Qu'est-ce que tu sais, Luke ? implore Suze. Tu nous caches quelque chose ?

À mon tour d'intervenir.

— Mais non, il ne sait rien. Et ses intuitions sont généralement fausses. Je suis certaine qu'ils vont arriver.

Évidemment, je mens. Les intuitions de Luke sont en général pertinentes. Sinon, il n'aurait pas réussi aussi bien dans ses affaires. Il a le don de lire dans les pensées des gens, de prévoir les situations et de réagir avec un temps d'avance. Et soudain, alors que nous buvons notre café en silence, mon téléphone sonne. Le nom de papa s'affiche sur l'écran. Mon cœur se serre.

« Papa ! je m'exclame d'un ton décidé. Super ! Tu es là ? Nous sommes à la grande table ronde, à côté du buffet de fruits.

— Becky… »

Il s'arrête net. Un silence s'installe et j'ai compris. J'ai compris, point barre.

« Je te passe maman, je dis d'un ton rageur. Tout de suite. Cette fois, tu lui parles. »

Fini de jouer les messagers. J'en ai assez.

Je tends le téléphone à ma mère avant de découper avec fureur ma tranche de melon. J'ai la tête penchée sur mon assiette, ce qui ne m'empêche pas d'entendre la voix de maman grimper dans les aigus :

« Mais nous t'attendons ! Graham, ne me dis pas de ne pas m'inquiéter… Écoute, dis-moi la vérité… C'est *moi* qui décide de ce qui est important ou pas… Retourner à Los Angeles ?… Non, je n'ai pas visité les vignobles… Et non, je n'ai pas envie de les visiter. *Et merde, arrête de me parler de ces foutus vignobles !* »

— Je vais lui dire un mot, intervient Suze. Tarkie est avec lui ? »

Elle arrache le téléphone des mains de maman et rugit :

« Je veux parler à mon mari… Où est il ?… Comment ça, "parti marcher" ? Je dois lui parler ! »

Elle finit par raccrocher et jette l'appareil sur la table. Elle est rouge et peine à respirer.

— Si quelqu'un me dit de me détendre, je…

— Je suis d'accord, explose maman.

— Comment pourrais-je me détendre ?

— Des vignobles ! Il veut que j'aille visiter des vignobles ! Je vais lui passer un de ces savons quand je le verrai ! Il n'a pas arrêté de débiter des âneries. Du genre : « N'en fais pas tout un plat ! C'est l'affaire de deux jours seulement… Quel est le problème ? » Le problème, c'est qu'il me cache des choses. Il y a une autre femme dans sa vie, j'en suis sûre ! conclut-elle en cognant sa tasse sur la table.

Je suis choquée.

— Mais non, maman !

— Si !

Elle essuie ses yeux pleins de larmes avec une serviette.

— C'est là-dedans qu'il veut « remettre de l'ordre ». Dans sa situation avec une autre femme.

— Mais non !

— Alors explique-moi ce que ça peut être d'autre. Je reste sans voix. À vrai dire j'en sais rien.

Même si nous savons qu'ils ne viendront pas, nous poursuivons notre petit déjeuner pendant quarante minutes encore. Comme saisis d'inertie.

Il faut dire aussi que le buffet est vraiment délicieux. Et qu'après plusieurs tasses de café, j'ai retrouvé l'appétit. En fait, j'ai décidé de transformer la diète 5:2 en régime « manger le plus possible parce que ce buffet est extraordinaire ».

Dans l'intervalle, Elinor, ressuscitée, est en grande conversation avec Danny. Apparemment, ils fréquentent la même société féminine de Manhattan. Elinor parce qu'elle assiste à des soirées, Danny parce qu'il vend des robes à ces dames. Il a ouvert son carnet de croquis et il dessine des vêtements à ma belle-mère, fascinée.

— Idyllique pour l'Opéra. Ou pour un thé chic ou un vernissage, suggère-t-il en hachurant la partie jupe du modèle.

— La basque est trop large, commente Elinor d'un

air critique. Je n'ai pas envie de ressembler à un abat-jour.

— Elinor, c'est exactement la hauteur de basque qui vous convient. Faites-moi confiance, j'ai l'œil.

— Et moi, j'ai les moyens, réplique Elinor.

Je réprime un ricanement. Ils sont faits pour s'entendre, ces deux-là. Danny vient d'attaquer le croquis d'un large manteau à gigantesque col cheminée.

— Ce col est flatteur, explique-t-il. Plus haut derrière que devant, pour encadrer votre visage. Divinement divin. Et nous allons le border de fausse fourrure.

D'un coup de crayon, il ajoute la fourrure. Elinor n'en perd pas une miette. Et je dois dire que je suis moi aussi assez éblouie. Elinor serait sublime dans ce manteau.

— J'ai besoin d'un muffin pour nourrir mon inspiration, déclare soudain Danny en se levant. Je reviens tout de suite, Elinor.

Je le rejoins devant le buffet des pâtisseries. Il a l'air enchanté de lui-même.

— Je suis en train de créer toute une collection autour d'Elinor : Danny Kovitz Classic. Une ligne de vêtements couture pour les femmes aux cheveux d'argent.

— Tu veux dire aux dollars d'argent, je réponds en rigolant.

— Les deux, dit-il avec un clin d'œil. Tu sais, ta belle-mère a le sens du style.

— Oui. Mais elle est un peu coincée.

— Pas d'accord, ma chérie. Au contraire, je la trouve ouverte aux idées nouvelles.

— De toute évidence, elle s'entend bien avec toi.

J'en éprouve une pointe de jalousie. Moi qui me

voyais comme le gourou vestimentaire d'Elinor. Après tout, c'est moi qui lui ai conseillé d'acheter ses robes portefeuille. Et voilà que Danny me remplace et va récolter toutes les louanges.

— Écoute, tant mieux pour toi ! je dis. Combien tu lui demandes pour tout ça ?

— Pas plus que le prix d'un petit appartement au Mexique. J'ai déjà repéré celui que je veux sur Google.

— Tu pousses un peu, là, Danny !

— Je lui vends encore trois manteaux et c'est dans la poche.

— N'exploite pas ma belle-mère, Danny !

— C'est elle qui m'exploite ! se récrie-t-il. Tu te rends compte de tout le boulot que ça va demander ? Et si je m'offrais une petite gaufre ?

Pendant qu'il se dirige vers l'autre côté du buffet, je m'approche de la section italienne. Au moment où je m'empare d'un *cannolo*, mon portable sonne. Le nom qui s'affiche sur mon écran me scotche. Tarquin. Pourquoi me téléphone-t-il ? S'est-il trompé de numéro ?

« Salut ! Salut, Tarkie ! J'appelle Suze tout de…

— Non, crie-t-il. Je ne veux pas lui parler.

— Mais…

— Si tu me la passes, Becky, je raccroche. »

Il semble si résolu que je fixe le téléphone avec stupeur.

« Mais, Tarkie…

— J'ai besoin d'avoir une conversation avec *toi*, Becky. C'est pour ça que je t'appelle.

— Mais je ne suis pas ta femme, dis-je bêtement.

— Tu es mon amie, non ?

— Bien sûr… »

Je me gratte la tête en essayant de me concentrer.
« Qu'est-ce qu'il t'est arrivé ?

— Rien ne m'est arrivé.

— Tu as pourtant changé. Tu as l'air bien. À Los
Angeles nous pensions tous que… »

Je m'arrête avant de dire : *Nous pensions tous que
tu devenais dingue.*

Je sais, ça peut paraître exagéré mais, franchement,
Tarkie était dans un sale état. Il ne voulait qu'une
chose : passer tout son temps avec Bryce. Et il n'arrêtait pas de dire que Suze gâchait tout. C'était atroce.

« Je n'étais pas en forme à L.A., admet Tarkie
après un long silence. C'était… étouffant. Ce qui peut
altérer les relations. »

Il parle probablement de lui et Bryce.

« La situation actuelle n'est-elle pas plus étouf-
fante ? Maintenant que tu passes tout ton temps avec
Bryce, les choses ne doivent pas s'arranger…

— Avec Bryce ? Pourquoi Bryce ? C'est à Suze
que je faisais allusion.

— Suze ? »

Je cligne des yeux avec fureur. Il veut dire quoi
exactement ?

« Tarkie. Que… ? je commence, quelque peu
effrayée.

— Tu as dû t'en apercevoir, Becky. Tu as sûrement
constaté que l'atmosphère était plutôt tendue entre
Suze et moi. Et ça s'est aggravé à Los Angeles.

— C'était un moment stressant pour tout le monde,
je lui rétorque.

— Entre nous, c'était vraiment horrible. »

J'ai comme un nœud à l'estomac. C'est la première

fois que j'ai ce genre de conversation avec Tarkie. Il n'y a jamais eu de problème entre lui et Suze. C'est impossible à imaginer. Le monde ne tournerait plus rond s'ils ne s'entendaient plus.

« Tu as dû t'en rendre compte, insiste Tarkie.

— Euh… Tu passais tes journées avec Bryce mais…

— Oui, et pourquoi, à ton avis ? vocifère-t-il. Oh, désolé, je ne voulais pas perdre mon sang-froid ! »

Tarkie est un vrai gentleman. Je l'ai rarement entendu hausser le ton. Quel stress ! Quelle angoisse ! Mais ma principale préoccupation reste Suze.

« Il faut que tu parles à Suze, je t'en prie. Elle se fait un sang d'encre. Elle est dans un état de complet…

— Non, je ne peux pas lui parler. Pas maintenant. Je ne sais pas comment m'y prendre avec Suze. Elle est ingérable. Elle m'accuse de mille choses, elle m'agresse… J'avais besoin de m'éloigner. Ton père est merveilleux. L'équilibre même.

— Mais elle a besoin de toi !

— Je vais revenir. C'est l'affaire de quelques jours.

— Elle a besoin de toi *maintenant*. »

Il hurle presque la réplique suivante.

« Pour préserver notre mariage, on a peut-être besoin d'une petite séparation. »

Que lui répondre ? Je suis plantée là, tremblant sous le choc, essayant de trouver un sujet de conversation moins périlleux.

« Alors, pourquoi tu m'appelles ? je finis par demander.

— Tu dois avertir Alicia à propos de Bryce. J'ai découvert ce qu'il manigance.

— Waouh ! »

Mon cœur commence à s'emballer. Nous savions

que Bryce mettait sur pied un truc louche – mais quoi ? Une secte ? Une organisation secrète ? Pourvu que ce ne soit pas un terroriste !

« Bryce a essayé pendant un moment de m'extorquer de l'argent. Il disait que c'était pour une bonne "cause", sans révéler de quoi il s'agissait. »

Mon cœur fait des bonds. Une « cause » ? Malheur ! Je visualise Bryce dans un camp d'entraînement en Amérique du Sud, aboyant ses ordres à une armée clandestine. Ou en hacker, essayant peut-être de pirater Google.

« Il m'a finalement dit la vérité, poursuit Tarkie. Son plan c'est de...

— Quoi ?

— ... de créer un centre pour concurrencer La Paix d'or.

— Ah, d'accord ! »

Je dois avouer que je suis un peu déçue. Bien sûr, je suis contente que Bryce ne soit pas un terroriste ou un gourou... mais quand même. Un simple truc de business. Ce n'est pas excitant pour un sou.

« Il a récupéré le fichier des clients de La Paix d'or, dont beaucoup étaient mécontents des prestations de l'établissement. Alicia et son mari devraient se méfier. Il travaille sur ce projet en cachette avec beaucoup de pugnacité. Il a essayé de soutirer des fonds à d'autres gens que moi, certainement avec succès.

— OK, je vais prévenir Alicia. »

Mon excitation a disparu. Bryce veut entrer en concurrence avec Alicia. Et alors ? Je m'inquiète beaucoup plus de Tarkie et de ce qu'il fabrique avec mon père. Et de ses problèmes avec Suze. Et de la façon dont je dois réagir.

Je me trouve dans une situation impossible. Si je préviens Alicia des manœuvres de Bryce, elle va me demander comment je le sais. Il faudra alors lui avouer que j'ai parlé à Tarkie, et Suze va se déchaîner.

« Tarkie, peux-tu me raconter ce que tu fabriques avec mon père ? » Je n'ai pas pu me retenir. « S'il te plaît. »

Il hésite.

« Becky, ton père est un type bien. Et très protecteur. Il ne veut pas que tu sois au courant. Je ne comprends pas pourquoi, mais tu dois respecter sa décision. »

J'entends une voiture démarrer. Tarquin s'empresse d'ajouter :

« Je dois y aller. Mais ne t'en fais pas !

— Attends ! »

Il a raccroché et je reste immobile, à digérer ce que je viens d'entendre.

— Becky ?

Luke est devant moi.

— Qu'est-ce qui se passe ? Tu es pâle comme la mort.

— C'était Tarquin. Tu sais, Luke, il n'est pas du tout en dépression nerveuse. Son accablement est d'ordre conjugal. Il veut passer un peu de temps loin de Suze… Ils ne se supportent plus. Mais qu'est-ce que je lui dis, à elle ?

— Rien, rétorque Luke. Ne t'immisce pas dans leurs histoires de couple. Sinon, sa colère rejaillira sur toi.

— Il a dit qu'elle était « ingérable ».

— Disons que Suze est dans une phase étrange. Mais si tu le lui dis, votre amitié est fichue pour toujours.

Nous nous taisons quelques minutes. J'ai le cœur gros. C'est une situation impossible. J'aimerais en rendre quelqu'un responsable mais je ne suis pas sûre qu'Alicia soit à blâmer.

— C'est tellement horrible !

Je me sens piteuse.

Un sacré problème. Pas facile !

Luke me serre contre lui et m'embrasse sur le front. Je niche ma tête dans son cou et respire son parfum que je connais si bien : un mélange d'after-shave, de chemise fraîchement lavée et d'odeur *sui generis*.

— Et au fait, Bryce ne dirige pas une secte. Il essaie de piquer la clientèle d'Alicia. Tarkie veut que je l'avertisse. Mais comment ? Je ne peux quand même pas dire : « Tu ne devineras jamais : Tarkie vient de m'appeler. »

— Oui, c'est embarrassant, confirme Luke.

Soudain j'ai une inspiration :

— Luke, et si *toi*, tu prévenais Alicia ? Tu n'as qu'à dire que c'est une rumeur qui court. Comme ça je n'interviens pas.

— Oh non ! Je ne rentre pas là-dedans !

Je prends ma voix cajoleuse :

— *S'il te plaît, Luke !*

À quoi sert d'avoir un mari s'il ne vous épaule pas de temps à autre ? Ça fait pratiquement partie du contrat de mariage, non ?

Luke se verse du jus de pamplemousse en silence. Puis il lève la tête et soupire :

— Très bien, je vais le lui dire. Mais, Becky, il va falloir avouer sans tarder à Suze que tu as parlé à son mari. D'une manière ou d'une autre, elle finira par l'apprendre.

— D'accord, mais pas maintenant. Elle va m'assassiner.

— Qu'est-ce qu'il a dit d'autre ?

— Pas grand-chose. Que mon père est un homme bien.

— On le savait déjà. Allez, Becky, souris ! Ce sont plutôt des bonnes nouvelles. Tu te souviens ? Il y a peu, nous pensions que Tarquin avait été kidnappé et tué.

— Oui, mais tout est tellement compliqué.

Je prends un pain au chocolat, un croissant aux amandes et un roulé. Je vais en mettre un de côté pour le goûter de Minnie.

— Prochaine étape ? Je sais ! Puisque Tarkie va bien et que papa ne veut pas qu'on le piste, nous devrions tout simplement rentrer à Los Angeles.

— Tu as raison, approuve pensivement Luke. Tu l'annonces à ta mère, ou c'est moi ?

OK. C'était fichu d'avance. J'aurais dû savoir que maman n'aurait aucune envie de rentrer. Au terme de ce qu'on pourrait appeler une « discussion animée » (les serveurs nous ont demandé de baisser le ton), nous sommes parvenus à un compromis. Nous allons rendre visite à l'autre copain de mon père, Raymond Earle, celui qui vit à Tucson. Et si nous ne tirons rien de lui, nous rentrerons à L.A. pour attendre le retour de papa.

Après quoi, sans aucun doute, il refusera de nous raconter ce qui s'est passé. Et ça restera l'une des plus grandes énigmes de tous les temps. Maman explosera pratiquement de rage. Mais, comme Luke n'arrête pas de me le seriner, ce n'est pas mon problème.

Nous sommes devant le buffet pour un dernier tour

de piste. Quand je pense que je garnis une nouvelle fois mon assiette ! Mais tout ça est tellement tentant ! Chaque fois qu'on croit avoir fait le plein de délices, on en découvre d'autres : une pile impressionnante de gaufres tièdes, des brochettes de poulet ou des fraises nappées de chocolat. Alors on se dit « Après tout, c'est buffet à volonté ! » tout en pensant : Je n'en peux plus. Enlevez-moi tout ça des yeux !

Je remplis de lait un verre pour Minnie. Suze est du côté des jus de fruits. Je me sens terriblement coupable. C'est la première fois que je lui cache quelque chose.

Enfin non. La deuxième. La première fois, c'était une cachotterie minuscule. Je lui avais piqué son top Monsoon, qui en fait n'était même pas le sien, et elle l'a découvert des années plus tard. À part ça, rien d'autre.

Alicia se sert d'ananas en tranches. Luke s'approche d'elle, téléphone à la main.

— Alicia, commence-t-il, très décontracté, on vient de me rapporter un potin qui te concerne. Mon copain n'a pas voulu rentrer dans les détails mais il a appris de source sûre que Bryce Perry avait l'intention de monter un établissement rival de La Paix d'or.

— *Quoi ?*

Le cri d'Alicia domine le brouhaha de la salle à manger.

— Ce sont des on-dit, mais tu devrais vérifier.

Tout ça balancé naturellement, sans un regard dans ma direction. Oh, je l'aime, je l'adore, quel mari en or !

Les yeux d'Alicia lancent des éclairs.

— Alors, voilà ce qu'il mijotait ? C'est pour ça

qu'il s'est précipité sur Tarquin ? Pour financer sa combine ?

— Probablement.

D'un coup, Alicia n'a plus rien de zen. Elle est blême.

Luke hausse les épaules.

— Écoute, c'est juste un bruit qui court. Mais ça vaut peut être la peine de te renseigner.

— Oui. Merci pour le tuyau, Luke.

Sur ce, elle part informer Suze.

— Tu sais ce que Luke vient de me dire ? commence-t-elle, avant de baisser le ton.

— Vraiment ? Bon sang ! fait Suze.

— Tu te rends compte ? Il nous trahit alors qu'il a été le bras droit de Wilton pendant des années.

La fureur fait grimper sa voix d'une octave.

— Alors c'est pour ça que…

Suze se tait brusquement. Elle regarde dans le vague. Difficile de deviner ce qu'elle pense.

Alicia commence à taper un SMS.

— Je ne sais pas comment Wilton va réagir, murmure-t-elle. Il a mis des années à se faire une clientèle de premier ordre. Et maintenant, Bryce veut la lui voler.

Je la regarde, ébahie. C'est *elle* qui parle de piquer des clients ? Un comble ! J'ai envie de lui balancer à la figure : « Alicia, tu te rappelles quand tu faisais tout pour faucher les clients de Luke ? Quand tu voulais foutre en l'air la boîte qu'il avait créée en travaillant comme un fou ? »

Pas la peine. Elle a effacé cette histoire de sa mémoire.

Danny s'approche d'elle avec une assiette remplie

de bacon. La mine machiavélique, il me fait un clin d'œil avant de s'adresser à Alicia :

— J'apprends que Bryce a l'intention de vous faire concurrence. C'est incroyable ! Dis-moi, Alicia, tu crois qu'il va pratiquer des tarifs plus abordables ? Parce qu'il faut bien le dire, La Paix d'or, c'est to-ta-le-ment hors… de prix.

— Aucune idée, répond Alicia froidement.

— Comme tout le monde, je ne crache pas sur une bonne séance de remise en forme, continue-t-il, l'air de rien. Et si Bryce a des tarifs plus raisonnables, il n'y aura pas photo. Tous les gens font attention aux prix, aujourd'hui. Même les stars de cinéma. Sérieusement, vous pourriez perdre des clients.

— Danny ! intervient Suze d'un ton brusque.

— C'est juste histoire d'être franc, fait Danny sans se démonter. Alicia, si Bryce ouvre un centre, tu crois que votre empire va s'effondrer ? Qu'il faudra que tu te dégottes un job ?

— Boucle-la, Danny ! s'écrie Suze.

— Wilton et moi n'allons pas laisser un employé nous concurrencer, décrète Alicia. Il se prend pour qui, ce Bryce Perry ?

J'ai envie de répondre : « Pour un gars super-séduisant que tout le monde adore. » Mais je la boucle, car j'ai peur qu'elle m'attaque à coups de fourchette.

— Viens, allons nous asseoir, dit Suze à Alicia en jetant à Danny un regard mauvais.

Je suis en train de me demander si je vais les suivre ou me cacher derrière une pile de muffins quand Elinor s'approche. Elle a bien meilleure mine. Est-ce la salade de fruits qu'elle a grignotée ou la future garde-robe que Danny va concocter spécialement pour elle qui l'a requinquée ? (J'attends avec impatience de la voir porter le manteau à col montant.)

— Un muffin vous ferait plaisir ? je demande poliment.

— Certainement pas, réplique-t-elle en jetant un regard dédaigneux sur lesdits muffins. Qu'est-ce que Luke racontait au sujet de Wilton Merrelle ?

— Un de ses employés projette d'ouvrir un centre concurrent et de lui voler sa clientèle. Pourquoi ? Vous le connaissez ?

— C'est un homme atroce ! crache Elinor.

Je me retiens pour ne pas applaudir. Entendre des vacheries sur Wilton Merrelle est exactement ce dont j'ai envie.

— Pourquoi ? Vous pouvez me le dire. Je suis une vraie tombe.

— Il a pratiquement expulsé une amie à moi de son appartement de Park Avenue.

— Comment ça ?

— Il a acheté l'appartement voisin et s'est lancé dans une campagne de harcèlement. La pauvre Anne-Marie s'est retrouvée pour ainsi dire assiégée. Elle n'a pas eu d'autre choix que de le lui vendre.

— La malheureuse ! Qu'est-elle devenue ?

— Elle s'est réfugiée dans sa propriété des Hamptons, répond ma belle-mère le plus sérieusement du monde.

D'accord, il faut absolument qu'Elinor améliore son stock d'histoires tristes. Malgré tout, ça me rassérène qu'on ait un ennemi commun.

— Figurez-vous qu'Alicia est aussi épouvantable que son mari, je confie. Pire, même.

Je m'apprête à lui réciter la liste complète des

mauvais coups d'Alicia quand je vois ma belle-mère examiner avec curiosité un grain de raisin enfilé sur un cure-dent.

— Très minimaliste, cette petite brochette, observe-t-elle.

— C'est pour la fontaine à chocolat.

Elinor étudie le chocolat d'un air incrédule. Je lui prends le raisin des mains, le trempe dans le chocolat et le lui tends.

— Ah ! soupire-t-elle. Voilà qui me rappelle les fondues à Gstaad.

— Vous n'avez jamais rien trempé dans du chocolat ?

— Bien sûr que non !

Génial ! Première gueule de bois. Première fontaine à chocolat. Quelle sera la prochaine première fois pour Elinor Sherman ?

— Elinor, avez-vous déjà porté un jean ?

— Vous n'y pensez pas, s'indigne-t-elle.

Ça y est ! J'ai trouvé mon cadeau de Noël pour elle. Un jean bleu foncé J Brand.

Ou alors... Oserai-je un jean *troué* ?

Imaginer ma belle-mère dans un jean troué le jour de Noël me remplit d'une telle joie que j'ai toujours le sourire quand je retourne m'asseoir. Mais je l'efface en voyant l'expression de douleur de Suze.

— Il faut que j'arrache Tarkie des griffes de Bryce, déclare-t-elle. Avant qu'il le tonde de plusieurs millions.

— Au moins, confirme Alicia, morose, avant de se ruer sur son portable.

— On prévient la police, maintenant qu'on a cette nouvelle information ? demande Suze en jetant un regard à la ronde, en quête de soutien.

— Hier, Tarkie m'a affirmé qu'il ne lui filerait pas un sou, je lance. Je pense qu'il sera ferme là-dessus. Il refusera, tout simplement.

— Bex, tu dis n'importe quoi ! Tarkie est extrêmement vulnérable. Il n'a pas appelé, il n'a pas envoyé de message. Il se montrait déjà hargneux avec moi, à L.A., il n'est pas *normal*.

Les yeux bleus de Suze jettent des flammes. Je me recule sur ma chaise. Elle fait peur, quand elle monte sur ses grands chevaux.

— Suze, Tarkie était un peu tendu à Los Angeles. Il a dit des drôles de trucs. Mais ça ne veut pas dire qu'il a subi un lavage de cerveau. Il… Euh…

Je n'achève pas ma phrase. Impossible de dire : *Il ne veut pas te parler pour le moment.*

— Qu'est-ce que tu en sais ? crache Suze.

— Je te donne mon point de vue, c'est tout.

— Eh bien, abstiens-toi ! Tu passes ton temps à essayer de me saper le moral. Ce n'est pas vrai, Alicia ?

Elle me regarde, les yeux brillants d'hostilité. Alors je craque. Et je déballe tout :

— Pourquoi tu m'as demandé de participer à ce voyage ? À Los Angeles, tu m'as dit que tu avais besoin de moi. Je suis contente qu'on soit ensemble, mais tu refuses mon amitié, mes idées, ma présence et tout ce que j'ai à offrir. Il n'y en a plus que pour Alicia. Tiens, au fait, elle te raconte des bobards, ta copine.

C'est sorti malgré moi. Tant pis ! Finalement, je suis assez contente de l'avoir dit.

— Des bobards ? Ça signifie quoi ?

— Ça signifie « des bobards », Alicia. Tu as

prétendu que vous n'aviez pas bougé de l'hôtel de toute la soirée, non ?

— C'est vrai, dit Suze avec un regard incertain vers Alicia.

— Eh bien pas elle. Hein, Alicia ? Qui as-tu rencontré dans le hall du Four Seasons, à minuit ? Pas la peine de nier, Danny t'a vue.

Après avoir décoché cette flèche, je me cale contre mon dossier, bras croisés. Finalement, Alicia la Menteuse est démasquée.

Mais elle ne semble pas gênée le moins du monde. Elle ne rougit pas, elle ne renverse pas son verre. Bref, elle ne fait rien de ce que je ferais en pareil cas.

— J'avais rendez-vous avec un détective privé, dit-elle froidement.

Un *quoi* ?

— À mes frais, bien évidemment, précise-t-elle en me foudroyant du regard. Comme ça n'a donné aucun résultat, j'ai préféré cacher cette démarche, pour ne pas décourager Suze. Merci de saboter mes efforts, Becky !

Un silence de mort s'installe. Les joues me brûlent. J'ai la tête qui tourne. Une fois de plus, Alicia s'en sort avec les honneurs. Une vraie sorcière !

— Tu as quelque chose à ajouter, Becky ? s'enquiert Suze du même ton que la directrice de mon école quand j'ai lancé la campagne « Apportez un vêtement à votre prof. » (Je persiste à croire que c'était une bonne idée.)

— Désolée, je marmonne en fixant mes pieds, exactement comme dans le bureau de Mme Brightling.

— Bon, allez, on s'en va ! dit Suze en avalant une dernière gorgée de café.

De : dsmeath@locostinternet.com
À : Brandon, Rebecca
Objet : Re : Désastre !

Chère Madame Brandon,

Merci pour votre mail. Je suis navré d'apprendre que vous rencontrez de telles difficultés.

Nous nous connaissons en effet depuis longtemps, et bien sûr vous pouvez vous autoriser à épancher votre cœur.

Je suis flatté que vous voyiez en moi un conseiller avisé et, comme le Père Noël, je ferai tout mon possible pour ne pas vous décevoir.

En ce qui concerne les mesures à prendre, je vous suggérerais de vous lier à cette Mme la Garce-aux-longues-jambes. Il ressort nettement de votre mail que lady Cleath-Stuart l'a ralliée. En vous plaçant dans le camp rival, vous risquez de perdre votre amie.

Essayez de trouver des centres d'intérêt communs. C'est un bon point de départ. Avec l'habileté qui vous caractérise, je suis persuadé que vous y parviendrez et en récolterez les fruits.

J'espère sincèrement que votre voyage se conclura par un succès, et que vous aurez le plaisir de renouer avec votre amie.

Avec mes meilleurs sentiments.

Derek Smeath

9

Derek Smeath est un homme avisé. J'aurais dû suivre un peu plus (voire beaucoup plus) les sages conseils qu'il m'a prodigués au fil des années. Ainsi, quand il m'a recommandé d'arrêter de collectionner les points de fidélité pour obtenir des cadeaux, il avait raison : je ne me suis jamais servie des bigoudis chauffants que j'ai gagnés.

Nous quittons Las Vegas. Cette fois, je vais suivre ses conseils. Si je dois me rapprocher d'Alicia la Garce-aux-longues-jambes pour conserver l'amitié de Suze, je le ferai. Je n'aurai qu'à m'inspirer de Pollyanna, la gentille héroïne des romans de ma jeunesse, et me concentrer sur les aspects positifs d'Alicia. En tapant sur Google « Comment se lier avec des collègues de travail qu'on n'aime pas », j'ai glané quelques tuyaux pratiques. Comme trouver un hobby commun ou leur donner un diminutif affectueux. (Cela dit, comment trouver un surnom plus adapté à Alicia que la Garce-aux-longues-jambes ?)

Nous sommes arrivés sur l'autoroute. Je me rapproche de la table où Suze et Alicia se sont installées. Sur la banquette, maman, Janice, Danny et Minnie jouent au bridge (ils s'arrangent pour qu'elle fasse « le mort » à chaque fois, ce qui est malin de leur part. Le seul problème, c'est qu'elle n'arrête pas de montrer son jeu en claironnant « C'est mon tour » et veut ramasser toutes les cartes). Elinor est restée à Las Vegas pour « se reposer ». Je la comprends : la première gueule de bois est toujours perturbante. À mon avis, il va bien lui falloir une semaine pour se remettre.

La route est bordée d'étendues désertiques, des montagnes se profilent au loin. Chaque fois que je regarde par la fenêtre, je frissonne de joie. Quelle vue ! Quel paysage ! Pourquoi n'en a-t-on pas de tels en Angleterre ? Quand j'étais petite, maman et papa s'exclamaient : « Regarde ce joli paysage, Becky ! » alors qu'il ne s'agissait que d'un bosquet d'arbres et d'une vache. Autant dire que ça me barbait et que je préférais me plonger dans *Debbie et sa robe magique*.

Je suis debout près de la table. Suze lève la tête. Au secours ! Et si elle refusait de me laisser passer ? Mais, après trois secondes gênantes, elle se pousse et je m'assieds en m'efforçant d'avoir l'air naturel. Comme si on avait l'habitude de passer du temps toutes les trois telles de vieilles copines.

— Ton haut est top, Alicia, je dis avec une conviction forcée.

À mon avis, la façon la plus rapide de me faire bien voir est de lui balancer des compliments. En fait, son haut n'a rien de spécial mais c'est sans importance.

— Merci, fait Alicia en me gratifiant d'un regard méfiant.

— Et tes cheveux sont superbes, j'ajoute au hasard. Tellement brillants.

— Merci.

— Et... ton parfum.

— Merci. C'est celui de La Paix d'or.

— Sur toi il sent vraiment bon... euh... Ali.

J'ai lancé ça timidement, mais je me rends compte aussitôt que le diminutif « Ali » ne colle pas. Il n'y a qu'à voir sa mine étonnée et celle, sidérée, de Suze.

— Ali ?

Je rectifie en vitesse :

— Je veux dire Lissy ! Personne ne t'appelle Lissy ? Ça te va bien pourtant. Lissy. Ou Liss.

J'appuie mon propos en lui pinçant gentiment le bras.

— Aïe ! Non, personne. Et je te prie de laisser mon bras tranquille.

— Excuse-moi, je dis, en cherchant rapidement d'autres amabilités. Ton nez est vraiment ravissant. Il est tellement...

J'avale ma salive. Voyons ! Que peut-on sortir de sympa sur un nez ?

— J'adore la forme de tes narines, je m'entends déclarer sans grande conviction.

Argh ! « J'adore la forme de tes narines » ? Zéro pointé, Becky !

Suze m'adresse un regard bizarre que j'ignore tandis qu'Alicia m'examine en plissant les yeux.

— Ah oui, c'est ça ! s'exclame-t-elle. Je comprends maintenant. Tu veux le numéro de téléphone de mon chirurgien esthétique, hein ? Eh bien, tu peux te brosser.

Quoi ? Son chirurgien esthétique ? Elle est folle !

Ratage total. Oublions les compliments. Et les diminutifs.

J'essaie une autre approche :

— Dis-moi, le tai-chi, c'est chouette ? Tu crois que je devrais m'y mettre ?

— Je ne pense pas que ça te conviendrait, réplique-t-elle avec un sourire supérieur. Pour le tai-chi, il faut contrôler son corps et son esprit.

Elle lance un regard entendu à Suze.

— Oh, je vois, je dis, m'efforçant de rester zen.

— Combien de chambres, tu as dit ? demande Alicia, reprenant la conversation passionnante qu'elle avait avec Suze avant que je ne les interrompe.

Pour la camaraderie, je repasserai. Échec sur toute la ligne. Au fait, qu'y a-t-il d'intéressant dans cette histoire de chambres ? Pourquoi faut-il que certaines personnes parlent toujours de maisons et du prix de l'immobilier ou vous demandent si le papier peint figuratif est toujours à la mode ? (Par exemple ma mère, à qui je n'arrête pas de répéter que je ne connais rien en matière de papier peint figuratif.)

— Je n'en sais rien, répond Suze, je dirais vingt-huit. Mais la moitié sont en mauvais état. Nous n'y mettons jamais les pieds.

— *Vingt-huit ?* Incroyable ! Vingt-huit chambres à coucher !

Elles parlent certainement de Letherby Hall. Pauvre Suze ! Ça l'ennuie tellement quand les gens veulent lui soutirer des informations sur sa maison. Surtout les historiens qui sortent des remarques du genre « Vous voulez sans doute dire dix-sept cent quinze ? » d'un ton suffisant. J'étais un jour chez le fruitier avec elle quand un vieux bonhomme l'a accostée. Il a commencé à l'interroger en détail sur la cheminée ancienne du grand salon. Quand il en est arrivé à l'ancêtre de Tarkie qui l'avait commandée (comme si ça avait le moindre intérêt !), je me suis sentie obligée de faire diversion en faisant dégringoler une pile de mandarines pour permettre à Suze de déguerpir.

— Il y a un titre, attaché à ce manoir ?

— Oui, répond Suze, qui a l'air de s'ennuyer. Le titre de lord.

Alicia plisse légèrement le front.

— Je comprends. Donc, le propriétaire de la maison est autorisé à s'appeler lord.

— C'est ça, répond Suze évasivement. Mais, dans notre cas, la question ne se pose pas, parce que Tarkie a un autre titre.

À vrai dire, Tarkie est autorisé à porter six titres différents. Mais Suze est bien trop modeste pour le souligner. En fait, elle hait ces conversations sur l'aristocratie. Moi, en revanche, je me suis renseignée sur Internet, car je ne détesterais pas être « lady Brandon de Truc-machin-chose ». Les titres ne coûtent même pas très cher. Pour quelques centaines de livres, on en achète un pour le restant de ses jours, mais il n'est pas héréditaire. Finalement, pourquoi pas lady Brandon ? (Bon, il se trouve que Luke m'a surprise en train d'aller à la pêche aux informations nobiliaires. Résultat ? Une semaine de mise en boîte acharnée.)

Quand Suze se lève pour se rendre au petit coin, j'en profite pour observer Alicia, plongée dans ses pensées. D'accord, je suis censée copier l'attitude positive de Pollyanna, mais mon esprit s'y refuse. Au lieu de me dire : Bon sang, je parie qu'Alicia est une chic fille. Ce serait sympa d'aller prendre un milk-shake ensemble, je pense : Qu'est-ce que cette garce mijote encore ?

Je suis peut-être une personne négative, encline aux soupçons. J'ai sans doute besoin de suivre une thérapie avant de faire amie-amie avec Alicia. Je nous imagine soudain chez le conseiller conjugal, obligées de nous tenir les mains. Cette vision m'arrache un petit ricanement. Entre-temps, Suze est revenue et Alicia reprend son bavardage sur Letherby Hall.

— Mon mari est très anglophile. Il adorerait visiter votre propriété.

— Il est le bienvenu, réplique Suze avec une expression morose. Letherby Hall coûte une fortune à entretenir. Nous faisons tout pour le rendre rentable. Vous jugerez par vous-mêmes quand vous viendrez.

— Alicia va passer un moment chez toi ? je demande, comme si c'était une idée fabuleuse. Quand ça ?

— Nous ne savons pas encore, s'agace Suze, qui trouve visiblement ma question hors de propos. Nous devons attendre que le problème Tarkie soit résolu.

— Formidable, je commente. Merveilleux.

Je reste un moment sans ouvrir la bouche à regarder défiler le paysage, en laissant des pensées moroses tourbillonner dans ma tête. Ras le bol de mon esprit suspicieux : je suis censée me conduire comme Pollyanna. Oui, *Pollyanna*. Allez, Becky, tu n'as aucune raison de te méfier d'Alicia. Absolument aucune.

Mais… depuis que je la connais, Alicia a toujours manigancé des trucs. Je ne peux pas m'empêcher de me demander ce qu'elle prépare. Suze est si confiante de nature. Alicia le sait.

Soudain, je me redresse. Minute ! Ainsi donc, Wilton Merrelle est un anglophile convaincu. Je vois ! Un anglophile agressif, doublé d'un prédateur qui arrive toujours à ses fins. Et voilà Alicia en train de cuisiner Suze sur Letherby Hall... Et si Wilton Merrelle avait décidé de s'approprier une demeure et un titre ? Et s'il voulait devenir lord Merrelle de Letherby Hall ?

Je rumine cette hypothèse en silence pendant une vingtaine de miles. Mais non ! C'est ridicule. Suze et Tarkie ne vendraient jamais leur propriété de famille, même sous la pire des pressions financières. Bien sûr.

Bien sûr ?

Je jette un regard en coin vers Suze. Ces jours-ci, ses cheveux sont attachés n'importe comment, on dirait qu'elle se fiche de son apparence. Elle a les lèvres gercées et mauvaise mine. En fait, je ne sais plus quoi penser. Suze et Tarkie ne s'entendent pas. Tarkie trouve que Letherby Hall est un fardeau. Suze n'a pas les idées claires.

Mais ils ne peuvent pas vendre. Cette demeure est dans leur famille depuis des siècles. Cette simple hypothèse me révulse. Surtout vendre à Alicia la Garce-aux-longues-jambes. Je l'imagine soudain, une tiare sur la tête, demandant aux habitants du village de lui faire la révérence pendant qu'une petite fille lui remet un bouquet de fleurs en lui murmurant : « Vous êtes si belle, princesse Alicia. » Beurk ! C'est impossible. *Impossible !*

De : dsmeath@locostinternet.com
À : Brandon, Rebecca
Objet : Re : Désastre !

Chère Madame,

Je vous remercie pour votre mail. Vous me voyez navré que vos efforts pour vous rapprocher de Mme la Garce-aux-longues-jambes se soient soldés par un échec. Je suis également désolé de vous sentir si impuissante et désemparée.

N'abandonnez pas ! C'est le conseil que je me permets de vous donner. Les démarches positives sont excellentes pour le moral.

Depuis toutes ces années, j'ai admiré votre approche dynamique des problèmes et votre sens inné de la justice. Ces qualités, qui vous ont aidée par le passé, continueront dans le futur.

Je suis certain que vous aurez le dessus, dans cette situation qui vous semble actuellement insurmontable. Avec mes vœux sincères de réussite.

Derek Smeath

10

Le seul inconvénient d'un long voyage en voiture, c'est précisément sa longueur. Tout le reste est génial : le camping-car, les arrêts dans les *diners*, les paysages, la country music. (J'ai demandé à Luke de nous brancher sur une station de country. Ces chanteurs sont si proches de nos sentiments ! Une chanson, « Seule ta plus vieille amie », m'a presque tiré les larmes.)

Mais la route, c'est carrément emmerdant. Interminable. Une absurdité. On ne pourrait pas revoir les distances ? En plus, les cartes sont très trompeuses. Voire sournoises. Des pièges. Vous vous dites : Je ne vais faire qu'une bouchée de cette portion d'autoroute : elle mesure seulement un centimètre. Un centimètre ? Une journée entière, oui !

Pour rallier Tucson, en Arizona, le trajet n'en finit pas. C'est encore pire quand on se rend compte que le ranch qu'on veut atteindre se situe *après* Tucson. Lorsque nous arrivons au Red Ranch, à Cactus Creek, en Arizona, nous avons pratiquement passé toute la journée en voiture. Nous avons conduit à tour de rôle, nous sommes ankylosés, fatigués et à court de conversation. J'ajoute que ma tête résonne de la musique d'*Aladdin*, que Minnie m'a forcée à regarder en sa compagnie avec des écouteurs.

Avant de sortir du camping-car, je me donne un coup de brosse. Peine perdue : là où j'ai appuyé ma tête mes cheveux restent tout plats. J'ai l'impression que mes jambes ont doublé de volume et mes poumons manquent désespérément d'air frais.

Les autres passagers n'ont pas non plus l'air en très grande forme. Maman et Janice avancent à petits pas hésitants sur le sol poussiéreux : on dirait du bétail qu'on vient de débarquer à l'air libre après des centaines de kilomètres en camion. Suze et Alicia avalent des cachets de Tylenol avec de l'eau. Danny s'est lancé dans une série de postures de yoga compliquées. Minnie est la seule à péter le feu. Elle essaie de sauter sur une grosse pierre, mais, comme elle n'y arrive pas, elle court tout autour en faisant l'avion avec ses bras. Quand elle s'aperçoit que je la regarde, elle s'arrête net, se penche et cueille une minuscule fleur blanche qu'elle m'apporte, toute contente :

— Une rose. Une rose pour maman.

Minnie croit que toutes les fleurs sont des roses, à l'exception des jonquilles, qu'elle appelle des « conquilles ».

— Elle est très jolie, ma chérie. Merci.

Comme toujours, je mets la fleur dans mes cheveux. Minnie, enchantée, va en chercher une autre immédiatement. (Nous jouons souvent à ce jeu. Pas étonnant que je trouve une myriade de petites fleurs fanées dans la bonde de la douche.)

Le ciel est bleu marine et l'air a la tiédeur immobile du crépuscule. On distingue au loin une interminable chaîne de montagnes aux reflets pourpres. Les broussailles qui nous entourent dégagent un parfum d'herbe. Un lézard se dore au soleil. Je jette un coup d'œil à Luke pour voir s'il l'a remarqué mais il contemple l'entrée du ranch à quelques mètres.

Des portes immenses surmontées de caméras de surveillance, avec une petite pancarte en bois qui indique RED RANCH. RAYMOND EARLE. La propriété s'étend à perte de vue, bordée le long de la route de hautes clôtures. Il y a, paraît-il, cinq cents hectares, dont le propriétaire ne s'occupe pas lui-même. Il loue ses terres et vit seul dans sa maison.

Nous avons récolté ces informations au Bites'n'Brunch où nous venons de faire un arrêt boisson. Megan, la propriétaire, étant très bavarde et maman la reine des inquisitrices, nous lui avons soutiré tout ce qu'elle savait sur Raymond. À savoir :

1° Il ne vit pas tout le temps dans son ranch.
2° Il ne voit presque personne.
3° Il a rénové sa cuisine il y a trois ans. Les ouvriers qui s'en sont chargés l'ont trouvé plutôt sympathique.
4° C'est un potier assez connu.

Certes, la liste n'est pas exhaustive. Aucune importance. Nous sommes devant chez lui, et l'heure de la rencontre a sonné. L'heure de vérité.

— On y va ? demande Danny en faisant de grands gestes vers la maison.

— On ne peut pas débarquer comme ça en troupe, j'objecte. Ça fait beaucoup trop de monde.

Je suis sur le point de dire que je vais y aller seule quand ma mère prend la parole.

— Tout à fait d'accord, dit-elle en se remettant

167

du rouge à lèvres. Si quelqu'un doit voir cet homme, c'est moi. Moi avec Janice.

— Janice *et moi*, corrige Alicia.

Je lui lance un regard meurtrier. C'est bien le moment de jouer les puristes !

— Allez, en route ! s'exclame Janice.

Je suggère :

— Vous ne voulez pas que je vienne aussi ? Pour vous soutenir moralement ?

— Non, mon chou. Quoi que je puisse apprendre sur le passé de ton père…

Les yeux dans le vague, maman poursuit :

— Je préfère que tu n'entendes rien concernant son autre femme.

— Maman ! C'est de l'invention pure et simple.

— J'en suis sûre, Becky, fait-elle de la voix frémissante d'une héroïne de série télévisée. Absolument sûre.

Malheur ! De deux choses l'une. Soit elle envisage le pire parce que c'est la reine du scénario invraisemblable, soit elle possède l'intuition que lui confèrent de longue années de mariage et ce qu'elle dit est vrai.

Je capitule.

— Très bien. Vas-y avec Janice.

— Nous sommes tout près. Emportez un téléphone, lui conseille Luke pour la rassurer.

— Demandez-lui pour Tarkie, ajoute Suze. Il sait peut-être quelque chose.

— Demandez-lui si son domaine est à vendre, ajoute Danny. Un de mes amis qui travaille avec Fred Segal meurt d'envie d'avoir un ranch. Celui-ci a l'air parfait…

J'interviens.

— Danny, ce n'est pas le moment de parler immobilier. On essaie de découvrir ce qui se trame.

Maman pince les lèvres. En silence, nous les regardons, Janice et elle, fouler la terre aride vers les portes massives. Maman s'approche de l'interphone et parle la première. Ensuite, curieusement, c'est au tour de Janice. Puis maman, une nouvelle fois. Mais les portes ne s'ouvrent pas. Que se passe-t-il ?

Elles finissent par revenir. Maman paraît secouée.

— Il nous a renvoyées ! s'écrie-t-elle. Incroyable, non ?

Exclamation générale.

— C'est insensé !

— Il vous a *renvoyées* ?

— Vous avez parlé à Raymond en personne ? je lance au-dessus de la mêlée.

— Oui. Au début, c'est probablement une employée de maison qui nous a répondu. Ensuite elle est allée le chercher. Je lui ai dit que j'étais la femme de Graham et je lui ai expliqué la situation. Hein, Janice ?

— Mais oui. Tu as été parfaite. Très claire. Très concise.

— Et... ?

— Et il a dit qu'il ne pouvait pas nous aider, glapit maman. Nous avons fait plus de six heures de route pour le rencontrer et il refuse de nous aider. Janice a essayé de le convaincre...

— Nous avons fait tout notre possible, gémit cette dernière.

— Il n'a même pas voulu nous laisser entrer cinq minutes. Pourtant, il pouvait me voir. Avec son système vidéo, il se rendait bien compte que j'étais bouleversée. Mais il a quand même dit non.

— Et vous, vous pouviez le voir ? Il ressemble à quoi ?

— On ne l'a pas vu, dit maman. Il se cachait.

Nous regardons tous les portes résolument fermées au monde extérieur. Je suis folle de rage. Il se prend pour qui, ce type ? De quel droit se montre-t-il si méchant avec ma mère ?

— J'y vais, annonce Alicia.

Et, sans attendre nos protestations, elle marche résolument vers les portes, en sortant de sa poche une carte de La Paix d'or. Nous la voyons presser le bouton, parler dans l'interphone, présenter sa carte à l'objectif de la caméra, parlementer en gesticulant, puis abandonner la partie.

— C'est scandaleux, éructe-t-elle en nous rejoignant. Il prétend n'avoir jamais entendu parler de La Paix d'or. Un menteur, de toute évidence. Je ne sais pas pourquoi nous perdons notre temps avec lui.

— Nous n'avons pas d'autre piste, s'énerve maman.

— Eh bien, peut-être que votre mari aurait dû mieux choisir ses amis ! glisse, sarcastique, Alicia, qui laisse son naturel reprendre le dessus.

— Eh bien, peut-être devriez-vous garder vos opinions pour vous, riposte maman.

Elles sont à deux doigts d'en venir aux mains. Heureusement, Luke intervient :

— Je vais tenter ma chance, déclare-t-il avant de se diriger vers l'entrée du ranch.

Pendant qu'il parle dans l'interphone, nous le regardons en espérant qu'il aura la formule magique, comme Ali Baba devant la caverne. Mais très vite il revient vers nous en secouant la tête, avec une expression pensive.

— On ne pourra pas le faire craquer. Sa domestique est venue me dire qu'il refuse de discuter.

— Alors on fait quoi ? pleurniche maman en levant vers les portes un poing vindicatif. Quand je pense qu'il est tout près et qu'il doit connaître le fin mot de l'histoire…

— Il est tard, répond Luke. Je suggère que nous allions nous restaurer puis dormir. Peut-être une idée brillante va-t-elle surgir pendant le dîner.

Nous espérons tous que sous l'effet de la nourriture l'un d'entre nous aura un éclair de génie. Un vent d'optimisme souffle, tandis que nous attaquons nos assiettes de steak, frites et pain de maïs, au Tall Rock Inn de Cactus Creek. Quelqu'un va bien avoir une idée intelligente.

Allez ! Il faut trouver quelque chose. On a droit à pas mal de « Peut-être que », « Y a qu'à », « Faut qu'on », avant que tout le monde perde confiance et se taise.

J'ai moi-même envisagé cinq façons d'escalader les clôtures du ranch mais j'ai gardé ces suggestions pour moi.

En fait, on s'imaginait tous que Raymond nous accueillerait dans son ranch à bras ouverts, nous offrirait l'hospitalité, et qu'au cours d'un repas délicieux il appellerait papa et réglerait tout. En tout cas, moi, je le supposais.

On arrive au dessert. La conversation est minimaliste. Qui va oser dire en premier : « Allez, on abandonne » ?

Pas moi. Pas question. Je serai là jusqu'au bout. Janice, peut-être, qui montre quelques signes de nervosité ? Je parie qu'elle aimerait rentrer à Oxshott.

Notre serveuse, Mary-Jo, s'approche de la table :

— Je peux vous apporter un dessert ?

Impulsivement, je lance :

— Vous ne sauriez pas, par hasard, comment nous pourrions entrer en contact avec Raymond Earle ? Il semble vivre en ermite.

— Raymond Earle ? Le gars du Red Ranch ?

— Oui, je dis, pleine d'espoir. Vous le connaissez ?

Et si elle travaillait pour lui à mi-temps ? Je pourrais faire semblant d'être son assistante et entrer dans le ranch avec elle...

— Désolée, ma cocotte. On le voit rarement. Dis donc, Patty, ces personnes cherchent Raymond Earle.

— On le voit pas souvent, déclare la dénommée Patty, qui officie derrière le bar.

— Ouais, répète Mary-Jo en écho, on le voit pas souvent.

— Merci quand même ! Finalement, je vais prendre une tarte aux pommes.

— Il sera à la foire demain ! Pour exposer ses poteries.

Un vieux type barbu en authentique chemise de cow-boy a pris la parole d'une voix rauque. Nous nous tournons vers lui avec enthousiasme.

— C'est vrai ?

— Ouais, pour sûr, il y sera.

— À quel endroit se déroule la foire ? s'enquiert Luke.

— À Wilderness. C'est la foire du comté. Je croyais que vous étiez là pour ça, s'étonne Mary-Jo. Elle dure toute la semaine, et c'est un truc à ne pas rater.

— Donc, Raymond Earle y sera ? insiste maman.

— En général il y est, répond le barbu. Il expose

ses poteries dans la tente des céramiques. Elles sont trop chères, d'après moi. Personne ne les achète.

— Si vous n'êtes jamais allés à la foire, vous devez y faire un tour, s'emballe Mary-Jo. C'est la plus belle foire d'Arizona. Y a les présentations de bétail, le concours de beauté, la danse en ligne...

Seigneur ! La danse en ligne ! Mon rêve de toujours !

Bon, je sais, ce n'est pas pour ça que nous sommes ici. Je prends vite un air coupable, au cas où Suze aurait lu dans mes pensées.

— Voici ce que je propose, résume Luke. Nous passons la nuit ici et nous nous rendons demain de bonne heure à la foire pour coincer Raymond sous la tente des céramiques.

On sent comme une vague de soulagement parcourir la tablée. Les rides d'angoisse de maman ont disparu. Pourvu que cette rencontre avec Raymond porte ses fruits, je me dis. Sinon, c'est l'impasse. Et dans ce cas comment gérerai-je maman ?

Le lendemain, je me réveille pleine d'optimisme. À nous la foire du comté de Wilderness ! Nous avons passé la nuit au Treeside Lodge. Des gens venaient d'annuler leurs réservations, et ils étaient ravis d'accueillir des clients de dernière minute. Maman et Janice ont dû se serrer dans une minuscule chambre, mais c'était ça ou le camping-car.

Comme nous le découvrons au petit déjeuner, tous les clients de l'auberge sont venus pour la foire. Les familles arborent des tee-shirts et casquettes « FOIRE DU COMTÉ DE WILDERNESS » et évoquent leurs plans pour la journée. Leur excitation est contagieuse. Hier soir, j'ai cherché des infos sur Google. C'est un événement colossal ! Avec des centaines de tentes et de stands, un rodéo, des présentations de bétail et une grande roue. D'après le plan, la tente des céramiques se trouve dans la partie nord-ouest de l'enceinte. À proximité de la tente qui abrite l'exposition des gerbes de blé les mieux décorées, dans le voisinage de la grange où a lieu le festival de danse en sabots et pas très loin de l'enceinte du rodéo qui abrite le concours de traite de vaches sauvages, la course de cochons et la cavalcade de moutons.

Tout ça, c'est du chinois. Une exposition de gerbes décorées ? Comment ça se décore, une gerbe de blé ? Et ce festival de danse en sabots ? Et la course de cochons ? Sans parler de la cavalcade de moutons.

— Luke, à ton avis, c'est quoi, une cavalcade de moutons ?

— Aucune idée. Un concours de dégustation, genre farandole des meilleurs morceaux, peut-être ?

Je grimace.

— Au cas où ça t'intéresserait, Becky, il y a une compétition d'empilage d'Oreo. Je l'ai vu sur leur site hier soir.

Ah, voilà qui me plaît ! Faire un échafaudage en biscuits fourrés Oreo, c'est sûrement dans mes cordes. Je me vois devant une pile de quatre mètres de haut, souriant au public en recevant le premier prix, qui consiste probablement en un paquet de biscuits.

Mais non, pas question de participer à des concours. Nous sommes là pour des raisons sérieuses. D'ailleurs, nous ne resterons pas à la foire plus d'une demi-heure.

— Tu es prêt ? je demande à Luke qui cherche son portefeuille. Et toi, ma puce, prête pour la foire ?

— La foire, se pâme Minnie. Veux voir Winnie l'Ourson.

Hum ! Voilà ce qui arrive quand on emmène une gamine à Disneyland. Elle croit ensuite que tous ces lieux ressemblent à Disneyland. Et tenter d'expliquer à une petite fille de deux ans, comme Luke s'est évertué à le faire hier, les notions de marques et de copyright ne sert à rien.

— Peut-être que nous verrons Winnie l'Ourson, je dis, au moment précis où Luke déclare :

— Nous ne verrons pas Winnie l'Ourson.

Minnie nous regarde sans comprendre.

Je corrige immédiatement :

— Nous ne verrons pas Winnie l'Ourson, tandis que Luke temporise :

— Nous verrons peut-être Winnie l'Ourson.

Argh… Tous les manuels éducatifs affirment qu'il est important de présenter un front uni pour éviter de troubler l'esprit des enfants et de les amener à exploiter les différents points de vue de leurs parents. Je souscris totalement à cette idée, mais elle n'est pas toujours facile à mettre en application. Un jour, Luke a annoncé à Minnie : « Maman sort faire une course », alors que je venais de changer d'avis. Plutôt que de le contredire, j'ai fait semblant de partir en criant « Au revoir » et en claquant la porte avant de revenir en me glissant par une fenêtre.

Ma mère m'a traitée de folle en disant que ces manuels éducatifs font plus de mal que de bien, que papa et elle ne s'étaient jamais embêtés avec des bêtises pareilles. Et elle a terminé sa démonstration par un : « Et regarde ce que tu es devenue, Becky ! » qui a arraché à Luke un grognement ironique. (Il a prétendu ensuite qu'on avait toutes les deux été victimes d'hallucinations auditives.)

Minnie porte son petit blue-jean et une nouvelle veste en daim à franges que son père lui a achetée hier. Elle est trop choute. Une vraie fille de l'Ouest. Quant à moi, j'ai mis un short et un haut sans manches. Je me regarde dans le miroir et… Bon, je ne suis pas mal. Ça ira.

Mon look ne me passionne plus. J'attends un déclic – celui qui me ferait me dire : Super ! Une foire ! Comment tu vas t'habiller pour y aller ? Mais en vain. Silence radio.

— Prêtes ? demande Luke, depuis la porte.

— Ouais, je dis avec un sourire forcé. En route !

Tout va bien. Qu'importent ces histoires de tenues, au fond. Peut-être que je suis tout simplement devenue une adulte.

Les autres nous attendent à la réception. Un certain empressement se lit sur les visages.

— Direction la tente des céramiques ! annonce Luke. Jane ira voir Raymond avec Becky. Nous resterons en arrière.

On s'est un peu bagarrés hier soir pour savoir qui devait accompagner maman. Comme Janice mettait en avant son rôle de Meilleure Amie, j'ai contre-attaqué en faisant valoir ma condition de Fille. Là-dessus, Suze a suggéré que nous accostions tous Raymond, mais s'est vite fait remettre à sa place. J'ai finalement gagné en arguant que, si Raymond avait des choses – bonnes ou mauvaises – à dire sur papa, c'était à maman et moi de les entendre en premier.

La seule personne qui se fiche de cette rencontre comme de sa première chemise, c'est Alicia. En fait, elle ne vient même pas à la foire. Elle a une réunion à Tucson, nous a-t-elle dit. *Une réunion à Tucson ?* Qui organise des réunions à Tucson ?

Les habitants de Tucson, je suppose. Mais à part eux… ?

Je ne crois pas une seconde à cette histoire de réunion à Tucson. Alicia mijote un truc, j'en suis convaincue. Si je pouvais, je ne la quitterais pas des yeux. Chose impossible car je dois aller à la foire. Et qu'elle a déjà filé en limousine pour la journée.

Suze est assise sur une chaise en forme de tonneau et tape frénétiquement un SMS sur son portable. Vraisemblablement destiné à Alicia, vu qu'elles sont séparées depuis une vingtaine de minutes. Elle est tellement triste que j'aimerais l'enlacer et secouer le nuage de malheur qui l'enveloppe. Mais je ne m'y risque pas. Non seulement elle n'est plus mon amie de trois heures du matin, mais elle n'est pas non plus ma copine de neuf heures.

Luke interrompt mes cogitations.

— Prêt, tout le monde ? Jane ?

— Oui, dit maman d'un air presque menaçant. Archiprête.

Nous entendons le bruit de la foire avant même de la voir. La musique hurle, pendant que nous faisons la queue pour gagner le parking. Une fois le camping-car garé, nous devons nous procurer des passes, puis trouver l'entrée qui correspond. Quand nous atteignons enfin la porte B, nous crevons de chaud et sommes sur les nerfs.

(À ceux qui croient que la porte B se trouve à côté de la porte A, je réponds : « Erreur ! »)

— Bon sang ! s'écrie Janice. C'est très… exagéré.

Je comprends ce qu'elle veut dire. Partout, nos yeux

se posent sur quelque chose de brillant, de pétant ou de totalement inouï. Il y a des tentes et des stands à perte de vue. Chaque haut-parleur crache un morceau de musique différent. Un dirigeable dans le ciel affiche WILDERNESS COUNTY FAIR en lettres gigantesques. Deux ballons argentés, qu'on croirait lâchés par erreur, s'élèvent, formant deux points brillants sur le bleu du ciel. Une troupe de pom-pom girls en costume vert d'eau se presse vers une tente. Minnie les regarde avec admiration. Un homme nous dépasse, qui tient un gros mouton par une corde. Je recule instinctivement.

— Bex ! Ce n'est qu'un mouton, me fait remarquer Suze en levant les yeux au ciel.

Hum ! Ce n'est peut-être qu'un mouton mais cet animal est doté de cornes en spirale et a l'œil mauvais. Sûrement le vainqueur du concours du mouton tueur.

L'air est saturé d'odeurs variées – essence, bouse et crottin, viande rôtie, arôme à la fois doux et sucré des beignets tout frais qui domine quand nous nous arrêtons près du stand. Minnie le repère immédiatement.

— Gâââteau ! s'exclame-t-elle en me tirant par le bras. *J'adoore !*

— Non, pas de gâteau. Viens, allons voir ces céramiques.

Malgré l'heure matinale, il y a des gens partout : agglutinés devant l'entrée des tentes, faisant la queue aux stands de nourriture, zigzaguant dans les allées d'une attraction à l'autre, avec de brusques arrêts pour consulter leur plan. Atteindre le Village créatif et trouver la tente nous prend plus de temps que prévu. Maman avance d'un pas résolu, fendant la foule, le menton en avant. Janice, elle, se laisse distraire par les stands. Je dois l'entraîner en lui disant :

— Janice, tu regarderas ces maniques brodées plus tard !

Elle est pire que Minnie !

Nous pénétrons enfin dans la tente des céramiques et nous consultons la liste des participants. Raymond expose dans la partie Artisans adultes. Il est inscrit dans la section Bols, la section Récipients avec couvercle et la section Tous objets confondus. Quelques-unes de ses créations sont également à vendre dans la galerie. Ses poteries sont facilement reconnaissables par leur taille, cinq fois supérieure à toutes les autres. Son absence est également évidente, les sept personnes qui se trouvent dans la tente, en dehors de nous, étant des femmes.

Pendant deux minutes, maman et moi examinons en silence les pièces présentées, faisant une pause devant chacune de celles de Raymond comme si elles étaient susceptibles de nous fournir des indices. Devant chacune, un carton explique l'influence d'une céramiste française du nom de Pauline Audette (une illustre inconnue) sur son travail, évoque la source d'inspiration que constitue pour lui la nature et détaille la technique du glacis.

— Bon, eh bien, il n'est pas là, constate maman devant un énorme bol vert presque aussi large que la table.

— Mais il est forcément venu. Il va peut-être repasser.

J'avise une fille en top à bretelles qui se tient près de la table voisine.

— Excusez-moi, vous connaissez Raymond Earle ? Vous pensez qu'il va venir aujourd'hui ?

— Oh, Raymond ! soupire-t-elle. Il était là de

bonne heure. Il reviendra probablement plus tard. Mais là, maintenant, il a dû quitter la foire.

— Merci. C'est vous qui avez fait ce vase ? je demande. Il est magnifique.

Pur mensonge. Je n'ai jamais rien vu d'aussi moche. Mais je me dis qu'avoir quelques alliés dans la place peut être utile en cas de besoin, si nous devons plaquer Raymond au sol, par exemple.

— C'est gentil, fait la fille, en plaçant sa main devant, en un geste protecteur. J'ai des pièces en vente à la galerie, si cela vous intéresse.

Elle pointe ladite galerie, à l'autre bout de la tente.

— Formidable ! J'irai regarder tout à l'heure. Dites-moi, vous êtes influencée par Pauline Audette, vous aussi ?

La question a l'air de l'agacer.

— Qu'est-ce qu'il y a, avec cette Pauline Audette ? Avant de rencontrer Raymond, je n'avais jamais entendu parler d'elle. Il lui a écrit en France pour lui demander d'être juré du concours. Elle n'a pas répondu, bien qu'il ne l'admette pas. À mon avis, c'est de la prétention pure.

Je m'empresse d'approuver.

— Pourquoi aurait-on besoin d'une juge française alors que nous avons Erica Fromm, qui vit à Tucson ?

— Erica Fromm ? Bien sûr.

La fille me regarde avec un regain d'intérêt :

— Vous faites de la poterie ?

Impossible de dire non.

— Euh… Un peu. Quand j'ai le temps.

Ce qui est quasiment vrai. J'ai fait de la poterie à l'école, et je reprendrai peut-être. Je me vois tout à coup vêtue d'une blouse de céramiste, tournant un vase fabuleux pendant que Luke, derrière moi, enfouit son visage dans mon cou. J'imagine les gens ouvrant leurs cadeaux de Noël et s'exclamant : « Waouh, Becky, on ne savait pas que tu étais une telle artiste. Pourquoi tu ne t'es pas mise à la poterie plus tôt ? »

— Eh bien, bonne chance, je dis. Ravie d'avoir fait votre connaissance. Au fait, je m'appelle Becky.

— Moi, c'est Dee.

Nous nous serrons la main et je rejoins maman qui examine une collection de petites poupées en terre cuite.

— Alors, s'impatiente-t-elle, tu as appris quelque chose ?

— Apparemment, Raymond va revenir plus tard. Nous n'avons qu'à faire le guet dans la tente.

C'est Luke qui organise les tours de garde. Maman et Janice assureront la première heure, dans la mesure où elles ont envie d'examiner les poteries en détail. Danny prendra le deuxième tour, après un arrêt à la tente des rafraîchissements pour le traditionnel thé glacé de Wilderness qui contient, paraît-il, quatre-vingts pour cent de bourbon.

— J'emmène d'abord Minnie au Village des enfants pour lui acheter un ballon, déclare Luke de son ton de commandant en chef. Nous sommes la troisième équipe. Becky et Suze, pourquoi ne prenez-vous pas le quatrième tour. Entre-temps vous n'avez qu'à vous balader et profiter de la foire. Ça te convient, Suze ?

Je devine ce que Luke a en tête. Il essaie de nous réunir pour que nous fassions la paix. C'est vraiment adorable, mais je me sens comme un panda qu'on oblige à s'accoupler avec un congénère réticent.

Suze n'est pas enthousiaste, je le vois bien. Elle fronce les sourcils et me lance un regard noir aussi peu amical que possible.

— Ça m'est égal de faire le guet toute seule, dit-elle. Luke, Becky et Minnie, pourquoi vous ne restez pas ensemble ?

Ses paroles me transpercent le cœur. Elle me déteste au point de ne pas supporter de passer quelques heures avec moi ?

— Non, c'est mieux comme ça, réplique Luke vivement. En plus, en nous promenant dans la foire, nous pouvons tomber sur Raymond, qui sait ?

Hier soir, Luke a trouvé une photo de Raymond sur un site d'actualités de Tucson. Sans me vanter, mon père est beaucoup plus séduisant que ses vieux copains de voyage. Si Corey est bizarre, totalement refait à neuf, Raymond accuse son âge. Il a de gros sourcils en bataille qu'il fronce devant l'objectif. Il n'a pas l'air commode.

— Le réseau n'est pas terrible, signale Luke. Alors, si quelqu'un aperçoit Raymond, le mieux est qu'il envoie immédiatement un SMS aux autres. D'accord ?

Au moment où l'équipe se disperse, Luke me lance un regard plein de sous-entendus. « Courage ! » je traduis. Il disparaît ensuite dans la mêlée avec Minnie, et Suze et moi restons face à face.

Je n'ai pas été seule avec elle depuis... je ne peux même pas me rappeler quand. Je trouve qu'il fait chaud tout à coup. La peau me picote. Je respire à fond pour me détendre. Suze regarde par terre, comme si je n'étais pas là. Que dire ? Par quoi commencer ? Je ne sais pas.

Elle est assise sur une pile de caisses retournées, en

jean et tee-shirt blanc, chaussée des vieilles bottes de cow-boy qu'elle portait toujours à Londres. J'aimerais la complimenter sur sa tenue, mais les mots restent bloqués dans ma gorge. Au moment où je prends ma respiration pour lui dire quelque chose – n'importe quoi –, son téléphone sonne. Elle fixe l'écran et ferme les yeux.

— Suze ?

— *Quoi ?* aboie-t-elle.

Je n'ai pas dit deux mots qu'elle est déjà d'une agressivité totale.

Je brandis le guide de la foire d'une main tremblante.

— Je… tu veux commencer par quoi ? Les cochons, ça te dit ?

Un vrai sacrifice de ma part, car j'ai une peur atroce de ces animaux. Je n'adore pas non plus les moutons, mais les cochons me terrifient, ce sont à mes yeux des monstres bruyants et malfaisants. Mais Suze et Tarkie en ont, dans leur ferme du Hampshire, et je sais que Suze les aime au point de leur donner des petits noms. Peut-être qu'aller les voir favorisera un rapprochement. Et que nous parviendrons à échanger des commentaires sur leurs oreilles pointues ou leur queue en tire-bouchon.

Elle n'a pas répondu mais je persiste.

— Les cochons américains sont sûrement inté-ressants. À moins qu'on aille voir les moutons ? Ils présentent des tas d'espèces rares. Ou… Tiens, il y a aussi des chèvres naines.

Mais Suze a le regard absent. J'ai l'impression qu'elle n'a rien entendu.

— Bex, j'ai un truc à faire. Je te rejoins après. OK ?

Elle se lève de sa caisse et disparaît dans la foule.

— Suze ? *Suze ?*

Elle ne peut pas me planter comme ça. On est censées faire équipe. Se tenir les coudes. Instinctivement, je décide de la suivre.

Avec sa grande taille et ses cheveux très blonds, il est facile de ne pas la perdre de vue, même si la foule grossit de minute en minute. Elle passe avec détermination devant l'enceinte du rodéo, puis devant le Village gourmand et le zoo où les enfants peuvent s'approcher des animaux. Elle n'a pas un regard pour l'estrade où un type fait sauter son chien à travers un cerceau. Ni pour les stands de chapeaux de cow-boy, de boots et de selles qu'en temps normal elle passerait des heures à examiner. Elle est stressée et préoccupée, je le vois à la tension de ses épaules. Et aussi à son visage quand elle s'arrête dans un endroit dégagé, derrière un stand qui propose du cochon rôti, et qu'elle se retourne.

Appuyée contre un poteau en bois, elle sort son téléphone. Elle semble plus que préoccupée : désespérée. À qui envoie-t-elle un SMS ? À Alicia ?

Mon propre mobile vibre. Je me cache en vitesse. Un SMS de maman, Luke ou Danny ? C'est Tarquin.

Salut, Becky. Juste pour vérifier. Suze va bien ?

Je regarde le téléphone avec fureur. Non, elle ne va pas bien ! *Pas bien du tout !* Tout en me réfugiant dans la tente des confitures et des conserves maison, je compose son numéro.

Tarquin semble étonné que je l'appelle.

« Becky ? Il y a problème ? »

Je hurle presque :

« Tarkie, est-ce que tu te rends compte de ce que nous endurons ? Suze est dans tous ses états. On essaie de coincer un type dans une foire agricole. Ma mère ne comprend pas ce que fabrique mon père et...

— Quoi, toujours sur notre piste ? »

Il a l'air stupéfait.

« Évidemment !

— Tu ne peux pas laisser ton père agir en paix ? Tu ne peux pas lui faire confiance ? »

Je suis prise de court. Je ne voyais pas les choses de cette manière. Pendant un instant, je me sens mortifiée. Jusqu'à ce que je recommence à bouillir de rage. Ces gars sont bien gentils de se tirer en mission façon héros. Est-ce qu'ils pensent à ceux qu'ils laissent derrière eux et qui se morfondent en craignant pour leur vie ?

Je contre-attaque avec véhémence :

« Et lui, il ne peut pas faire confiance à ma mère ? Et toi, tu ne peux pas faire confiance à Suze ? Vous êtes mariés que je sache ! S'il y a des problèmes, vous devez les partager. »

Silence. J'ai touché un point sensible. J'ai envie de continuer. De crier : « Sois heureux avec Suze ! Soyez heureux ! » Mais on ne peut pas s'immiscer dans la vie intime d'un couple. C'est comme essayer d'entrer dans un nuage qui se dissout jusqu'à ce qu'on en soit sorti.

Après une pause pénible, Tarkie lance :

« De toute façon, ce n'est pas la peine de nous suivre. Nous ne sommes plus ensemble.

— Qu'est-ce que tu veux dire ?

— *Nous suivons des voies différentes.* J'aide ton père avec... un truc, mais de mon côté. Lui fait ce qu'il a à faire. Et Bryce a disparu Dieu sait où. »

Je n'en crois pas mes oreilles :

« *Disparu ?*

— Il est parti hier soir. Volatilisé.

— Ah bon. »

Je suis totalement prise au dépourvu. Quand je pense à toutes les théories qu'on a échafaudées. Pour finir, Bryce n'a pas du tout embarqué Tarquin dans ses projets machiavéliques. Il ne lui a pas fait subir de lavage de cerveau, ne l'a pas escroqué, ne l'a pas poussé à vendre des appartements en temps partagé. Il a simplement foutu le camp.

« Becky, retournez à L.A., dit Tarquin comme s'il lisait dans mes pensées. Arrêtez les recherches. Abandonnez.

— Mais on pourrait vous aider. Qu'est-ce que vous faites ? Qu'est-ce qui se passe ? »

J'ai envie de crier : *Laissez nous participer. S'il vous plaît !*

« Nous n'avons pas besoin de votre aide, réplique-t-il. Dis à Suze que je vais bien. Que je donne un coup de main à ton père. Que je me sens utile pour la première fois depuis… toujours. Je dois m'acquitter de cette tâche, d'accord ? Et je ne veux pas que Suze ou toi vous interfériez. »

Sur ce, il coupe la communication. Je ne me suis jamais sentie aussi désarmée. La frustration me donne envie de pleurer, ou au moins de flanquer un coup de pied dans un tonneau.

(Pour information : le coup de pied dans le tonneau ne m'a pas soulagée. Je porte des tongs et les tonneaux, c'est sacrément dur.) Taper du poing dans la paume de sa main comme on voit le faire au cinéma ne sert à rien non plus. (Ça fait mal ! Le charme de la boxe m'a toujours échappé. Encore plus maintenant qu'avant. Imaginez ce que ça doit être quand quelqu'un vous cogne sans qu'on puisse lui demander d'arrêter.)

La seule chose qui peut m'apaiser, c'est de parler à Suze. Je vais la mettre au courant de ma conversation avec Tarkie. L'assurer qu'il va bien et qu'il est loin de Bryce. Urgence absolue. Je dois m'armer de courage et ne pas me défiler.

En quittant la tente aux conserves et aux confitures, je suis une boule de nerfs. Il est aussi difficile d'approcher Suze qu'une lionne qui aurait la garde à la fois de ses lionceaux, des provisions de la famille et des joyaux de la Couronne. Elle arpente la clairière, la main droite serrée sur son portable, les sourcils froncés, en jetant des regards de droite et de gauche.

J'avais répété dans ma tête un début de conversation possible – Ça alors, Suze, trop sympa de tomber sur toi ! – quand elle s'immobilise. Elle semble en alerte. Comme si elle attendait quelque chose. Quoi ?

Au bout d'un moment je comprends. Je vois *qui* s'avance vers elle. Je suffoque tellement que je manque m'évanouir. *Non*. Je dois halluciner. C'est inconcevable. Mais cette longue silhouette qui marche à grandes enjambées est facilement reconnaissable.

C'est Bryce.

Bryce. En personne. Ici. À la foire du comté de Wilderness.

Je suis bouche bée. Il est toujours aussi beau gosse et aussi bronzé que d'habitude, en jean coupé et tongs. Aussi naturel et relax que Suze semble anéantie. Par contre, sa présence n'a pas l'air de la surprendre. Cette rencontre a été arrangée, c'est évident. Mais… pourquoi ?

Oui, pourquoi ?

Comment se fait-il que Suze retrouve Bryce ?

Nous l'avons traqué. Nous nous sommes inquiétés de la combine qu'il mettait au point. Nous n'avons pas cessé de parler de lui, de chercher à savoir ce qu'il avait en tête, de l'imaginer en tueur en série (enfin presque !). *Suze aurait-elle été en contact avec lui tout ce temps-là ?*

Je ne sais plus où j'en suis. Je gémis intérieurement et j'ai envie de hurler : *Explique-toi !* De surgir en criant à Suze : *Tu n'as pas le droit !*

Mais je ne suis capable que de les observer pendant qu'ils échangent des propos inaudibles. Suze croise les bras comme pour se protéger et elle s'exprime en phrases courtes, saccadées, tandis que Bryce affiche sa décontraction habituelle. Je ne serais qu'à moitié étonnée s'il sortait un ballon de volley et commençait à faire des passes.

Finalement, leur discussion semble se terminer. Bryce hoche la tête avant de poser la main sur le bras de Suze. Elle l'envoie balader avec une rage qui me fait sursauter. Bryce hausse les épaules. Sa réaction a l'air de l'amuser. Puis il rejoint la foule à grands pas et Suze reste seule.

Elle s'affale sur une botte de foin décorative, la tête baissée et la mine si triste qu'un couple de passants la regarde d'un air consterné. Elle est dans un tel état que je n'ose pas la déranger. Quelque chose me dit qu'elle m'enverra méchamment paître quand elle saura que j'ai surpris son tête-à-tête avec Bryce.

Bon, je me dois d'intervenir. Ce n'est plus seulement notre amitié qui est en jeu, mais toute cette affaire.

J'avance résolument et j'attends qu'elle lève la tête. Quand elle me repère, elle ressemble à un animal acculé. Tous les muscles tendus, elle jette des regards éperdus autour d'elle, comme pour vérifier que je suis seule. Après quoi, constatant que c'est le cas, elle se calme peu à peu.

— Suze...

J'ai la voix enrouée. Et je ne sais pas trop par quoi commencer.

— Tu as... ?

Elle n'arrive pas à continuer.

— Suze...

— Non ! fait-elle d'une voix tremblante.

Elle a les yeux rouges et semble malade. Malade d'inquiétude. Pas pour son mari, je pense. Pour une autre raison, qu'elle garde secrète.

Pendant ce qui me semble une éternité, nous nous regardons. C'est presque comme si nous conversions en silence.

— *J'aurais souhaité que tu me parles.*

— *Moi aussi.*

— *Pas terrible comme situation, hein ?*

— *Non.*

— *Tirons ça au clair.*

Ses défenses baissent graduellement. Ses épaules se détendent, sa mâchoire se décrispe. Pour la première fois depuis des siècles, son regard croise normalement le mien. Son accablement me désole.

Il se passe un truc. Un changement dans nos rapports. Depuis que nous nous connaissons, c'est moi qui ai des ennuis et Suze qui vient à la rescousse. Telle est notre façon de fonctionner. Aujourd'hui, l'inverse se produit. Je ne sais pas exactement ce qui s'est passé, mais une chose est sûre : Suze s'est mise dans un sacré merdier.

J'ai des tonnes de questions. Mais je vais attendre qu'elle recouvre ses esprits.

— Allez, viens ! On a besoin de boire un coup pour se remettre.

Je l'emmène vers une tente qui propose des dégustations de tequila. Elle me suit sans résister, la tête basse. Je commande deux verres et lui en tends un. Puis, d'un ton professionnel, je me lance :

— Alors, Suze, raconte-moi tout. Il y a quelque chose entre toi et Bryce ?

Et bien sûr, dès que je vois son expression, je sais.

En fait, je l'avais deviné au moment où j'ai vu Bryce apparaître dans la clairière. Mais ce que je lis sur le visage de Suze me fend le cœur.

— Suze, tu n'as pas… ?

Elle réagit comme si je l'avais ébouillantée.

— Non ! Pas complètement…

— Comment ça, « pas complètement » ?

— Je… Nous… On ne peut pas trouver un autre endroit où s'asseoir ?

— Suze, raconte ! je dis, la gorge serrée. Tu as trompé Tarkie ?

Je les revois le jour de leur mariage. Suze était radieuse et ravissante. Ils étaient si confiants et optimistes. Nous étions tous si confiants et optimistes.

Bon, c'est vrai, Tarkie peut se montrer un tantinet bizarre. Ses goûts vestimentaires sont étranges. Ses préférences musicales aussi. Et tout le reste. Mais jamais il ne serait infidèle, non, jamais. S'il découvre la vérité, il souffrira de tout son être. Cette éventualité me serre la gorge.

— Je... Est-ce qu'embrasser c'est tromper ?

— Tu l'as seulement embrassé ?

— Pas exactement.

— Tu as... ?

Elle hésite.

— Non ! Pas exactement.

Durant le silence qui suit, j'entrevois différents scénarios.

— Tu as *l'impression* d'avoir été infidèle ?

Une autre longue pause. Suze a les yeux brillants.

— Oui, s'écrie-t-elle. Oui, j'ai eu envie d'être infidèle. J'en avais assez. Tarkie était tellement déprimé. Tout allait de travers en Angleterre. Et Bryce était positif, nouveau. Tu sais...

— Un genre de dieu du sexe.

Je me souviens de la première fois qu'ils se sont rencontrés. De l'étincelle qui avait jailli entre eux. Mais j'étais à mille lieues de...

Je ne suis pas assez méfiante, voilà tout. Jamais plus je ne serai confiante. Peut-être que tout le monde couche avec tout le monde et que je ne remarque rien.

— C'est ça. Bryce était spécial. Si sûr de lui.

— Quand donc avez-vous... ?

Ma mémoire se rembobine. J'essaie de me souvenir.

— Tu ne fréquentais pas tant que ça La Paix d'or ? Ça se passait le soir ?

— Arrête ! réplique Suze. Ne me demande pas les dates, les heures, les endroits. C'était une erreur, OK ? Je m'en rends compte maintenant. Mais trop tard : il me tient.

— C'est-à-dire ?

— Il veut de l'argent. Beaucoup.

— Tu ne lui en donnes pas, j'espère ?

— Qu'est-ce que je peux faire d'autre ?

Je suis horrifiée.

— Suze ! Il ne faut pas. Ne lui donne plus rien !

Suze éclate en sanglots.

— Mais il dira tout à Tarkie. Et mon mariage sera fichu. Les enfants… Bex, j'ai fait une énorme connerie et je ne sais pas quoi faire. Tu sais, je ne pouvais rien dire. Je me sentais si seule.

Je suis blessée. Indignée, peut-être. Furieuse, peut-être aussi.

— Tu aurais pu m'en parler, je dis en m'efforçant de rester zen, en luttant contre la douleur, l'indignation et la rage qui m'habitent. Tu aurais pu te confier à moi, Suze.

— Impossible. Toi et Luke vous formez un couple parfait. Tu n'aurais jamais compris.

Quoi ? Comment peut-elle affirmer ça ?

— On a failli rompre à Los Angeles, j'objecte. On s'est terriblement engueulés. Luke est rentré en Angleterre, et je ne savais pas s'il reviendrait. Donc, je crois que j'aurais compris, si tu m'en avais donné l'occasion.

Suze s'essuie les yeux.

— Je ne savais pas que ça allait si mal.

— J'ai essayé de te le dire, mais ça ne t'intéressait pas. Tu m'as… repoussée !

— *Toi*, tu m'as repoussée !

Le verre à la main, nous nous dévisageons, le souffle court, le rouge aux joues, agrippant notre verre de tequila. Allez, Becky, je me dis, bas les masques, ! C'est l'occasion. Sois sincère.

— Tu as raison, Suze. Je t'ai peut-être repoussée. Je me suis sans doute mal comportée à Los Angeles.

Mais je t'ai présenté des excuses un million de fois. J'ai entrepris ce voyage avec toi, j'ai fait de mon mieux et tu n'as jamais daigné me prêter attention. Tu ne m'adresses pas la parole, tu fuis mon regard, tu ne cesses de me critiquer. La seule personne qui t'importe, c'est Alicia. Mais c'est moi, ton amie !

Une blessure ancienne et profonde se réveille. Je suis sur le point de pleurer.

— C'est moi, ton amie, Suze.

— Je sais, je sais, murmure-t-elle en fixant son verre.

J'essuie brusquement mes larmes.

— Pourquoi tu me traites comme ça ? Je n'invente rien. Luke aussi l'a remarqué.

— Je sais. Je me suis mal comportée, mais je n'arrivais pas à te regarder en face.

— Pourquoi m'as-tu traitée aussi mal ?

J'ai presque hurlé.

— Parce que tu aurais tout deviné. Tu me connais bien, Bex. Pas Alicia. Je peux faire semblant quand je suis en sa compagnie. À toi, je ne peux rien cacher.

Elle pleure pour de bon. Elle a le visage rouge, le nez qui coule.

J'objecte :

— Tu m'as caché ton histoire avec Bryce.

— En t'évitant. Oh, Bex, je suis dans un tel état depuis si longtemps… J'aurais dû tout te confier depuis le début…

Je n'ai jamais vu Suze dans un tel état. Elle semble avoir rapetissé. Son exubérance a disparu. Elle a le visage tiré. Et, sous ses extensions, ses cheveux sont gras.

— Qu'est-ce qui se passera si mon mariage vole en éclats ?

Son angoisse me serre le cœur.

— Ça n'arrivera pas, je réponds en lui passant un bras autour des épaules. Tout ira bien. Ne pleure pas, on va tout arranger.

— J'ai été tellement bête, sanglote-t-elle. Si stupide…

Je me contente de la serrer plus fort. Sans rien dire.

Moi aussi, je me suis comportée comme une idiote. Il m'est arrivé des trucs embêtants dans le passé. Mais Suze a toujours été gentille, elle ne m'a jamais fait la leçon. Au contraire, elle m'a soutenue. Et je vais faire pareil.

Sans prêter attention à la musique mexicaine, je pense au moment où les choses ont tourné au vinaigre avec Suze. Je croyais que c'était ma faute. À cause de mes problèmes de boulot. Je n'ai jamais imaginé que Suze pouvait avoir ses propres soucis.

Bon Dieu !

— C'est pour ça que tu voulais éloigner Tarkie de Bryce. Tu avais peur qu'il crache le morceau.

— En partie, admet-elle.

— Attends une seconde ! Cette histoire de lavage de cerveau, tu l'as inventée ?

— Non ! J'étais sincèrement inquiète pour Tarkie. Il est vraiment vulnérable. Et Bryce est un homme diabolique et manipulateur.

Elle respire à fond avant de poursuivre :

— Il est obsédé par l'argent. Au début, il a cru que seul Tarkie était riche. Il a donc essayé de lui en soutirer. Puis il a compris que j'avais une fortune personnelle, alors il… il s'est attaqué à moi.

— Ne lui donne pas un sou ! Tu le sais, hein ?

Suze ne réagit pas. Je la regarde d'un air sévère.

— Tu sais que tu ne dois rien lui donner. Tu lui as dit quoi ?

— Je dois le retrouver à dix-neuf heures pour lui apporter l'argent.

— *Suze !*

— Qu'est-ce que je peux faire d'autre ?

— Si tu paies une fois, il ne te lâchera pas. Il ne faut jamais céder à un maître chanteur. Tout le monde sait ça.

— Et s'il raconte tout à Tarkie ?

Suze pose son verre vide et se tripote nerveusement les cheveux.

— Bex, qu'est-ce qui se passera si j'ai tout foutu en l'air ? Si Tarkie et moi on se sépare ? Et les enfants ? J'ai compromis ma vie entière, tout...

Un des mariachis s'approche de nous et secoue ses maracas en souriant béatement à Suze. Il les lui tend. Mauvaise pioche, amigo !

— Laissez-moi tranquille ! hurle Suze.

Le type s'éloigne sans demander son reste.

Nous nous taisons. La tête me tourne ; pas seulement à cause de la tequila. J'ai encore mille questions à poser. Par exemple : *Qui a commencé ?* Et : *Quand tu dis « pas exactement », ça signifie quoi ?* Mais l'interrogatoire peut attendre. La priorité, c'est de se débarrasser de Bryce.

— Suze, Tarkie ne te quittera pas !

— Pourquoi ne le ferait-il pas ? Je peux être épouvantable. Quand je pique une crise, je lui balance des horreurs...

— Il me l'a dit. Écoute, tu dois savoir que j'ai été en contact avec lui sans te le dire.

Elle accuse le coup, respire de toutes ses forces. Va-t-elle m'accabler d'insultes ? Non. Elle souffle à fond et laisse sa colère se dissiper.

— D'accord, finit-elle par dire. J'aurais dû m'en douter. Je parie qu'il t'a dit : « Ma femme est une salope. »

— Pas du tout ! Il a dit… que… (comment le lui dire avec tact ?)… que vous traversiez une mauvaise passe.

— Une « mauvaise passe » ? ricane-t-elle.

— Suze, tout va bien. Tarquin est beaucoup plus solide que tu ne l'imagines. Il n'est plus avec mon père mais il l'aide de son côté. Je l'ai trouvé très positif, pas du tout sous l'influence de Bryce. La raison de sa mauvaise humeur à L.A. était… tout autre.

— J'en étais la cause ?

— Pas seulement. Rien n'allait, en fait. Mais il s'est secoué. Maintenant il se sent utile. Il a l'impression qu'il a trouvé son truc.

Suze rumine ces informations en silence.

— Tarkie adore ton père. Il aurait aimé en avoir un comme lui.

— Je sais.

— Il t'a mise au courant de ce qu'ils faisaient ? Je lève les yeux au ciel.

— Bien sûr que non ! Il m'a dit de laisser papa en paix et de rentrer à Los Angeles.

— Il a peut-être raison, déclare Suze, qui, perchée sur son tabouret, entoure ses genoux de ses bras. Parce que, au fond, on fait quoi là, tous ?

Je préfère m'abstenir de répondre à cette question.

Par conséquent, au lieu de répliquer : *Nous suivons Tarkie parce que tu nous l'as demandé, Suze*, je me contente d'avaler une gorgée de tequila.

— Je me suis mise dans de beaux draps, constate soudain Suze. Et je m'en suis prise à toi.

— Mais non ! je riposte, gênée.

— Si, fait-elle avec un regard triste. J'ai été vraiment moche. C'est un miracle que tu m'adresses encore la parole.

— Eh bien... Tu es mon amie. De mon côté, je me suis montrée assez punaise à L.A. On a été toutes les deux atroces.

— Moi surtout. Je voulais que tu te sentes coupable, tout le temps. Je pensais à quoi ? *Oui, à quoi ?*

Avis de détresse absolue ! Sa voix grimpe dans les aigus et les larmes inondent de nouveau ses joues.

— J'ai été prise de folie, continue-t-elle. Même avant d'arriver en Californie, j'avais envie d'échapper à la vie ennuyeuse que je mène en Angleterre. Mais aujourd'hui je donnerais n'importe quoi pour...

— Tu vas la retrouver, ta vie d'avant. Mais d'abord, tu dois refuser de céder aux exigences de Bryce.

Suze réfléchit en se tordant les mains.

— Oui, mais s'il parle à Tarkie ?

À mon avis, il n'y a qu'une seule décision à prendre.

— Tu ne peux pas vivre avec cette menace, je dis. Il faut que tu en parles toi-même à Tarkie, et le plus vite possible.

Elle encaisse le choc sans mot dire. Puis, après ce qui me semble un temps infini, elle acquiesce.

Je me sens aussi mal qu'elle. Au cours des années précédentes il a fallu que j'avoue à Luke un certain nombre de bêtises. Les six pendules Tiffany que j'ai vendues sur eBay, par exemple. Bon, mais mettre aux enchères des pendules Tiffany n'a rien à voir avec embrasser un autre homme.

Et quand je dis « embrasser », c'est par égard pour Suze, je suis sûre qu'elle est allée plus loin. (Jusqu'où, au fait ? Elle ne me le dira pas spontanément. Quant à moi, je ne vais pas lui demander de détails. Je n'ai qu'à faire preuve d'imagination.)

À vrai dire, non. Ne fais pas ça, Becky ! Beurk !

Nous décidons que je l'appellerai de mon portable et qu'elle lui parlera. Quand je presse sur le numéro abrégé, mon cœur bat à toute allure.

« Tarkie, je lance dès qu'il répond. Écoute-moi : je te passe Suze. Si tu refuses de lui parler, je ne t'adresserai plus jamais la parole. Et mon père non plus. Tout ça est grotesque. Tu ne peux pas continuer à m'appeler et refuser de parler à Suze. C'est ta femme. Et elle a des choses très importantes à te dire. »

Un silence, puis Tarkie accepte sans protester.

Suze prend le portable et fait quelques pas. J'espérais vaguement qu'elle me demanderait de rester avec elle et que je pourrais écouter Tarkie en pressant mon oreille contre l'appareil. Mais elle me signifie qu'elle veut lui parler en privé. Et… Bon, il s'agit de son couple, après tout. Dommage ! Je lui aurais été d'une grande aide en lui filant un coup à boire pour lui donner du courage et en lui soufflant des idées quand elle aurait été à court de mots. Enfin, ce que j'en dis…

Elle sort de la tente, et je reste à proximité du groupe de mariachis en sirotant un coca light pour diluer la tequila. Il y a quelques minutes, un type en poncho m'a tendu un tambourin avec une telle insistance que je n'ai pas eu le cœur de dire non. Me voilà donc en train de marquer la cadence et de chanter (« Aheya-aheya-aheya-aheya ») dans ce que je pense être un excellent espagnol, et en m'efforçant de ne pas penser à Suze et Tarquin plantés sur les marches du palais de justice. Soudain, Suze se matérialise à l'entrée de la tente, l'air flippée à mort.

Le cœur serré, j'interromps ma démonstration de tambourin.

— Alors ? je me risque à demander quand elle est près de moi. Ça va ?

— Bex, les arbres de notre propriété, marmonne-t-elle, très énervée. Les arbres. Tu te souviens de quelque chose à ce sujet ?

Les arbres ? Qu'est-ce qu'elle raconte ?

— Non, je ne sais rien sur les arbres. Calme-toi, Suze. Comment ça s'est passé ?

— Je ne sais pas, grogne-t-elle.

— Tu ne sais pas ? Comment ça ? Il a dit quoi ?

— Nous avons parlé. Je lui ai dit. Au début, il ne comprenait pas vraiment.

Elle se frotte le nez. Et moi, j'entends la conversation comme si j'avais eu le téléphone en main. Suze : *Il m'est arrivé un truc horrible, Tarkie.* Et lui, croyant qu'elle a égaré son mascara.

— Mais tu lui as vraiment avoué ? Il sait ce qui s'est passé ?

— Oui. À la fin, il a percuté. Mais le réseau n'était pas bon.

— Et ?

— Il a été vraiment choqué. J'avais cru qu'il s'était douté de quelque chose, mais non.

Bien sûr qu'il ne se doutait de rien, c'est dans son

caractère. Mais pas la peine de le faire remarquer à Suze. Elle est sur sa lancée.

— Je n'ai pas arrêté de lui dire que j'étais désolée, et que les choses n'étaient pas aussi affreuses qu'il l'imaginait, et qu'il m'avait été impossible d'aller jusqu'au bout avec Bryce. Il m'a répondu : « Et je dois t'en être reconnaissant ? »

Tu as eu raison, Tarkie, je dis en silence. Et à toi, Suze, bravo ! Parce que tu n'as pas été infidèle. En tout cas, au sens légal du terme.

Y a-t-il un sens légal en la matière ? Je vais demander à Luke. Il doit savoir.

En fait, non, je vais m'abstenir. Il se demandera pourquoi je veux savoir. Ça entraînera toutes sortes de malentendus dont je n'ai vraiment pas besoin en ce moment.

— À la fin, je lui ai dit qu'il fallait qu'on se voie le plus vite possible pour parler, continue Suze d'une voix chevrotante. Il a refusé.

— *Non !*

— Il a entrepris quelque chose de super-important pour ton père et ne veut pas être interrompu. Ensuite, je n'ai plus rien capté.

Elle hausse les épaules comme si elle s'en fichait, mais elle se tord les mains nerveusement.

— Votre conversation s'est terminée là-dessus ? je demande, incrédule.

— Oui.

— Donc, tu ignores où vous en êtes ?

— C'est ça.

Elle se pose sur un tabouret à côté de moi. Je la dévisage, un peu interloquée. Il y a un problème. L'intérêt d'appeler son mari pour lui faire une confession complète, c'est d'aller au bout. À la fin, la situation est claire : soit on se sépare, soit on se réconcilie, non ?

L'ennui, c'est que Tarkie ne regarde pas la télé. Les choses de la vie lui échappent donc complètement.

— Suze, il faut que tu achètes des téléviseurs. Tarkie n'a aucune référence.

— Tu as raison. Il n'a pas réagi comme je m'y attendais.

— Il n'a pas dit qu'il avait besoin de temps ?

— Non.

— Il n'a pas dit « Comment est-ce que je pourrai te faire confiance, à présent » ?

— Non.

— Il a dit quoi ?

— Qu'il comprenait pourquoi Bryce m'avait séduite, parce que lui-même était tombé sous son charme…

— C'est vrai.

— … mais que nous étions des Cleath-Stuart, et que dans cette famille on ne faisait pas de compromis. C'était tout ou rien.

Je grimace.

— Qu'est-ce qu'il voulait dire ?

— Aucune idée, gémit Suze. C'était confus. Et puis il a commencé à parler de ce fameux arbre qu'on a à Letherby : Owl's Tower. Tu sais que nos grands arbres ont des noms ?

Affirmatif. Dans une des chambres d'amis chez Suze, il y a une brochure sur les arbres que j'ai essayé de lire. Chaque fois que j'arrive au passage où lord Henry Cleath-Stuart rapporte des graines d'Inde en 1873, je m'endors.

— C'est positif qu'il parle des arbres, je m'enthousiasme. Très bon signe. Ça veut dire : je veux que notre union dure. S'il parle d'arbres, je crois que tu es sauvée.

— Tu ne comprends pas, pleurniche-t-elle. Je ne sais pas quel arbre est cet Owl's Tower. On a des tonnes d'arbres appelés Owl's Machin-truc. Dont un vraiment très célèbre qui a été touché par la foudre et qui est mort. Qui sait s'il ne parlait pas de celui-là.

Ma confiance est légèrement ébranlée.

— Vraiment ?

Suze poursuit d'une voix tremblante.

— Imagine que le message soit le suivant : Bryce est l'éclair, et notre mariage est une souche calcinée d'où s'échappe de la fumée.

Je contre-attaque.

— C'est une supposition. Cet Owl's Tower est peut-être un solide chêne qui a résisté à des tas d'épreuves et de catastrophes. Tu ne lui as pas demandé de quel arbre il parlait ?

L'angoisse de Suze semble sans limites.

— J'étais censée le savoir. Comme Tarkie dit toujours que je devrais m'intéresser davantage aux arbres, j'ai prétendu avoir fait le tour de la propriété avec le gardien-chef et que c'était passionnant.

— Tu l'as fait ?

— Non, soupire-t-elle avant d'enfouir la tête dans ses mains. À la place, je suis allée faire une balade à cheval.

Je pose mon tambourin sur le bar. Il est impossible de réfléchir convenablement avec un tambourin dans la main.

— Si je comprends bien, Tarkie croit qu'il t'a transmis un message codé que, étant donné ton amour pour les arbres ancestraux, tu vas déchiffrer.

— Exact.

— Or tu n'as aucune idée de sa signification.

— Non.

Voilà ce qui risque d'arriver quand on vit dans une propriété de famille parsemée de symboles poétiques. S'ils habitaient une maison normale, avec un pommier et une haie, il n'y aurait pas une telle pagaille.

— OK. Tu dois découvrir de quel arbre il s'agit. Téléphone à tes parents, aux siens, au gardien-chef, à tout le monde !

— C'est fait. J'ai laissé des messages partout.

— Bon, quelle est la suite ?

— Je ne sais pas. On attend.

C'est incroyable ! Le couple Cleath-Stuart dépend d'un arbre. Du Tarquin tout craché !

Enfin, ça pourrait être pire. Imaginez que l'énigme soit basée sur le livret d'un opéra de Wagner !

Suze descend de son tabouret et tourne en rond en se mordillant les ongles et en vérifiant son mobile toutes les deux secondes. Elle parle toute seule en roulant des yeux fous.

— C'est peut être le marronnier. Ou alors le grand frêne.

À ce train-là, elle va devenir dingue.

Je fais un geste pour lui attraper le bras, mais elle m'évite.

— Calme-toi, Suze, tu ne peux rien faire. Pense à autre chose. Allons nous balader dans la foire. *S'il te plaît.* Tu es trop stressée. C'est très mauvais pour la santé. Ça augmente le taux de cortisol et ça t'empoisonne, littéralement.

Mon savoir me vient de La Paix d'or. J'ai suivi une série de cours sur le thème « Apprendre à limiter son stress » qui auraient été très utiles si je n'étais pas chaque fois arrivée en retard au yoga et si je ne m'y étais pas copieusement barbée. (En fait, je me serais plutôt débarrassée de mon stress en n'*assistant pas* à ces cours.)

— D'accord, concède Suze, qui fait toujours les cent pas. Je vais essayer de ne plus y penser.

— On a plein de temps avant notre heure de guet. Allons nous distraire.

— OK, fait-elle en cessant de piétiner. Tu as raison. On va où ? Je me demande si je ne pourrais pas emprunter un cheval. Et m'inscrire dans certaines épreuves. Je n'ai jamais participé à un rodéo.

Un rodéo ? Elle est tombée sur la tête.

— Euh… tu crois ? Je pensais plutôt à une promenade. Aller regarder les animaux, des poules, notamment.

Suze a toujours eu un faible pour les poules (encore plus bizarre, à mon avis, que son penchant pour les cochons). J'ouvre mon guide pour lui détailler les espèces de poules présentes, quand son visage s'éclaire.

— J'ai une idée, s'exclame-t-elle en me tirant par la main.

— On va où ? je proteste.

— Tu verras.

Suze semble très déterminée. Pas la peine de discuter. Au moins, elle a cessé de se ronger les ongles comme une malade. Nous contournons les stands de nourriture, nous longeons l'espace bétail, passons devant le Village créatif (à deux reprises, en fait. Suze a du mal à se repérer, même si elle refuse de l'admettre).

— Nous y voilà, annonce-t-elle.

Suze s'arrête devant une tente surmontée d'un écriteau DU TALON AUX DOIGTS DE PIED. L'air de « Sweet Home Alabama » retentit à l'intérieur.

— Nous sommes où ?

— On va acheter des bottes. Nous nous trouvons dans une authentique foire de l'Ouest, il nous faut donc des bottes de cow-boy typiques.

Elle me pousse à l'intérieur de la tente où règne une prégnante odeur de cuir. Tellement forte en fait qu'il me faut un moment pour me rendre compte du spectacle extraordinaire que j'ai sous les yeux.

— Mon Dieu !

— C'est proprement incroyable…, fait Suze, tout aussi impressionnée.

Bras dessus, bras dessous avec une expression d'admiration béate, nous ressemblons à deux pèlerins confits en dévotion devant une relique sacrée.

Sérieusement, j'ai déjà vu très souvent des étals de bottes. Vous voyez le style : une étagère par-ci, une étagère par-là. Mais jamais une accumulation pareille. Les présentoirs montent jusqu'au plafond. Chacun comporte quinze étagères couvertes de bottes de différents modèles. Des marron et des noires, des roses et des turquoise. Certaines ornées de strass, certaines brodées. Certaines avec des pierres *et* des broderies. Sous l'écriteau BOTTES DE PRESTIGE sont présentées, entre autres, une paire de bottes blanches avec des incrustations de python qui coûtent cinq cents dollars et une paire en cuir d'autruche bleu ciel à sept cents dollars. Dans le rayon « À la dernière mode », il y a même une paire de cuissardes noires, mais, pour parler franchement, je les trouve déplacées ici.

Devant cette vision éblouissante, nous restons sans voix. Suze enlève les vieilles bottes qu'elle a achetées à Covent Garden et essaie une paire en cuir rose et blanc. Avec son jean bleu et ses cheveux blonds, c'est du plus bel effet.

— Ou regarde celles-là, je dis en lui tendant une paire couleur fauve rehaussée de délicats motifs en strass sur les côtés.

— Divines, se pâme Suze.

— Et celles-ci ! Pour l'hiver ?

J'ai trouvé une étonnante paire de bottes marron et noir dont le cuir épais et odorant rappelle celui des selles.

On a l'impression de se gorger de chocolats. Chaque paire est plus tentante et plus incroyable que la précédente. Pendant une vingtaine de minutes, je ne cesse de passer des bottes à Suze et de la regarder les essayer. Ses jambes paraissent interminables. Elle n'arrête pas de secouer la tête en agitant ses cheveux et de dire :

— Dommage que Caramel ne soit pas là !

Caramel est son nouveau cheval. Et je dois avouer que je suis contente qu'il ne soit pas là, si elle pense vraiment participer à un rodéo.

Finalement, son choix se porte sur les bottes fauves avec les strass et des noires ornées de broderies étonnantes. Je parie qu'elle va acheter les deux paires.

— Une minute ! Et toi, Bex ? Tu n'en essaies pas ? Pourquoi ?

— Oh, je n'en ai pas très envie.

Suze semble étonnée.

— Tu n'as pas très envie d'essayer des bottes ?

— Oui. C'est ça.

— Pas du tout envie ?

— Eh bien, non. Mais toi, continue.

— Je n'ai pas envie de continuer, rétorque Suze, déconfite. Mon idée, c'était de nous acheter à chacune une paire de bottes. Pour marquer notre réconciliation. Le retour de notre amitié. Mais si tu ne veux pas…

— Si, si ! Quelle merveilleuse attention !

Pas question de faire de la peine à Suze. Mais j'ai une fois de plus l'estomac noué. En m'efforçant de ne pas en tenir compte, j'attrape une paire de bottes sur l'étagère la plus proche et Suze me tend des chaussettes.

— Elles sont belles, je commente en les enfilant.

Marron, avec un motif graphique noir. Elles me vont parfaitement.

— C'est la bonne taille, en plus. Je les prends, j'ajoute avec un sourire contraint.

En chaussettes, ses deux paires de bottes à la main, Suze me dévisage :

— C'est tout ?

— Euh… oui.

— Tu n'en essaies pas d'autres ?

Je passe en revue les autres modèles en essayant de retrouver mon ancien état d'esprit. *Des bottes*, je me dis. *Suze veut m'offrir des bottes super-cool. Ouais !*

Hum, ça sonne faux. Quand Suze essayait ses bottes, j'étais ravie pour elle, mais maintenant que c'est à moi, ça ne me fait ni chaud ni froid. Pour faire preuve de bonne volonté, j'enfile en vitesse une paire turquoise.

— Elles sont jolies aussi, je dis.

— « Jolies » ?

— Je veux dire… (je cherche le mot juste)…

Ravissantes. Oui, elles sont somptueuses, j'ajoute en m'efforçant de paraître emballée.

— Bex, arrête ! Sois toi-même ! Montre-toi enthousiaste.

— Je *suis* enthousiaste !

Mais pas convaincante, je sais.

— Qu'est-ce qui t'arrive ?

— Rien !

— Mais si ! Tu es devenue étrange. Tu... Attends une seconde, tu as des dettes, Bex ? Parce que ça, c'est un cadeau.

— Non, pour une fois, je n'ai pas de dettes. Écoute, le shopping ne me dit presque plus rien, c'est tout.

Suze en laisse tomber les deux paires de bottes.

— *Le shopping ne te dit plus rien ?*

— Très peu, quand c'est pour moi. Mais j'aime acheter des choses pour Minnie et Luke... Offre-toi une paire de bottes, moi, ce sera pour une autre fois.

Je ramasse une des paires qui sont par terre et la lui tends.

— Elles sont fabuleuses.

Mais Suze n'esquisse pas un geste et me considère avec méfiance.

— Qu'est-ce qui t'arrive ? demande-t-elle enfin.

— Rien. J'ai sans doute été un peu sous pression ces temps-ci, c'est tout.

— Tu as l'air à plat. Je ne m'en étais pas aperçue parce que j'étais trop absorbée par... Bref, je ne faisais pas attention à toi.

— Il n'y a rien à remarquer, Suze. Tout va bien.

Silence. Elle m'examine sans se départir de son air soupçonneux. Puis elle s'approche, m'attrape les bras et me fixe droit dans les yeux.

— Dis-moi, Bex, si ton souhait le plus cher pouvait être exaucé, ce serait quoi ? Je ne parle pas de shopping, mais d'expériences, de vacances, de boulot, de projets. De tout, quoi !

— Eh bien…

Voyons, mon plus grand désir serait de… C'est curieux, je ne trouve pas. Comme si cette case était vide.

— Je souhaite que… tout le monde soit en bonne santé, je déclare maladroitement. La paix dans le monde. Tu vois, les trucs habituels.

— Il y a vraiment quelque chose qui ne va pas. (Suze me lâche les bras.) Mais qu'est-ce qui t'arrive, Bex ?

— Parce que je n'ai pas envie d'une paire de bottes de cow-boy ?

— Non ! Parce que rien ne t'excite plus. Cette pêche que tu as toujours eue ? Cette énergie ? Elle est partie où ? Tu te passionnes pour quoi en ce moment ?

Je reste muette. Mais je tremble intérieurement. Ma dernière passion a failli me coûter toutes mes relations.

— Je sais pas, je dis avec un haussement d'épaules en évitant son regard.

— Réfléchis ! Et pas de mensonges avec moi !

— Sans doute que…, je dis après un long moment.

— Quoi ? Vas-y !

— J'aimerais avoir un autre enfant. Mais ce n'est pas arrivé, et ça n'arrivera peut-être jamais. Qu'importe ! Ce n'est pas un problème, tu sais.

Suze est éberluée.

— Je ne savais pas, Bex. Tu ne m'en as jamais parlé.

— Ce n'est pas le genre de sujet sur lequel j'ai envie de m'étendre.

Je recule en levant les yeux au ciel. Je n'ai pas envie de susciter la pitié. Je n'aurais pas dû en parler.

— Bex…

— Non ! (Je secoue la tête.) N'en parlons plus. Franchement, tout va pour le mieux.

Nous déambulons sans mot dire dans une tente adjacente qui propose des accessoires en cuir.

— Vous allez faire quoi, après ce voyage ? me demande-t-elle, comme si elle envisageait cette question pour la première fois. Luke va retourner en Grande-Bretagne ?

— Oui. Une fois cette expédition terminée, nous faisons nos bagages et nous rentrons. Je vais essayer de trouver un job en Angleterre. Ce n'est pas gagné. La situation n'est pas facile là-bas, comme tu sais.

J'examine vaguement une ceinture en cuir tressé avant de la reposer.

— Ç'aurait été super que tu deviennes styliste à Hollywood, fait Suze d'un air rêveur.

L'étonnement me fait chanceler.

— Tu dis ça maintenant ! Tu n'as pas arrêté de m'accabler de reproches, à L.A.

— C'est vrai. Mais tout ça, c'est du passé. J'adorerais voir ton nom au générique d'un film. J'en serais vraiment fière.

— Eh bien, on oublie !

Je détourne les yeux. Le sujet est toujours sensible.

— Et je n'ai pas de job qui m'attend.

— Tu en retrouveras un facilement.

— On verra.

Je m'éloigne vers un autre stand afin d'éviter son

regard inquisiteur. Pas question que Suze me prenne sous sa protection. Je suis encore trop à vif. Et je pense qu'elle s'en rend compte, parce que, quand elle me rejoint, tout ce qu'elle arrive à dire, en désignant un collier monstrueux décoré de bouchons, c'est :

— Ça te ferait plaisir ?

— Non !

— Heureusement, sinon je m'inquiéterais vraiment.

Elle roule des yeux de manière comique. Je ne peux m'empêcher d'esquisser un faible sourire. Elle m'a manqué, Suze. Ma meilleure amie. Notre vieille complicité m'a manqué.

Bien sûr, c'est merveilleux d'être une femme adulte et la mère d'une petite fille. Cela remplit une vie. Procure des joies immenses. Mais parfois, le samedi soir, j'aimerais me saouler gentiment, regarder *Dirty Dancing* et me teindre les cheveux en bleu.

— Suze, tu te souviens lorsque nous étions célibataires, dans notre appart ? Quand j'avais essayé de te cuisiner un curry ? Et que nous ne pensions ni l'une ni l'autre à nous marier, et encore moins à avoir des enfants ?

— Ni à commettre un adultère, ajoute lourdement Suze.

— Sors-toi cette histoire de la tête ! Je me demandais seulement… Tu pensais que ça ressemblait à ça, la vie conjugale ?

— Je n'en sais rien, fait-elle après avoir pesé le pour et le contre. Non, pas vraiment. Et toi ?

— Je croyais que ce serait plus simple. Mes parents menaient une existence sans histoire. Déjeuner du dimanche, parties de golf, verres de sherry à l'apéro – tout semblait si calme, si ordonné et raisonnable.

Mais regarde-les maintenant. Et regarde-nous. Tout est tellement stressant.

— Mais tu n'as plus de problème de couple. Tout va bien entre Luke et toi.

— Ça ira bien aussi entre Tarkie et toi, je lui prédis avec autant de conviction que possible. J'en suis certaine.

— Et entre nous deux ? Bex, j'ai été tellement méchante avec toi.

— Mais non ! Enfin... nous... c'est...

Je suis à court de mots. Que dire ? Suze est à nouveau chaleureuse et adorable. Le sera-t-elle toujours quand Alicia sera de retour, ou me laissera-t-elle de nouveau tomber ?

— L'amitié, ça va, ça vient. Ce n'est pas grave !

— Comment ça, ça va, ça vient ? fait-elle, horrifiée.

— Tu sais, maintenant que tu es si amie avec Alicia...

Suze ferme les yeux :

— Je ne le suis pas, bon sang !

Suze ferme les yeux d'un air accablé.

— J'ai été odieuse. Je me sentais tellement coupable... C'était nul. Horrible. Bex, Alicia n'est pas ma meilleure amie. Et elle ne le sera jamais. Ma meilleure amie, c'est toi. Du moins, je l'espère. Tu l'es toujours ? demande-t-elle en me dévisageant, les yeux emplis d'angoisse.

En regardant son visage si familier, le nœud qui me serrait la gorge se défait. J'ai l'impression qu'on m'a retiré un poids de la poitrine, quelque chose qui me faisait mal depuis si longtemps que j'avais fini par m'y habituer.

Suze insiste :

— Bex ?

— Si je t'appelle à trois heures du matin, fais-je d'une petite voix, tu répondras ?

— Je viendrai ventre à terre, affirme Suze, l'œil humide. Je serai à tes côtés, quel que soit le problème. Et je n'ai pas besoin de te poser la question parce que, lorsque j'ai été dans le pétrin, tu t'es précipitée. Et tu es encore là.

— Pour être honnête, il n'était pas trois heures du mat. Plutôt vingt heures !

— C'est du pareil au même, Bex !

Suze me donne un coup de coude, et alors que je suis au bord des larmes, je me mets à rire.

Je me sentais perdue sans l'amitié de Suze. Je l'ai retrouvée. Enfin, je pense.

Je m'efforce de reprendre contenance. Puis, impulsivement, je soulève un horrible bracelet en cuir avec des capsules de bière en guise de breloques – encore plus ringard que le collier aux bouchons – et le tends à Suze d'un air impassible.

— Tu sais quoi ? C'est tout à fait ton genre !

— Tu crois ? rétorque Suze, les yeux rigolards. Eh bien toi, tu serais divine avec ce truc.

Et elle brandit un bandeau couvert de faux raisins aux couleurs criardes. Nous éclatons de rire. Je me mets en quête de plus horrible encore, quand j'aperçois du coin de l'œil Luke et Minnie à l'entrée de la tente.

— On est là, Luke ! je m'écrie en agitant les bras. Des nouvelles de maman ?

— Mamaaan ! s'exclame Minnie, qui tire son père par le bras. Les moutons !

— Pas de nouvelles, autant que je sache, annonce Luke. Et vous, les filles ?

Il m'embrasse et nous regarde à tour de rôle. Je peux lire dans ses yeux : Alors, cette réconciliation ?

— Tout roule. Pas *vraiment tout* mais...

Tout roule, mis à part le fait que Suze subit un chantage de son amant et qu'elle risque de divorcer. J'essaie de lui faire passer ce message en le fixant intensément mais il n'a pas l'air de percuter.

— Luke, tu connais les arbres de Letherby Hall ? demande Suze à brûle-pourpoint. Tarkie t'en a parlé ? Tu te rappelles un chêne qui a pour nom Owl's Tower ?

— Non, désolé, répond Luke, visiblement intrigué par la bizarrerie de la question.

— Tant pis, fait Suze, déçue.

— Je t'expliquerai plus tard. Dis, Suze, ça ne te fait rien si je mets Luke au courant de... de tout ?

Elle pique un fard, les yeux baissés.

— OK. Mais pas devant moi. J'en mourrais !

— *Quoi ?* fait Luke en remuant les lèvres silencieusement.

— *Tout à l'heure*, je lui réponds pareillement.

— Moutoooon ! bêle Minnie en tirant son père si fort qu'il chancelle.

— Une seconde, mon poussin. On doit d'abord en parler à maman.

— Elle veut que tu lui achètes un mouton ?

— Elle veut grimper dessus. C'est ça, la cavalcade des moutons. Les jeunes enfants montent dessus. Dans l'enceinte des rodéos.

— Ils montent dessus ? Tu blagues ?

— Ils s'accrochent plus qu'il ne chevauchent, en fait. C'est hilarant.

— Oh non, Minnie, tu ne monteras pas sur le dos

d'un mouton. À la place, on va t'offrir un beau mouton en peluche.

Je pose une main protectrice sur le bras de ma fille, mais elle la balaie d'un geste.

— Veux monter sur un mouuuuuton !

— Allez, laisse-la faire, plaide Suze. En Écosse, quand j'étais petite, je galopais à dos de mouton.

Elle est sérieuse ?

— Mais c'est dangereux.

— Pas du tout ! On leur met des casques.

— Elle est trop petite !

— Ils commencent à deux ans et demi, intervient Luke. Je suis venu te voir pour te suggérer qu'on le lui permette.

— Tu es dingue ?

— Où est passé ton esprit d'aventure, Bex ? En tant que marraine de Minnie, je lui donne l'autorisation.

Là, je retrouve la vraie Suze.

— Allez, Minnie, fait-elle, on y va ! Nous sommes dans l'Ouest, le pays des rodéos de moutons !

Serais-je la seule adulte responsable de la bande ?

Dès que nous pénétrons dans l'enceinte de la cavalcade, je suis horrifiée. Par où commencer ? D'abord, ces bestiaux sont des animaux sauvages. Ensuite, les gens mettent leurs enfants *dessus*. Et même, les encouragent. À cet instant, un gamin d'environ cinq ans, avec un bandana, s'agrippe à la toison d'un gros mouton blanc qui cabriole tout autour de la piste. Le public pousse des hourras et filme, pendant qu'un type commente dans un micro :

— Et le jeune Leonard est toujours en selle... Bravo, Leonard... Il a du cran, ce garçon... Aaaaaah !

Leonard est tombé, ce qui n'a rien de surprenant vu que le mouton a tout d'une bête féroce. Trois hommes se ruent pour l'immobiliser. Leonard se relève et sourit fièrement, tandis que la foule se déchaîne.

— On acclame Leonard !

— Leo-nard ! Leo-nard ! scande un groupe de gens, probablement des membres de la famille du gamin. Lequel fait un petit salut, dénoue son bandana et le lance dans le public.

Incroyable : ce gosse vient de dégringoler d'un mouton, ce n'est pas le gagnant de Wimbledon, quand même ! Je cherche Suze des yeux pour partager avec elle ma réprobation, mais elle a l'air radieux.

— Ça me rappelle mon enfance ! s'écrie-t-elle.

Je ne vois pas le rapport. Suze a grandi dans le château de sa famille au Royaume-Uni, pas dans un ranch de l'Arizona.

Je me permets de ricaner :

— Tes parents portaient des chapeaux de cow-boy ?

— Parfois, répond-elle du tac au tac. Tu connais maman, elle venait aux concours hippiques dans des tenues pas possibles.

Véridique. La mère de Suze avait une garde-robe des plus éclectiques, digne de figurer dans *Vogue*. C'était également une femme superbe, dans le genre osseux, un peu chevalin. Si une styliste de talent (à savoir moi) l'avait conseillée, elle aurait eu une allure sublimement originale. (En fait, la plupart du temps, elle avait l'air curieusement originale.)

Un autre enfant entre en piste, sur le dos du même mouton – ou peut-être d'un autre ? Comment savoir ? À mes yeux il semble aussi remuant. Et la petite fille est déjà sur le point de lâcher prise.

— Et voici Kaylee Baxter, proclame le speaker. Elle a six ans aujourd'hui.

— C'est le moment d'amener Minnie, dit Suze.

Elle lui prend la main et elles se dirigent vers le stand des inscriptions. Luke se charge du formulaire à remplir et à signer, tandis que je passe mentalement en revue toutes les bonnes raisons de m'opposer à ce qui se prépare.

— Luke, il me semble que Minnie ne se sent pas très bien.

— Mouton ! claironne Minnie en sautant à pieds joints. À cheval sur un mouton-euh ! À cheval sur un mouton-euh !

Ses yeux brillent d'excitation et elle a les joues écarlates.

— Regarde, on dirait qu'elle a de la fièvre, j'insiste, en posant la main sur son front.

— Mais non !

— Elle s'est foulé la cheville récemment.

— Ta cheville te fait mal, ma puce ? demande Luke.

— Nan ! Pas mal ! À cheval sur un mouton-euh.

— Becky, tu ne peux pas l'élever dans du coton, proteste Luke. Elle doit faire l'expérience du monde, prendre des risques.

— Excuse-moi mais elle n'a que deux ans.

Je m'approche de la femme maigre et tannée qui récupère les formulaires. Son blouson porte l'inscription : « ENTRAÎNEUR DES RODÉOS, SECTION JUNIOR ».

— Oui ? Z'avez vot' formulaire ?

— Ma fille n'a pas trois ans. À mon avis, elle est trop jeune pour participer. Qu'en pensez-vous ?

— Elle a deux ans et demi ?

— Oui, mais...

— Alors, pas de souci.

— Si, justement, il y a un souci ! Elle ne peut pas monter sur un mouton ! Personne ne peut. C'est un truc de fou !

La femme part d'un rire rauque.

— Pas de panique, m'dame. Les p'tits bouts d'chou sont tenus par leur papa. Ils restent pas longtemps d'ssus l'mouton, conclut-elle avec un clin d'œil.

Elle a un de ces accents !

— Justement, j'veux pas qu'ma p'tite soit d'ssus l'mouton. Et j'veux pas qu'elle tombe.

— Pas de danger. Son papa la tiendra fort. Hein, m'sieur ?

— Bien sûr.

— Avant qu'elle monte d'ssus l'mouton, y m'faut l'formulaire.

Je capitule. Ma précieuse fille va monter d'ssus l'dos d'un mouton. Un *mouton* ! Nous nous dirigeons vers l'entrée des participants. Un gars en tee-shirt « Foire agricole de l'Arizona » met à Minnie un casque et un gilet de protection, puis il l'emmène dans un petit enclos où sont parqués six moutons de taille différente.

— Tu vas être sage d'ssus l'mouton, conseille-t-il à Minnie, qui écoute de toutes ses oreilles. Tu le laisses pas faire l'méchant, hein ? Tu fais attention !

Minnie acquiesce avec concentration. Le gars rigole :

— Ces p'tits bouts d'chou, y m'font marrer. Faut pas avoir peur, m'dame. Ça sera fini très vite. Vous la tenez bien, m'sieur, d'ac ?

— OK. Prête, Minnie ? dit Luke.

Je me sens mal. Au fond, c'est comme un rodéo. Ça y est ! On installe Minnie à califourchon sur le mouton, on ouvre la porte et la voilà sur la piste… On se croirait dans *Gladiateurs*.

Bon, pas exactement, mais c'est presque aussi flippant. Le cœur serré, je regarde à travers mes doigts écartés tandis que Suze prend des photos en criant : « Vas-y Minnie ! »

Le type donne ses instructions à Luke :

— Vous et moi, on court à côté du mouton. Et vous lâchez pas vot' p'tite. Descendez-la dès que vous pouvez.

— Compris.

— C'est un vieux mouton obéissant. Exprès pour les tout p'tits. Mais on sait jamais…

Minnie, les sourcils froncés, est totalement concentrée. Je ne l'ai vue qu'une fois aussi déterminée : quand elle a refusé mordicus pendant toute une journée de porter autre chose que sa robe de fée qui était dans la machine à laver.

Une sonnerie retentit. Le spectacle commence.

— Allez, Minnie ! s'égosille Suze. Accroche-toi ! Ouais !

Je suis paralysée de peur, m'attendant à ce que le mouton commence à ruer comme un forcené et envoie Minnie valdinguer à trois mètres de hauteur. Mais il reste tranquille, en partie grâce à la poigne ferme du gars en tee-shirt. Même s'il gigote un peu, ça ne porte pas à conséquence.

En fait, ce n'est pas tout à fait aussi terrible que je le craignais.

Le gars félicite Minnie après une dizaine de secondes :

— Bon boulot, ma p'tite. Une vraie cavalière. Maintenant, tu descends…

— C'est tout ? s'exclame Suze, pendant que Luke recule de quelques pas pour prendre Minnie en photo. Ça n'a pas duré longtemps.

— À cheval sur mon mouton, brame Minnie. À cheval sur mon mouton !

— Tout le monde descend !

— Nan ! À cheval sur mon mouton !

Je ne sais pas ce qui se passe – si Minnie donne un coup de pied dans l'échine du mouton –, mais soudain l'animal fait un écart, se dégage de l'étreinte du gars au tee-shirt et se met à trotter rapidement autour de la piste, Minnie accrochée à sa toison.

— À l'aide ! Au secours ! je hurle.

— Tiens bon, Minnie ! crie Suze.

Je deviens hystérique.

— Sauvez ma fille ! Luke, va la chercher !

— Admirez Minnie Brandon, âgée de deux ans et demi, mesdames et messieurs, s'époumone le speaker dans son micro. Seulement deux ans et demi, et toujours en selle !

Le mouton virevolte allégrement, poursuivi par le gars et Luke mais Minnie reste fermement cramponnée à son dos. Et croyez-moi, quand elle décide de ne rien lâcher, ses doigts sont d'une force invraisemblable.

— Regarde ta fille ! Elle est formidable ! s'émerveille Suze.

— Minn-ieeee ! Au secouuuurs ! je crie, désespérée.

C'est insoutenable. Je dois agir. Je franchis la barrière et m'élance sur la piste aussi vite que mes tongs me le permettent.

— J'arrive, ma chérie ! Laisse ma fille descendre, espèce de sale bête !

Je me rue sur le mouton et agrippe sa toison, bien décidée à l'envoyer bouler par terre d'un seul mouvement.

Malédiction, c'est costaud ce bestiau ! En plus, il vient de m'écraser le pied.

Luke s'emporte.

— Bon sang, Becky, qu'est-ce que tu fais ?

— Je veux arrêter le mouton. Attrape-le, Luke !

Comme je recommence à poursuivre la bête, il me semble entendre rire le public.

— Et la maman de Minnie s'est jetée dans la mêlée ! clame le speaker. Bonne chance, Minnie mom !

Un groupe d'adolescents renchérit :

— Bonne chance, Minnie mom ! Minnie *mom* ! Minnie *mom* !

— Bouclez-la, bande de crétins ! Et toi, le frisé à cornes, rends-moi ma fille immédiatement !

Je me lance à la tête du mouton qui arrive sur moi d'un bon pas. Et je finis les quatre fers en l'air dans la sciure boueuse, pour ne pas dire pire. Aïe ! Ma tête !

— Becky ! hurle Luke de l'autre côté. Ça va ?

— Oui. Sauve Minnie. Attrape ce maudit mouton !

— Attrape ce maudit mouton ! clame la bande de jeunes en contrefaisant mon accent anglais. Attrape ce maudit mouton !

— La ferme !

— La ferme ! répètent-ils, hilares. Milady a dit : « La ferme ! »

Je hais les adolescents. Et je hais les moutons.

Luke, le gars au tee-shirt et deux autres types ont réussi à empoigner le mouton par les cornes. Ils le mettent à terre en tâchant de faire descendre Minnie qui ne leur témoigne aucune gratitude. Au contraire. Furieuse, elle s'agrippe à la laine en bramant :

— À cheval sur mon mooouton !

Puis elle regarde le public et, se rendant compte qu'elle est la star du moment, se fend d'un grand sourire et agite la main en triomphe. Quelle frimeuse.

— Notre plus jeune concurrente est celle qui est restée le plus longtemps en selle. Applaudissez-la, je vous prie…

La foule se déchaîne. Les vivats fusent, les bravos retentissent, tandis que Luke soulève une Minnie furibarde qui donne des coups de pied dans le vide.

Je cours vers elle, esquivant le mouton qu'on emmène vers son enclos.

— Minnie, tout va bien ?

— Encore ! exige-t-elle, rouge de satisfaction. Encore à cheval sur mon mouton.

— Non, c'est fini la cavalcade, mon cœur.

Tremblante de soulagement, je l'entraîne hors de l'enceinte. Et j'attaque bille en tête :

— Luke, je t'avais dit que c'était dangereux !

— Becky, je t'avais dit qu'elle y arriverait, réplique Luke.

Un de ces moments « D'accord-Pas d'accord » typiques de la vie de couple. Comme ce Noël où je lui avais offert une cravate jaune canari. (Je persiste à dire que le jaune est sa couleur.)

Après avoir retiré à Minnie le casque et le gilet de protection, je propose :

— Si on allait boire un thé ou une double vodka ? Je suis complètement lessivée.

— Minnie était étonnante, s'emballe Suze, qui vient de nous rejoindre. J'ai rarement vu ça.

— Le principal, c'est qu'elle soit entière. Pour le moment, j'ai besoin d'un remontant, je rétorque.

— Attendez, tous les deux, il faut que je vous parle, fait Suze en prenant la main de Minnie. Votre fille est réellement douée, vous savez.

— Dans quel domaine ? je demande, perplexe.

— Comme cavalière. Elle avait une assiette inouïe sur ce mouton ! Imaginez-la sur un cheval.

— Oui. Peut-être qu'un jour elle montera à cheval.

— Tu ne comprends pas, insiste Suze avec ferveur. Je veux l'entraîner. Pour le concours complet. Ou pour le jumping.

— Pardon ?

— Elle possède un équilibre naturel peu fréquent. Je m'y connais, Bex. On doit repérer les talents prometteurs de bonne heure, et celui de Minnie est stupéfiant.

— Mais Suze…

Que répliquer ? Je ne peux quand même pas dire : *Tu perds la boule ! Elle n'a fait que tenir sur le dos d'un mouton.*

Luke sourit gentiment à Suze.

— C'est un peu trop tôt, si je peux me permettre.

Elle persiste avec fièvre.

— Laissez-moi m'en occuper, laissez-moi faire de Minnie une championne. Il se peut que mon mariage soit terminé, que ma vie soit fichue mais ça, je peux le réussir.

— Ton mariage est fini ? questionne Luke, atterré.

Ah ! c'est pour cette raison qu'elle fait une fixation sur Minnie.

— Suze, tu n'en sais rien, arrête de dire n'importe quoi ! je proteste.

— Si ! L'arbre n'est plus qu'un petit moignon calciné, gémit-elle. J'en suis sûre.

— Quel arbre ? s'étonne Luke, de plus en plus interloqué. Pourquoi tu parles encore d'arbres ?

— Non, j'objecte. L'arbre est vert et couvert de feuilles. Et de fruits. Et… et… d'oiseaux qui pépient sur ses branches.

Comme elle ne réagit pas, je l'attrape énergiquement par les épaules pour essayer de lui insuffler de l'énergie positive.

— Tu crois ? Tu as peut-être raison, soupire-t-elle finalement.

— Allez, les filles ! C'est ma tournée ! On y va !

Prenant Minnie par la main, Luke s'éloigne d'un pas vif ; je me dépêche de les rattraper.

— C'est incompréhensible, cette histoire. Tu piges, toi ?

— Bryce, je murmure, aussi discrètement que possible.

— *Bryce ?*

— Chuuuut ! Chantage. Tarkie. Arbre. Owl's Tower.

Je remue la tête de manière significative en espérant que Luke lira entre les lignes. Mais je ne récolte qu'un regard chargé d'incompréhension.

— Je ne comprends rien. Qu'est-ce qui se passe, bordel ?

Parfois, mon mari me navre. Vraiment.

De : dsmeath@locostinternet.com
À : Brandon, Rebecca
Objet : Re : Voulez-vous un chapeau de la foire ?

Chère Madame Brandon,

Je vous remercie mille fois pour votre très aimable proposition. Vous me voyez cependant obligé de la décliner. Tout en étant certain que, ainsi que vous l'affirmez, j'aurais une allure fabuleuse pour jardiner avec un stetson personnalisé portant l'inscription « Smeathie » d'un côté et « est une vedette » de l'autre, je ne pense pas pouvoir me permettre ce look western dans la commune d'East Horsley où je réside désormais.

Concernant l'autre sujet, je suis ravi de savoir que vous avez trouvé une façon de résoudre votre conflit avec lady Cleath-Stuart.

En vous souhaitant de réussir dans vos futurs projets, je vous prie d'agréer mes sentiments les meilleurs.

Derek Smeath

11

OK, voici mon avis sur les foires agricoles. Elles sont vraiment amusantes, pleines de surprises et exposent une foultitude de races de cochons – ce qui est passionnant pour quiconque s'intéresse de près à cet animal. Un seul petit inconvénient toutefois : après une journée on est lessivé.

Il est dix-sept heures trente. Nous sommes éreintés. Pas l'ombre de Raymond dans la tente des céramiques, malgré les deux tours de guet de chaque équipe. Tarkie n'a pas donné signe de vie non plus mais Suze, très courageusement, n'en parle pas. Elle a passé des heures au téléphone avec ses gamins en s'efforçant d'être joyeuse, sans y arriver vraiment. Nous sommes partis depuis trois jours. Suze déteste être éloignée de ses enfants pendant aussi longtemps, même dans les meilleures circonstances (et ces jours-ci, comme chacun sait, les circonstances ne sont pas excellentes).

Danny est en train de surveiller la tente. Maman et Janice font du shopping. Dans une tente de spécialités culinaires de l'Ouest décorée de balles de foin et dotée d'une piste de danse, Minnie dévore des frites pendant que je donne des conseils à Suze pour son prochain rendez-vous avec Bryce.

— Évite toute conversation. Dis-lui seulement que tu ne rentres pas dans son jeu. S'il devient agressif, tu lui rentres dans le chou.

— Sois précise, Bex ! Je ne rentre pas dans son jeu mais je lui rentre dans le chou ?

— Oui, enfin, bon ! Tu sors du truc, tu te dégages de son chantage quoi !

— D'accord, fait Suze, perplexe. Bex, tu voudrais bien m'accompagner ?

— Tu en as vraiment envie ?

— S'il te plaît ! J'ai besoin d'être soutenue. Tu sais, j'ai peur de m'écrouler en le revoyant.

— Très bien, je viendrai.

Nous scellons notre accord par une poignée de main.

Me balader avec Suze dans la foire, traîner d'un stand à l'autre en bavardant m'a requinquée. Elle m'a tellement manqué, ma copine !

Comme si elle lisait dans mes pensées, elle me dépose une bise sur la joue.

— Quelle belle journée ! fait-elle. En dépit de tout !

Un groupe de country joue un air entraînant. Une femme en veste de cuir monte sur l'estrade et donne des instructions pour le prochain quadrille tandis qu'une vingtaine de personnes se dirigent vers la piste.

— Viens, Minnie, on va danser, dit Suze.

Je ne peux pas m'empêcher de sourire en les regardant. Suze a offert à Minnie des minuscules bottes de cow-boy. En les voyant exécuter les pas – talon, pointe, on change de pied et on pivote ! –, je me dis qu'elles ressemblent à d'authentiques filles de l'Ouest.

Bon, c'est surtout Suze qui change de pied et pivote. Minnie se contente de sauter d'un pied sur l'autre.

— Mademoiselle, m'accorderez-vous cette danse ?

L'invitation de Luke me prend par surprise. Je lui souris. Il avait des tonnes de mails à lire, je l'ai donc à peine vu de l'après-midi. Mais le voilà devant moi, souriant et bronzé.

— Tu sais danser ça ? je lui lance d'un air taquin.

— On apprendra. Allez hop !

Il m'emmène sur la piste, où les gens avancent et reculent en ligne et en cadence. Je me concentre sur les instructions mais avec des tongs aux pieds, ce n'est pas gagné. Je ne peux pas taper du talon comme il le faudrait sur le sol. Quant à pivoter, c'est impossible. En plus, ces saloperies me sortent sans arrêt des pieds.

Je me résouds à abandonner et indique par gestes à Luke que je veux retourner m'asseoir.

— Pourquoi ?

— Mes tongs. Ce n'est pas fait pour danser le quadrille, si tu veux mon avis.

Peu après, Suze et Minnie nous rejoignent.

— Allez, Bex, on y retourne, propose Suze, les yeux brillants.

— Mission impossible avec ces trucs aux pieds. Tant pis !

Je m'attends à ce que Suze retourne danser après avoir haussé les épaules, mais elle me fixe, presque en colère.

— Suze ? Ça va ?

— Ce n'est pas tant pis, justement ! J'ai voulu lui offrir des bottes et elle a refusé, explique-elle à Luke. Et maintenant elle ne veut pas danser.

— Oh, il n'y a pas de quoi en faire un plat ! je

228

réponds, tout de même un peu ébranlée. Laisse-moi tranquille.

— Bex est vraiment bizarre, dit Suze à Luke. Elle ne veut même pas accepter de cadeau de ma part. *Pourquoi*, Bex ?

Tous deux me dévisagent avec une certaine inquiétude.

— Je n'en sais rien. OK ?

Soudain, mes yeux se remplissent de larmes.

— Je n'en ai pas envie, c'est tout ! Par contre, je brûle de me rendre utile. Je retourne dans la tente des céramiques. Luke, je sais que tu dois bosser, alors vas-y. Et toi, Suze, je te retrouve plus tard. Dix-neuf heures dans la tente où on sert du cochon rôti. C'est bien ça ?

Et, sans attendre leur réponse, je m'éloigne d'un pas énergique.

Toutes sortes de pensées sinistres tournicotent dans ma tête. Pourquoi n'ai-je pas voulu que Suze m'achète des bottes ? Je ne parviens pas à me l'expliquer. Elle peut se permettre d'être généreuse. Alors ? Est-ce pour la punir elle ? Pour me punir moi ? Ou quelqu'un d'autre...

Mais qui ? En tout cas, Suze a raison, ça ne va pas fort. Je me suis plantée professionnellement (mon job de styliste) mais aussi dans mes relations familiales (mon père), sans parler du reste. J'ai l'impression d'avoir additionné les erreurs sans m'en rendre compte. Soudain, alors que j'arrive à l'entrée de la tente des céramiques, une évidence s'impose : j'ai peur. Au plus profond de moi, j'ai peur de ne pas être à la hauteur une fois de plus. Certaines personnes ont peur de skier, de monter à cheval, de conduire. Moi, j'ai peur de la vie.

Il y a plus de monde que ce matin aux céramiques et poteries. Il me faut un moment pour repérer Danny, assis dans un coin, très occupé à dessiner un vêtement. Des feuilles couvertes de croquis s'empilent à ses pieds. Visiblement, il a le nez dans son carnet depuis un bout de temps. Et Raymond, dont il est censé guetter l'arrivée ?

— Danny ! (Il saute en l'air.) Aucun signe de Raymond ? Tu regardes, au moins ?

— Bien sûr. Je veille.

Il se concentre sur les visiteurs pendant trois secondes puis baisse les yeux et se remet à crayonner.

Franchement, il n'a pas tellement l'air en alerte.

Je pose la main sur sa feuille, énervée.

— Danny ! Tu étais censé surveiller les abords de la tente de façon à repérer Raymond. S'il passait devant en ce moment, tu ne le verrais même pas.

— Oh, là, là ! Becky. Écoute, sois réaliste, Raymond ne viendra pas. Sinon, il serait là. Tous les autres potiers sont présents. J'ai bavardé avec eux, ils disent que Raymond se montre rarement.

— Nous devons au moins essayer.

Déjà il n'écoute plus, il est concentré sur un modèle de robe ceinturée à effet cape qui a l'air sensationnel.

Je soupire.

— Continue à dessiner. Ne t'en fais plus pour Raymond. Je vais patrouiller dehors.

— Je suis relevé ? demande Danny, plein d'espoir. Dans ce cas, je vais m'offrir un verre. À plus !

Il fourre son matériel et ses dessins dans un portfolio en cuir et s'en va.

Quand il est parti, je scrute la foule des visiteurs. Je suis en alerte rouge. Danny est sûr que Raymond ne viendra pas, OK. Mais s'il se trompe ? Si c'est à moi qu'incombe la tâche de percer le mystère ? Si j'y parviens, ça me redonnera confiance en moi, je me sentirai moins nulle.

J'examine la photo de Raymond sur mon portable et scanne les visages alentour. Je fais le tour de la tente à plusieurs reprises, me frayant un passage entre les groupes de gens, regardant tous les pichets, les plats et les vases. J'aime assez un bol couleur crème avec des taches rouges, mais quand je vois son nom, *Carnage*, j'ai un haut-le-cœur. Ces taches rouges, c'est du… ?

Quelle idée d'appeler un bol *Carnage* ! Ces potiers sont dingues.

— Vous aimez ? C'est ma pièce préférée.

Une femme blonde et menue en blouse m'a rejointe. Elle porte un badge accroché à un cordon sur lequel est écrit ARTISTE en grosses lettres. C'est donc elle, Mona Dorsey, la créatrice du bol.

— Il est très joli. Celui-là aussi, j'ajoute, en montrant un vase orné de rayures noires irrégulières qui devrait plaire à Luke.

— C'est *Profanation*. Il est le pendant d'*Holocauste*, explique-t-elle en souriant.

Profanation et… *Holocauste* ?

— Très bien.

Je fais de mon mieux pour conserver une mine imperturbable.

— OK. Je me demandais quand même si vous n'aviez pas quelques œuvres aux titres un peu plus gais.

— « Plus gais » ?

— Plus optimistes. Plus joyeux.

231

Elle semble désemparée.

— J'essaie de faire passer un message à travers mes œuvres. Tout est là, dit-elle en me tendant une brochure intitulée *Foire de Wilderness. Festival des créateurs. Annuaire des artistes.*

— Tous les participants y racontent leur vie et leur travail. Le mien dépeint le côté le plus sombre, le plus morbide et le plus nihiliste de la nature humaine.

— Oui… (Je déglutis avec peine.) Euh… super !

— Y a-t-il une pièce qui vous intéresse en particulier ?

— Je ne sais pas. J'aime votre style, mais je préférerais quelque chose d'un tout petit peu moins déprimant et nihiliste.

— Attendez que je réfléchisse, fait Mona avant de me désigner une bouteille au long col étroit. Celle-ci s'appelle *Faim dans un monde d'opulence.*

— Hum ! C'est encore assez démoralisant, je trouve.

— Et que pensez-vous de *Détruit* ? demande-t-elle en saisissant un pot vert et noir muni d'un couvercle.

— C'est vraiment beau. Mais le nom me semble encore un petit peu lugubre.

— Pour vous, « détruit » est un mot lugubre ?

Elle semble surprise. Je le suis aussi. « Détruit » ce n'est pas franchement marrant.

— Un tout petit peu, oui. Enfin, ç'a cette résonnance pour moi.

— Étrange. Ah, voici une pièce différente.

Elle me présente un vase bleu foncé orné de coups de pinceaux blancs.

— Dans cette œuvre, j'aime à penser que sous une épaisseur de désespoir se profile une note d'espoir. Elle m'a été inspirée par la mort de ma grand-mère.

— Très touchant, vraiment. Et elle s'intitule ?

— *Violence du suicide*, déclare-t-elle fièrement.

J'en reste sans voix. Je me vois invitant Suze à dîner et lui disant : Il faut absolument que je te montre mon nouveau vase, *Violence du suicide*.

— Et voici *Battu*, annonce Mona. Ravissant, non ?

— En fait, je vais réfléchir. Mais vos poteries sont superbes. Merci infiniment de me les avoir présentées. Et bonne chance avec les pulsions sombres et morbides des êtres humains, j'ajoute en tournant les talons.

Punaise ! Je ne savais pas qu'une poterie pouvait véhiculer des sentiments aussi flippants. Pour moi, c'était juste de la terre et du vernis. Bon, il y a un point positif : pendant que nous parlions, j'ai eu une idée. Je vais lire le passage du catalogue consacré à Raymond. J'y trouverai peut-être un indice.

Je m'isole dans un coin de la tente, me perche sur un tabouret et tourne les pages jusqu'à ce que je tombe sur *Raymond Earle, artiste local*.

Né à Flagstaff, Raymond Earle... bla-bla-bla... Carrière dans le design industriel... bla-bla-bla... Philanthrope et mécène local... bla-bla... amoureux de la nature... bla-bla... Fortement inspiré par Pauline Audette... A correspondu avec elle durant de nombreuses années... Voudrait lui dédier cette exposition...

Je tourne la page et tombe presque à la renverse.
Non ! *Incroyable.*
Impossible...
Sérieusement... ?
En fixant la page, je pars d'un rire sonore. C'est

trop extraordinaire. Trop bizarre. Mais pouvons-nous utiliser cette info ?

Bien sûr que oui, je décide. L'occasion est trop belle. Nous *devons* l'utiliser.

Près de moi, un couple m'observe avec un drôle d'air. Je leur adresse un sourire radieux.

— Désolée, je viens de tomber sur quelque chose de très intéressant. Une lecture très instructive, je fais en agitant la brochure. Vous devez absolument vous la procurer.

Ils s'en vont et je reste sur mon tabouret, n'arrêtant pas de me replonger dans la brochure. Les idées m'arrivent en rafales. J'élabore plan sur plan, je sens l'adrénaline courir dans mes veines. Et pour la première fois depuis des siècles, j'éprouve une sorte d'enthousiasme. De la détermination. De l'optimisme.

Je reste encore un bon moment dans la tente, jusqu'à l'arrivée de maman et Janice. Je les observe pendant qu'elles fendent la foule. L'étonnement me fait cligner des yeux. Maman est coiffée d'un stetson rose et arbore une ceinture assortie piquée de clous argentés. Janice trimballe un banjo et arbore une veste en daim à franges. Toutes deux sont très rouges, mais il est impossible de deviner si cette mine éclatante est due à un coup de soleil ou à un abus de thé glacé au bourbon.

— Alors ? s'enquiert maman dès qu'elle m'aperçoit.

— Rien.

— Il est presque dix-neuf heures. La journée est pour ainsi dire finie.

Je me veux rassurante.

— Il fera peut-être une apparition au dernier moment. On ne sait jamais.

— Peut-être. Bon, c'est l'heure de notre tour de garde. Tu fais quoi, Becky ?

— Je mets les voiles et...

Je ne peux quand même pas lui dire « Je dois soutenir moralement Suze, qui est confrontée au chantage de son ancien amant ». D'accord, maman et Suze sont proches. Mais pas à ce point.

— Je vais voir Suze. On se retrouve plus tard, d'accord ?

Je souris à ma mère qui, trop occupée à scruter les visages des visiteurs, ne remarque rien.

Le regard triste, la mine abattue, elle demande :

— Et si on ne met pas la main sur Raymond Earle ? On laisse tomber et on rentre ?

— En fait, maman, j'ai un plan. Je t'en parlerai plus tard. Repose-toi et tâche de te détendre. Tiens, voilà deux chaises libres. Vous devriez boire un truc frais. Dis-moi, Janice, c'est bien un banjo que tu as là ?

— Je vais apprendre toute seule à en jouer, mon chou. C'est le rêve de ma vie. On pourra chanter en chœur dans le camping-car.

Si quelque chose a des chances d'énerver Luke au maximum pendant qu'il conduit, c'est bien une chorale accompagnée au banjo.

— Formidable... Je vous apporte un thé glacé tout de suite.

J'achète deux thés glacés à la pêche au stand des rafraîchissements, les donne à maman et Janice et pars en quatrième vitesse. Il est presque dix-neuf heures. Si moi, j'ai l'estomac noué, Dieu sait ce que la pauvre Suze doit éprouver en ce moment.

Nous sommes convenues de nous retrouver dans la tente du cochon rôti avant d'aller ensemble au rendez-vous. Quand j'arrive, c'est le choc : Alicia est là. Que fait-elle avec Suze ?

— Coucou, Alicia ! Tu es là ? Je croyais que tu avais une réunion à Tucson.

Une réunion à Tucson. Franchement, ça semble de moins en moins crédible.

— J'ai pensé venir vous retrouver après, dit Alicia, impavide. Et j'ai eu du flair. C'est invraisemblable, ce qui se passe !

— Je l'ai raconté à Alicia, avoue Suze d'une voix timide.

— Tu ne dois pas te sentir coupable, Suze. Bryce est un être vénéneux.

Je lance à Alicia un regard mauvais. Je déteste les gens qui clament : « Tu ne dois pas te sentir coupable. » Le message sous-jacent est précisément : « Tu devrais te sentir coupable. »

— Tout le monde fait des erreurs, je réplique. L'important, c'est de se débarrasser de Bryce une fois pour toutes. Il est temps d'y aller.

— Alicia vient aussi pour me soutenir moralement, explique Suze.

Est-ce mon imagination ou a-t-elle vraiment adopté un ton d'excuse ?

Je m'efforce de sourire.

— Parfait. Bon, Suze tu es fin prête ? Tu sais ce que tu vas lui sortir ?

— Je crois, oui.

— Eh ! Vous êtes là, les filles !

C'est Danny, une barbe à papa dans une main, un verre de thé glacé dans l'autre, son portfolio coincé de travers sous le bras.

— Vous allez où, comme ça ?

Si Suze a fait des confidences à Alicia, il n'y a pas de raison de faire des cachotteries à Danny. De toute façon, il l'apprendra.

— Bryce est ici. Suze va le rencontrer car il essaie de la faire chanter. C'est une longue histoire.

— *Je le savais !* s'exclame Danny. Je l'ai dit depuis le début !

— Faux ! je proteste.

— En tout cas, j'avais des soupçons.

Et, s'adressant à Suze :

— Tu as couché avec lui, c'est ça ?

— Pas du tout ! aboie-t-elle.

— Mais tu fricotais avec lui. Tarkie est au courant ?

— Oui. Je lui ai tout avoué.

Danny mordille sa barbe à papa.

— Gloire à toi, sainte Suze !

— Merci, répond dignement l'intéressée.

Visiblement, Danny cogite à pleine vapeur.

— Attends ! Je croyais que Bryce voulait plumer Tarkie pour son nouveau centre de yoga. Maintenant, il veut aussi te soutirer de l'argent. Il s'attaque au mari *et* à la femme ?

— Apparemment, oui.

— Il est sacrément fort, ce type ! s'extasie Danny. Et toi, Alicia, tu penses quoi de ce projet de centre ? Prête à affronter la concurrence ?

Quelle peau de vache, ce Danny, quand il s'y met ! Même si c'est une mise en boîte !

— Certainement pas, réplique Alicia. Pas question que cet individu fasse de l'ombre à La Paix d'or avec un établissement de deuxième ordre. Crois-moi, Wilton l'en empêchera. Il est temps, ajoute-t-elle après un coup d'œil à sa montre.

— On y va, dit Suze.

— En route ! renchérit Danny.

— *Pas toi*, se rebelle Suze.

— Bien sûr que si, se défend Danny. Les renforts ne sont jamais trop nombreux. Tiens, bois un bon coup de thé glacé. Chargé de bourbon à presque cent pour cent.

Suze remercie du bout des lèves et avale une gorgée.

— Punaise, c'est fort !

— Je t'avais prévenue. Encore ?

— Non merci. Allez, on bouge !

Sans dire un mot, nous marchons d'un pas martial vers le lieu de rendez-vous. Une petite troupe encadrant Suze et prête à la défendre. Pas question de se laisser embobiner par Bryce. Nous serons fermes et résolus. Et insensibles à son look d'enfer.

Il est là, nonchalamment adossé à un stand fermé, plus bronzé et resplendissant que jamais, son regard bleu denim perdu dans le vague. On le croirait sorti d'une pub Calvin Klein. Mmmm ! Je réprime une exclamation d'admiration. Ça va pas, Becky ? Allons ! Pas de mauvaise pensée !

Puis son regard change et sa personnalité s'affiche. Mon *Mmmm* s'évanouit instantanément. Comment ai-je pu ne pas me rendre compte à quel point ce type était odieux ?

Il est visiblement étonné de notre présence.

— Ah, Suze, tu as amené des renforts, à ce que je vois !

Aussitôt, Suze commence à parler d'une voix tremblante, en fixant un point derrière l'épaule de Bryce, comme je le lui ai conseillé.

— Bryce, j'ai quelque chose à te dire : laisse tomber ton chantage. Je ne te donnerai pas un sou, et je te prie de nous laisser tranquilles, mon mari et moi. Sache que tout ce que tu pourras lui dire ne me nuira en rien. J'ai été franche avec lui et ne lui ai rien caché. Tu n'as aucune prise sur moi, et à partir de maintenant tu es prié de t'abstenir de tout contact avec moi.

« Abstenir », c'est moi qui ai trouvé ce mot. Ça sonne bien et ç'a un petit air juridique, non ?

Je presse la main de Suze pour l'encourager, en lui murmurant : « Excellent ! » Elle a toujours le regard fixé dans la même direction. Et Bryce, quelle tête fait-il ? Manifestement il réfléchit calmement.

— Du « chantage » ? dit-il en riant. C'est largement exagéré ! J'ai sollicité de ta part un don pour une cause louable. Tu appelles ça un chantage ?

— « Une cause louable » ? répète Suze avec incrédulité.

— *Une cause louable ?* s'exclame Alicia, qui semble plus horrifiée que nous tous. Tu ne manques pas d'air ! Je sais ce que tu prépares, Bryce, et crois-moi, tu n'arriveras pas à tes fins.

Elle se recule d'un pas, le menton belliqueux, et poursuit :

— Tu n'auras jamais les moyens que nous avons, ni notre puissance. Mon mari anéantira tes efforts dérisoires pour nous concurrencer. Ton projet ne verra jamais le jour. Et quand Wilton en aura fini avec toi, Bryce… ce jour-là tu souhaiteras n'avoir même jamais commencé à y penser.

Waouh ! On dirait un parrain de la mafia. À la place de Bryce, je crèverais de trouille. Mais il n'a pas l'air terrifié le moins du monde. Il regarde Alicia comme s'il n'avait pas compris. Puis il part d'un rire sceptique.

— Miséricorde ! C'est quoi ce numéro ?

Une expression étrange passe sur le visage d'Alicia.

— Quoi ? réplique-t-elle de sa voix archiglaciale. Je te rappelle que tu es toujours l'employé de mon mari.

— Oui. Et alors ?

Ils se taisent un moment. Je profite de cette pause pour regarder mes compagnons. À mes côtés, Suze serre les poings. Danny paraît effaré. Alicia, elle, défie Bryce du regard. Et ce dernier ne se comporte pas comme on pourrait l'imaginer. Il ne regarde pas Suze mais Alicia, qu'il semble jauger.

— Je vais peut-être quitter mon job, annonce-t-il, une lueur de défi dans les yeux. J'en ai plus qu'assez de ces conneries.

— Dans ce cas, tu es tenu par contrat à une obligation de confidentialité, réplique Alicia. Je te rappelle que nous avons des conseillers juridiques particulièrement efficaces.

Son ton se fait si cinglant que nous échangeons des regards perplexes. Quel est le rapport avec Suze ?

— Essayez donc de me poursuivre en justice, dit Bryce en faisant claquer son chewing-gum. Je ne pense pas que vous le ferez ! Avez-vous envie de voir ça étalé dans les médias ?

— Bryce, jappe Alicia, pense à ta situation !

— Ras le bol de ma « situation » ! Si vous saviez comme je vous plains, pauvres andouilles !

— Il vous plaint pour quoi, Alicia ? De quoi parlet-il ? demande Suze, qui semble se réveiller.

— Aucune idée ! réplique-t-elle, rageuse.

Bryce secoue la tête.

— Allez, je t'en prie ! Tu es une manipulatrice de première, Alicia Merrelle.

— Je ne me laisserai pas insulter ainsi. Et je

suggère que nous arrêtions immédiatement cette discussion. Je vais téléphoner à mon mari, qui va prendre les mesures...

Bryce est sur le point d'exploser.

— Assez, bordel !

Et, s'adressant à Suze :

— Je ne suis pas en concurrence avec Wilton Merrelle, je travaille pour lui. J'ai essayé de te soutirer de l'argent, c'est exact, mais pas pour moi. Pour les Merrelle.

Un silence abasourdi suit ses paroles. Ai-je bien entendu ?

— Quoi ? s'écrie Suze.

Bryce soupire avec impatience.

— Wilton projette de créer un établissement rival. Il pense que s'il peut faire le plein à La Paix d'or, il aura suffisamment de clients pour un second centre. Celui-ci portera un nom différent et pratiquera des tarifs moins élevés. Il sera conçu pour accueillir les clients mécontents qui cherchent une alternative à La Paix d'or. Une idée gagnante à cent pour cent. Comme tu le sais, Alicia.

Sans voix, je regarde Suze avant de me tourner vers Alicia, dont le visage a pris une curieuse teinte mauve. J'ai du mal à digérer ces informations.

— Tu veux dire que...

— ... que Wilton Merrelle est derrière tout ça, complète Danny. Donc, quand vous avez ciblé Tarquin...

— Oui. C'était l'idée de Wilton. Il croyait pouvoir lui soutirer plusieurs millions. Pas facile, cela dit. Vous, les Britanniques, vous êtes sacrément radins !

Au tour de Suze de s'en prendre à Alicia, dont le visage est maintenant d'une pâleur mortelle.

— Tu t'es servie de nous ? Tu te prétendais mon amie mais tout ce que tu voulais c'était notre argent ?

Je ne peux m'empêcher d'admirer Alicia, qui parvient à contrôler ses muscles faciaux au point de garder son habituelle expression hautaine. C'est la championne olympique du sang-froid.

— Bryce raconte n'importe quoi, déclare-t-elle. Je démens absolument tout.

— Tu démens aussi les mails ? demande Bryce en brandissant son portable d'un air amusé. Pour Wilton, les Cleath-Stuart étaient une cible parfaite. Alicia était au courant. Ce n'est pas pour lui rendre compte de nos progrès que tu viens de le rencontrer à Tucson ?

Tucson ?

OK, je retire ce que j'ai dit. Il y a bien des réunions, à Tucson. Encore fallait-il le savoir.

Les muscles du visage d'Alicia sont tendus au maximum, un spasme fait tressaillir sa joue gauche. Ses yeux ressemblent à deux morceaux de lave en fusion.

— Tu vas voir ce que tu vas voir, Bryce, crache-t-elle avec une telle hargne que je me recroqueville.

— Donc, c'est vrai. Incroyable : je me suis totalement fait avoir ! commente Suze, abasourdie.

Bryce secoue la tête avec dégoût.

— C'est un sacré merdier ! Je suis content d'en être sorti ! Bon, on a quand même pris du bon temps, hein, mon poussin, dit-il à Suze, qui frissonne. Et toi, Becky, poursuit-il avec une œillade suggestive, reviens assister à un de mes cours, un de ces jours. On était en bonne voie, non ?

— Plutôt rôtir en enfer.

— Comme tu veux, dit-il, l'air amusé. À un de ces quatre, Alicia !

En deux grandes enjambées, il disparaît. Personne ne pipe mot. On a l'impression qu'un tremblement de terre vient de se produire. Je distingue pratiquement la poussière dans l'air.

Danny rompt le silence.

— Becky savait.

— *Quoi ?* s'écrie Suze.

— Je ne savais rien du tout.

— Elle avait deviné qu'Alicia manigançait un truc, maintient Danny. Elle l'avait à l'œil, Suze.

— Vraiment ?

Suze lève vers moi ses grands yeux bleus emplis de douleur.

— Bex, je ne sais pas comment j'ai pu ne pas me rendre compte qu'Alicia n'était rien d'autre qu'une hypocrite malveillante. D'ailleurs, Alicia, pourquoi es-tu venue faire ce voyage avec nous ? Pour t'assurer que Bryce m'extorquait bien de l'argent ? Et ton rendez-vous, l'autre soir, au Four Seasons ? Ce n'était pas un détective privé, n'est-ce pas ?

Il faut absolument que je lui dévoile l'autre plan machiavélique du couple.

— Suze, il y a autre chose. Fais attention, je crois qu'Alicia a des vues sur Letherby Hall.

— Que veux-tu dire ?

Suze s'écarte d'Alicia et la considère avec méfiance, comme elle le ferait d'une bombe.

— Letherby Hall ? Mais vous êtes dingues ! proteste Alicia.

Je continue sur ma lancée, sans lui prêter attention.

— Les faits sont là, Suze ! Pourquoi Alicia te questionne-t-elle sans cesse sur la maison ? Pourquoi s'intéresse-t-elle au titre lié à la propriété ? Pour plusieurs raisons… (Je compte sur mes doigts :) Un : son mari est anglophile. Deux : ils adoreraient porter le titre de lord et lady Letherby. Trois : elle veut s'approprier ta maison. Quatre : elle convoite ton titre. Et probablement aussi tous tes bijoux de famille.

Je viens tout juste de penser à ce dernier point. Mais je suis sûre que c'est vrai, Alicia adorerait posséder ces diadèmes anciens et ces parures. (Suze les considère plutôt comme une collection de mochetés, et je suis assez d'accord.)

Alicia éclate de rire.

— Becky, tu es encore plus cinglée que je le pensais. Qu'est-ce que j'aurais à faire de Letherby Hall ? C'est nouveau, ça !

— Ne te fiche pas de moi, Alicia ! Letherby est l'une des plus belles demeures classées, et toi tu es une snob, une mondaine et une arriviste.

Le regard d'Alicia passe de Suze à moi. Cette fois, elle ne vire pas au mauve. Elle semble sincèrement étonnée.

— Une mondaine et une arriviste ? Moi ? En *Angleterre* ? Tu crois qu'avec Wilton nous rêvons de vivre dans une monstruosité glaciale sans chauffage au sol et entourés de péquenots ?

Une monstruosité ? Je suis tellement indignée que je ne peux m'empêcher de hurler.

— Letherby Hall n'est pas une monstruosité. C'est une demeure georgienne très réputée, avec une bibliothèque aux boiseries d'origine et un parc paysagé dessiné en 1752.

Tiens, comment je sais ça ? J'ai dû enregistrer malgré moi les détails que le père de Tarkie m'a débités l'autre jour.

— Peu importe ! Crois-moi, Suze, je préfère dépenser mes deniers pour autre chose que pour un vieux tas de briques branlantes.

— Comment oses-tu ? N'insulte pas la maison de Suze ! Et pourquoi as-tu posé tant de questions, si tu t'en fiches tellement ?

Ha ! Je la tiens !

— Il fallait bien que je trouve des sujets de conversation. À part son ridicule mari, il n'y a pas grand-chose dont on puisse parler avec cette pauvre Suze. Franchement, elle est d'un rasoir !

Je lui donnerais bien un coup de poing, là, tout de suite !

Mais je me retiens et me tourne vers Suze.

— Je pense que tu ferais mieux de partir, Alicia ! dit-elle simplement d'une voix blanche.

Statufiés, nous la regardons s'éloigner. Trop, c'est trop. Le choc nous a assommés. Danny se reprend le premier.

— On va boire un coup, les filles ?

Nous le suivons dans une tente-bar. Tandis que nous siroterons un punch à la pomme, il nous parle de la collection qu'il vient de créer pour Elinor et nous montre ses croquis. La diversion parfaite... C'est exactement ce dont Suze a besoin pour se distraire de ses problèmes.

Quand elle referme le carnet de Danny, nous nous regardons tous les trois. On dirait que ça va mieux. Mais je me refuse à aborder le sujet Alicia ; pour moi, elle ne mérite pas le moindre temps d'antenne.

— Bex, je ne comprends pas comment j'ai pu m'enticher de cette fille...

— Stop, Suze ! Si nous commençons à parler

d'elle, elle aura gagné. Elle a déjà suffisamment fichu la pagaille dans nos vies, tu n'es pas d'accord ?

— Si, finit-elle par acquiescer, tête basse.

— Bien vu ! applaudit Danny. Effaçons cette abominable nana de notre existence. Alicia *qui* ?

— J'approuve ! Alicia *qui* ?

Il est évident que nous parlerons d'elle. Nous dirons des horreurs pendant une bonne semaine, et peut-être criblerons-nous sa photo de fléchettes. (En fait, j'attends ce moment avec impatience.) Mais c'est trop tôt.

— Eh bien, je lance pour changer de conversation, quelle journée !

— Il semblerait que ta mère n'ait pas vu Raymond non plus, dit Suze.

— Autrement, elle m'aurait envoyé un SMS.

— Quand je pense que nous avons surveillé cette tente toute une journée sans aucun résultat.

— C'est faux, j'objecte. Janice s'est acheté un banjo.

Suze part d'un petit rire. Et moi-même je souris.

— Bon, et maintenant ? Quelle est la suite des événements ? demande Suze. Soyons réalistes : nous n'avons plus de raison de poursuivre Tarkie.

Sa voix est calme mais chargée d'émotion. J'acquiesce en évitant son regard.

— Que fait-on, concernant tes parents ?

Je m'avachis sur ma chaise.

— Aucune idée.

— Est-ce qu'on tente encore une fois notre chance chez Raymond, ou est-ce qu'on rentre à L.A., comme ton père n'a cessé de nous le dire ? Et s'il avait raison, au fond ? Cette expédition n'avait peut être pas de sens.

Je devine ce qu'il lui en coûte de dire ça.

— Mais non ! je m'exclame.

— Pas question de rentrer, renchérit Danny. Nous sommes en mission. Nous devons la mener à bien.

— C'est très joli, mais nous n'avons pas la moindre idée de ce que nous devons faire, maintenant que la piste Raymond a échoué.

— En fait, j'ai une idée.

— Vraiment, Becky ? C'est quoi ?

— Enfin… quelque chose qui ressemble à une idée, je corrige. C'est un peu compliqué, voire farfelu, mais c'est une dernière possibilité. Et si ça ne donne rien, on abandonne et on rentre.

Danny et Suze me regardent avec curiosité.

— Allez, vas-y ! Quelle est cette idée de la dernière chance ?

— Voilà. (Je sors de mon sac la brochure consacrée aux artistes exposant à la foire.) Mais avant que je vous dise quoi que ce soit, jetez un coup d'œil sur cette page.

Je guette leur réaction, qui bien sûr ne se fait pas attendre.

— Oh bon sang ! s'écrie Suze. Tu es sûre, Bex ? Je veux dire, comment on…

— Comme je l'ai dit, ça m'a donné une idée.

— Tu as toujours des bonnes idées, commente Danny. Accouche, Becky chérie.

Avec un sourire encourageant, il se cale sur sa chaise pour m'écouter. Une fois de plus, je sens un flot d'adrénaline parcourir mes veines. Accompagné d'un courant d'optimisme. Comme de vieux amis qui viennent me réconforter.

12

Bon, ils pensent tous que mon idée est insensée.

Même Suze, qui la trouve également excellente. Pour Luke, c'est n'importe quoi. Maman est partagée mais se dit aussi que c'est notre dernière chance. Janice oscille entre optimisme bouillonnant et pessimisme profond. Danny est à fond pour – mais c'est seulement parce qu'il m'a créé un déguisement.

J'ajuste mon foulard pour la dernière fois.

— Voilà. Parfait. Vous êtes d'accord ? je demande en me tournant vers mon public. On dirait des jumelles, non ?

— Tu ne lui ressembles pas du tout, critique Luke.

— Mais si !

— Chérie, tu as besoin d'aller chez l'ophtalmo !

— Moi, je vois ! s'exclame Danny. La ressemblance est assez bonne.

— *Assez* seulement ?

— Les gens ont l'air différent sur les photos, affirme-t-il. C'est vraiment proche.

Il prend la brochure et la tient à côté de mon visage, ouverte à la page sur laquelle figure une photo de Pauline Audette. Les commentaires de Luke sont nuls et non avenus. Je lui ressemble, c'est troublant – surtout depuis que je suis habillée comme elle.

Je porte une sorte de blouse que Danny a dénichée hier à la foire et un pantalon large emprunté à Janice. Mes cheveux sont tirés en arrière et maintenus par un bandeau en tissu teint parce que Pauline Audette a toujours ce genre de foulard bobo sur la tête. Danny a passé la matinée à épingler et retoucher ma tenue, puis l'a agrémentée de traits de peinture et de projections de glaise – substances achetées dans un stand de matériel pour artistes, si bien que j'ai tout à fait l'air d'une céramiste française.

— C'est l'heure de la répétition, j'annonce. My nome iiiis Pauline Audette.

Heureusement qu'il existe une multitude de clips d'elle sur YouTube. Elle fait ce qui s'appelle de la « mini-sculpture », c'est-à-dire qu'elle transforme en cinq secondes une poignée de terre en oiseau ou en arbre. (Elle est assez étonnante, je dois dire.) J'ai passé et repassé ces séquences. Et à mon avis j'ai attrapé son accent.

— I am artiste in céramique. My inspiration iiis in ze natoor.

— Ça veut dire quoi ? demande Janice.

— « Nature », mon chou, lui explique maman. C'est le même mot en français.

— I am in Arizona pour 'oliday. Monsieur Raymond m'a écrit ze kind lettairs. Zut ! I will visite Monsieur Raymond.

Je fais une pause et demande :

— Alors, vous en pensez quoi ?

— « Zut » est de trop, commente Luke.

— On dirait Hercule Poirot dans les séries,

fait remarquer Suze. Si tu parles de cette façon, il ne marchera pas.

— C'est notre unique solution, je rétorque.

Je suis un peu vexée ; je trouvais mon imitation plutôt réussie.

— D'accord, je ne dirai pas « Zut » ! Allez, mademoiselle l'assistante, on y va.

Suze joue le rôle de mon assistante : en noir des pieds à la tête, avec des lunettes, une queue-de-cheval et un trait de rouge vif sur les lèvres. Le look parfait de l'apprentie artiste, d'après Danny.

Ceux qui restent nous regardent quitter le camping-car pleins d'espoir.

— Souhaitez-nous bonne chance, je leur dis au moment de passer la porte.

Bien sûr, Alicia ne fait plus partie du groupe. On ne sait pas trop ce qu'elle a fait hier soir. Elle a dû appeler une société de voitures avec chauffeur et rentrer à L.A. (On a trouvé quelques affaires à elle dans le camping-car. Danny était partisan de les brûler dans un feu de joie. Pour finir, nous avons décidé de les lui renvoyer avec une lettre bien sentie.) Pendant le dîner, j'ai expliqué à maman et à Janice ce que le couple Merrelle avait en tête et combien Alicia était malveillante. Ce à quoi elles ont instantanément déclaré qu'elles l'avaient suspectée depuis le début, qu'elles avaient senti sa malhonnêteté au plus profond d'elles-mêmes et que, heureusement, elles m'avaient avertie.

Ha, ha ! Il vaut mieux entendre ça que d'être sourde, comme on dit.

— Becky, et si tu te fais arrêter ? panique Janice. Nous avons déjà eu un accrochage avec la police.

— Enfin, se faire passer pour quelqu'un d'autre n'est pas illégal.

— Si, dit Luke en se frappant le front de la paume de la main. C'est considéré comme un délit.

Luke est toujours si catégorique !

— Oui, parfois. Mais pas dans ce cas. C'est une recherche de vérité. Tout le monde peut comprendre cette notion, même un policier. De toute façon, maintenant que je suis déguisée, pas question que je me dégonfle. À tout à l'heure !

— Minute, dit Luke. Vous n'oubliez pas, hein ? Si la domestique est absente, si votre téléphone ne capte pas, si l'ambiance est bizarre, vous filez immédiatement.

— Luke, il n'y a aucun danger. Je te rappelle que Raymond est un ami de mon père.

Il n'a pas l'air convaincu.

— Ouais ouais. Soyez prudentes !

— Mais oui ! Tu viens, Suze ?

Nous sortons et entamons notre marche vers le ranch. Luke conduit le camping-car un peu plus loin, pour le cacher après le prochain virage. En approchant des grandes portes, j'ai une frousse de tous les diables. Mais pas un mot à Suze, elle risquerait de me dire de laisser tomber. Et moi, je veux tenter le coup. C'est notre dernière chance.

Mais en plus, passer à l'action me fait revivre, même si ce plan est un peu ridicule. Je me sens ressusciter. Pareil pour Suze. Elle est toujours hyperstressée – elle n'a aucune nouvelle de Tarkie, ne sait toujours rien sur Owl's Tower, mais canaliser son énergie dans cette opération lui fait du bien.

Je lui tape dans la main.

— On va réussir. Tu as suivi des cours d'art dramatique, tu te souviens. Si je patauge, tu prends la relève.

Sur les portes en bois, je compte trois caméras de surveillance pointées sur nous. Plutôt intimidant ! Mais je me rappelle que je suis Pauline Audette, ce qui me donne de l'assurance. Je presse sur le bouton de l'interphone et attends que quelqu'un réponde.

— Horreur ! Suze, le mot de code, c'est quoi ? je murmure.

— Merde ! J'en sais rien.

Nous en avons parlé toute la matinée, sans en choisir un.

— « Patate » ?

— « Patate » ? Tu es dingue, comment je vais amener ça dans la conversation, Bex ?

— Grouille-toi d'en trouver un mieux !

— Impossible, râle-t-elle. Tu me prends au dépourvu. Il n'y a que « patate » qui me vient à l'esprit.

« Oui » ?

Une petite voix de femme résonne dans l'interphone. Mon cœur se serre.

« Bonjour, dit Suze en se reculant. Je m'appelle Jeanne de Bloor. Je suis l'assistante de Pauline Audette, qui désire voir M. Raymond Earle. Pauline Audette », répète-t-elle en articulant soigneusement.

C'est Suze qui a inventé le personnage de Jeanne de Bloor. Elle est née à La Haye, s'est installée à Paris mais son amoureux de toujours vit à Anvers, elle parle cinq langues et apprend le sanskrit. (Suze est très consciencieuse quand il s'agit de créer un rôle. Elle prend des notes et tout et tout.)

L'interphone reste muet. Nous échangeons des

regards perplexes. Au moment où je vais suggérer à Suze de réessayer, une voix masculine se fait entendre.

« Bonjour. Ici Raymond Earle. »

Seigneur ! Je m'approche et dis :

« Allô. My nome iiis Pauline Audette. We ave corresponded.

— Pauline Audette ? »

Comme prévu, il semble estomaqué.

« I ave siin l'exposition at ze fair. I weeesh parler about your pots. I cannot find you. Alors I come to your 'ouse.

— Vous avez vu mes œuvres ? Vous désirez me parler de mon travail ? »

Il semble si excité que je me sens coupable. Je ne devrais pas infliger cette mascarade à un pauvre potier innocent. Je ne devrais pas lui donner de faux espoirs. C'est moche.

Oui, mais il n'avait pas à renvoyer maman et Janice. Après tout, je lui rends la monnaie de sa pièce.

« Puis-je entrer ? »

Les portes sont déjà ouvertes.

Nous sommes dans la place !

« Jeanne, je dis devant l'objectif de la caméra. You accompany me and take ze notes.

— Vairy gut », répond Suze avec un accent hollandais bidon à mourir de rire.

La maison se trouve à cinq cents mètres au bout d'un chemin mal entretenu. Raymond pense probablement que nous sommes en voiture. Mais je me vois mal faire le trajet avec le camping-car. En avançant, je repère des sculptures étranges un peu partout. Un taureau fabriqué avec ce qui ressemble à des morceaux de carrosserie de voiture. Un homme qui hurle en tubes d'acier. Des pièces abstraites créées à partir de pneus. Tout ça est un peu effrayant. Je suis contente d'atteindre la maison. Et là, j'entends des chiens aboyer furieusement.

— Cet endroit me fout les boules, je murmure à Suze en tirant la sonnette.

La maison a sûrement connu une période de splendeur, mais aujourd'hui elle tombe un peu en ruine. C'est une construction en pierre et bois avec un pignon, une véranda et une porte d'entrée en bois massif, mais il manque des barreaux à la balustrade et deux fenêtres cassées ont été rafistolées à la va-vite. Les aboiements des chiens se font plus forts. Nous reculons.

— Tu captes toujours ? je souffle à Suze.

Elle vérifie son téléphone.

— Oui, et toi ?

— Oui. Ça va, je dis plus fort à l'intention de Luke.

Le portable de Suze est en mode Enregistrement, le mien est connecté à Luke. Les passagers du camping-car devraient entendre tout ce qui se passe.

— Couchés, crie Raymond aux chiens depuis l'intérieur de la maison. Vous restez là !

On entend une porte claquer. Puis le bruit d'au moins vingt-cinq verrous qu'on tourne. La porte s'ouvre et Raymond nous accueille.

Le premier adjectif qui me vient à l'esprit en le voyant est « grisonnant ». Sa barbe fait comme une couverture en fourrure grise qui lui descend jusqu'au milieu du torse. Autour de la tête il arbore un bandana bleu et blanc. Ses vieux jeans sont couverts de boue, de glaise ou d'une autre substance du même genre. Une odeur de chien, de tabac, de cuisine et de poussière nous assaille, accompagnée de vagues effluves de végétation pourrie.

Une ou deux bougies parfumées ne seraient pas de trop. Je suis tentée de lui donner le lien du site Jo Malone.

— Miss Audette, je suis très honoré.

Il se fend d'une grande courbette et sa barbe touche presque le sol.

Je culpabilise encore plus, maintenant que nous sommes devant lui. J'ai hâte d'aller dans son atelier et de mettre mon plan à exécution.

— Enchantée to encounter you after oll zis time. In Wilderness I ave ze souvenir of Monsieur Raymond and ze kind lettairs.

— Je suis ravi de faire votre connaissance, dit-il en me secouant énergiquement la main. Un immense plaisir inattendu.

— Let's go to ze studio. I want observe ze work.

— Bien sûr. Entrez donc ! Entrez.

Raymond semble hypnotisé.

Il nous précède dans une large entrée qui serait étonnante, avec son haut plafond voûté et sa cheminée, s'il n'y avait pas autant de désordre. Bottes boueuses, manteaux, paniers de chiens, tas de vieilles briques, tapis roulés traînent un peu partout.

— Je peux vous offrir une bière ? Ou de l'eau fraîche ?

Dans la cuisine mal tenue, des relents de viande cuite parviennent à nos narines. Un mur est couvert d'étagères sur lesquelles s'entassent des peintures et des esquisses ainsi que quelques sculptures d'aspect étrange. Une femme de ménage s'affaire à les dépoussiérer mais je vois combien elle peine.

— Attention ! lui dit Raymond d'un ton sec. Ne

changez rien de place. Alors, miss Audette, vous ne voulez rien boire ?

— Non, thank you ! I would like to sii your work. Your most favorite piece.

J'aimerais bien qu'il se dépêche un peu. Hélas, Raymond n'est pas du genre pressé.

— J'ai tellement de questions à vous poser, me dit-il.

— And I ave many questions for you, je réponds. Ce qui est la vérité.

— Avez-vous remarqué mon Darin ? demande-t-il avec un mouvement de tête vers l'étagère.

Un Darin ? Qu'est-ce que c'est ? Un peintre ?

— *Absolument*, je déclare catégoriquement. Allez, allons in ze studio.

— Que pensez-vous de son usage de la forme ?

Exactement le genre de question que je ne voulais pas qu'il pose. Vite, une réponse convaincante et artistique ! Un truc sur la forme. Le problème, c'est que pendant les cours de dessin je n'écoutais jamais.

— La forme est morte, j'annonce avec un accent prononcé. *Dead*, morte.

Malin, hein ? Si la forme est morte, plus besoin d'aborder le sujet.

— Let's go to ze studio, j'insiste.

Mais Raymond n'a pas l'air de vouloir quitter la cuisine. Il paraît déconcerté.

— La forme est morte ? répète-t-il.

— Yes, *finished*.

— Mais...

— The form don't existe anymore.

Et j'écarte les mains pour appuyer mon propos.

— Mais, miss Audette, com-comment est-ce

po-possible ? bégaie Raymond. Votre style personnel, vos écrits, vos livres ? Allez-vous vraiment abandonner l'œuvre de toute une vie ? C'est inconcevable.

Il me dévisage avec consternation. Visiblement, c'était la réponse à ne pas faire. Mais impossible de revenir en arrière.

— Yes ! je confirme. It iiiis finished, terminated.

— Mais pour quelle raison ?

— I am artiste, je dis pour gagner du temps. Not woman, not human. *Artiste*.

— Je ne comprends pas.

— Je dois chercher ze verity, j'affirme, prise d'une inspiration subite. To be brave or not to be. Ze artiste doit être brave, it iiis very important. Destroy ze old ideas. Alors je serai a real artist.

J'entends Suze glousser, mais je ne relève pas.

— Mais…

— N'en plus parlons ! je décrète.

— Mais…

— Ze studio ! Go !

Mon cœur bat à toute allure comme je traverse la maison derrière Raymond. Assez de conversations sur l'art ! Je veux qu'on parle de mon père.

— Tu interprètes qui ? Pauline Audette ou Maître Yoda dans *Star Wars* ? persifle Suze dans mon dos.

— Tais-toi !

— Il faut aller droit au but !

— Je sais !

Nous arrivons dans une grande pièce aux murs blancs et au plafond vitré, occupée en son centre par une lourde table en bois et deux tours de potier couverts de taches de glaise. Mais ce n'est pas ce que je regarde. Mes yeux sont fixés sur les deux présentoirs du fond qui croulent sous les statues en terre cuite, les sculptures et les vases aux formes biscornues. Youpi ! C'est ce qu'on voulait.

Je lance un regard à Suze, qui me répond par un hochement de tête discret.

— Raymond, quelles, pour vous, sont ze most precious pieces in ze room ?

— Attendez voir ! Je dirais certainement *Deux fois une*, fait-il en indiquant une sculpture représentant un homme à deux têtes. Elle a été sélectionnée pour le Stephens Institute Prize, il y a quelques années. Deux sites en ont parlé. Est-ce que vous…

— Très belle. And the piece very precious à votre cœur ?

— Oh, je ne sais pas, dit-il en partant d'un curieux rire strident. Si, j'ai un faible pour celle-là.

Il me montre une grande œuvre abstraite recouverte de glacis de différentes couleurs.

— I wish to examine zem in ze light !

Je me saisis de *Deux fois une*, tandis que Suze s'empare de la sculpture multicolore. Nous nous écartons de Raymond. Puis je dis :

— Ah ! Ziiis piece remind me of… une *patate*.

Suze avait raison, comme code, « Patate » est un mot vraiment nul. Mais ça fonctionne. D'un seul et même mouvement nous levons les sculptures en l'air.

Celle de Suze semble beaucoup plus lourde que la mienne. Ça m'embête. Mais bon, elle a des bras de fer.

— Venons-en aux faits, je déclare de ma voix la plus menaçante. En fait, je ne suis pas Pauline Audette. Je m'appelle Rebecca, et je suis la fille de Graham Bloomwood. Je veux savoir ce qui s'est vraiment passé pendant votre voyage. Si vous refusez de me raconter, nous laissons tomber les sculptures. Si vous appelez à l'aide, même chose. Donc, vous avez intérêt à parler… (Je réfrène l'envie d'ajouter… « mon pote ».)

Raymond est vraiment lent à la détente. J'ai l'impression qu'on tient ses sculptures à bout de bras depuis des heures. Sa réponse tarde à venir. En attendant, nos muscles souffrent, notre tension grimpe. Il cligne des yeux, plisse le front. Il ouvre la bouche, puis la referme.

Il faut le bousculer pour le pousser à réagir.

— Je dois savoir. Apprendre la vérité. Ici. *Tout de suite.*

Raymond fronce les sourcils, comme s'il considérait les grands mystères de la vie. C'est d'un frustrant !

— Alors, vous n'êtes pas Pauline Audette, dit-il finalement.

— Non.

— Tant mieux, j'ai cru qu'elle était devenue folle. Vous lui ressemblez, vous savez. Vraiment.

— Je sais.

— C'est incroyable. Aucun lien de parenté ?

— Pas que je sache, non. C'est inouï, cette ressemblance, n'est-ce pas ?

— Vous devriez faire des recherches sur Google, vous avez peut-être un ancêtre commun. Ou alors aller dans une de ces émissions de télé…

— Bon, assez de bla-bla ! aboie Suze d'un ton d'adjudant-chef. On veut la vérité !

Son coup d'œil désapprobateur me fait comprendre que je me suis égarée.

— Ça suffit, je renchéris en soulevant *Deux fois*

259

une encore plus haut. Nous sommes venues dans un but précis. Nous attendons une réponse.

— Et n'essayez pas de faire le malin, gronde Suze. À l'instant où vous appellerez les flics, vos poteries se retrouveront en miettes.

Elle semblait n'attendre que ça. Tiens, tiens ! Je ne lui connaissais pas cette part de violence.

Nouvelle minute de silence – qui semble en durer trente –, pendant que Raymond digère l'information.

— Vous êtes donc la fille de Graham, finit-il par dire en me dévisageant. Vous ne lui ressemblez pas.

— Oui, je suis sa fille. Il a disparu, et nous sommes parties à sa recherche pour l'aider, mais le seul indice que nous ayons, c'est qu'il essaie de « réparer » quelque chose. Vous savez de quoi il s'agit ?

— Il est venu ici ? questionne Suze.

— Il vous a contacté ?

— Pouvez-vous nous expliquer ?

Le visage de Raymond s'est fermé. Il croise mon regard puis se détourne. J'ai le cœur serré. Il sait quelque chose.

J'insiste.

— Que s'est-il passé ?

— Et que fait-il en ce moment ? ajoute Suze.

Raymond cligne des yeux et fixe un coin de la pièce.

— Vous êtes au courant, hein ? Pourquoi vous ne dites rien ? Pourquoi avez-vous refusé de voir ma mère ?

— C'est le moment de cracher le morceau, s'énerve Suze.

— Quoi qu'il fasse, ce sont ses affaires, assène Raymond sans me regarder.

Il sait. Nous avons fait tous ces kilomètres pour qu'il nous explique, et il la boucle. Je tremble de rage.

— Très bien, je vais lâcher *Deux fois une*. Puis je jetterai par terre le contenu de cet atelier. Je vous préviens, je peux tout massacrer en trente secondes chrono. Et je me fiche que vous appeliez la police. Il s'agit de mon père. Je *dois* savoir.

— Mon Dieu, calmez-vous ! Vous êtes vraiment la fille de Graham ? Il a toujours été d'une nature tranquille, confie-t-il à Suze.

— Il n'a pas changé, confirme-t-elle.

— Je tiens plus de ma mère, j'admets.

— Donc... vous êtes la fille de Graham, constate-t-il pour la troisième fois.

— Oui, je suis Rebecca. Mais mon père ne voulait pas me donner ce nom. Pour une raison que personne ne m'explique.

— Et les filles de Brent et de Corey s'appellent également Rebecca, précise Suze.

— La fille de Brent m'a déclaré l'autre jour : « Nous nous prénommons toutes Rebecca », sans me dire pourquoi. J'en ai assez de tous ces mystères sur ma propre vie.

Je suis un peu émue. Un curieux silence s'installe.

Raymond réfléchit. Il nous regarde, Suze et moi, puis il contemple les poteries toujours levées bien haut. (Suze doit avoir des fourmis dans les bras, à l'heure qu'il est.)

Finalement, il semble capituler.

— OK. Je vais vous dire ce que je sais.

— Donc, vous détenez des informations ?

— Il est passé ici. Asseyez-vous. Un verre de thé glacé vous ferait plaisir ?

Même si Raymond semble décidé à se montrer coopératif, nous n'abandonnons pas les poteries. On ne sait jamais. Nous prenons place sur le canapé couvert de taches de peinture, les sculptures sur nos genoux. Raymond nous verse du thé glacé puis s'assied en face de nous.

— À la base, il y a un problème d'argent, dit-il, comme si ça tombait sous le sens.

— Quel argent ?

— Brent a renoncé à ses droits il y a des années, mais votre père ne l'a appris que récemment et a trouvé que ce n'était pas juste. Il voulait faire quelque chose. « C'est leur affaire », je lui ai dit. Mais votre père n'en démordait pas. Corey et lui étaient... Comment dire ? Ça faisait toujours des étincelles entre eux. Corey agaçait votre père. Bref, voilà ce qu'il a entrepris.

Il se renverse sur sa chaise comme si tout était parfaitement clair et avale une gorgée de thé glacé. Je suis déroutée.

— Écoutez, je ne comprends rien.

— Mais si ! Le ressort. L'argent. C'est de ça que je parle.

Il m'énerve à la fin.

— Mais de quel argent s'agit-il ? Vous n'arrêtez pas de prononcer ce mot, pourriez-vous être plus explicite ?

— Il ne vous en a jamais parlé ?

— Non.

— Oh, Graham quel père la morale tu fais ! s'écrie-t-il en éclatant de rire.

— Franchement, ça ne vous ennuierait pas d'éclairer enfin ma lanterne ?

— D'accord, consent-il avec un sourire. Écoutez avec attention. C'est une histoire intéressante. Nous avons fait connaissance à New York. Nous étions serveurs dans un restaurant. Tous les quatre. Corey et Brent avaient des diplômes d'ingénieur. J'en avais un en design. Et votre père... je ne m'en souviens pas. Nous étions jeunes, impatients de voir ce que la vie nous apporterait. Nous avons décidé d'aller dans l'Ouest. De partir à l'aventure.

— Je vois.

J'acquiesce poliment, m'efforçant de masquer ma déception. Quand les gens commencent par « C'est une histoire intéressante », cela signifie généralement « Je vais vous raconter un épisode de ma vie et vous avez intérêt à avoir l'air fasciné ». Le récit qu'il s'apprête à faire, je l'ai entendu des millions de fois de la bouche de mon père. Raymond va embrayer sur les couchers de soleil, la chaleur intense et leur nuit dans le désert.

— Quel rapport avec cette histoire d'argent ?

— J'y viens ! Donc, nous avons fait ce périple dans l'Ouest. Et nous avons beaucoup parlé. Pas de téléphones portables à cette époque. Pas de WiFi. Seulement de la musique et des conversations. Dans les bars, autour du feu de camp, sur la route, partout. Corey et Brent n'arrêtaient pas de lancer des idées. Ils parlaient de monter ensemble une boîte spécialisée dans la recherche. C'étaient des types brillants. Corey avait de l'argent, et il était beau gosse. Il avait tout du mâle dominant, comme on dit.

— Certes, je confirme sans sincérité en me rappelant l'homme bronzé et lifté de Las Vegas.

— Un soir, ils ont eu l'idée d'un ressort.

Un petit sourire danse sur ses lèvres. Il fait une pause pour ménager le suspense avant de continuer.

— Vous avez déjà entendu parler du ressort ballon ?

Cela éveille un écho en moi et je me redresse :

— Attendez ! Corey est l'inventeur d'un ressort, n'est-ce pas ?

— C'est Corey *et* Brent qui l'ont mis au point, corrige-t-il.

— Mais… j'ai consulté des articles en ligne sur ce ressort. Le nom de Brent n'est jamais mentionné.

— Corey l'a sans doute effacé, fait Raymond avec un ricanement sec. Mais Brent l'a aidé. Ils ont imaginé la première version de ce ressort un soir, devant le feu. Défini le concept à cet endroit même. C'était quatre ans avant qu'il soit mis en fabrication. Mais tout a commencé ce soir-là. Corey, Brent, votre père et moi, nous étions tous les quatre partie prenante. Nous avons pris une participation dans cette histoire.

— Attendez ! Mon père aussi ?

Nouveau ricanement.

— Enfin, je dis « participation ». En fait, il n'a pas mis un centime dans l'affaire. C'était plutôt une contribution.

— Quel genre de contribution ?

— Votre père a fourni les feuilles sur lesquelles ils ont consigné leurs notes.

— Du papier ? C'est tout ?

— C'était beaucoup. Ils en plaisantaient. Corey et Brent cherchaient désespérément de quoi écrire. Votre père avait un grand carnet de croquis. Il a dit : « Si je vous le donne, je veux être dans le coup. » Et Corey a répondu : « C'est OK. Tu auras un pour cent. » On rigolait. Je les ai aidés à mettre au propre leurs idées. Il a fallu plusieurs soirées. Et puis un jour, ça s'est matérialisé. Et l'argent a commencé à rentrer. D'après ce que je sais, Corey a tenu parole. Chaque année, il verse un dividende à Graham.

Je suis sidérée. Mon père a des intérêts dans l'industrie du ressort ? C'est effectivement une histoire intéressante.

— Je venais de toucher un héritage, à ce moment-là, poursuit Raymond. Donc j'ai investi pas mal d'argent dans cette affaire. Ce qui m'a mis à l'abri du besoin pour le restant de mes jours.

— Comment un ressort peut-il générer autant de revenus ? interroge Suze. Ce n'est jamais qu'une spirale de fil de fer.

Je pensais exactement la même chose sans toutefois oser le dire.

— C'est une sorte de ressort pliant. Il a beaucoup d'applications. Dans les armes à feu, les claviers d'ordinateur et des tas d'autres choses. Corey et Brent étaient intelligents. Corey, qui était chasseur, avait un fusil. Le soir, ils le démontaient, s'amusaient avec le mécanisme de chargement. Et c'est ainsi que l'idée leur est venue. Vous savez comment ça se passe.

Non, je l'ignore. Mille fois, je me suis assise avec Suze devant une cheminée, et nous avons démonté des milliers de trucs, comme des kits de maquillage, mais je n'ai jamais inventé de ressort.

Je comprends tout à coup pourquoi mon père s'intéressait tant à mes notes de physique. Il disait souvent :

« Becky, ma puce, pourquoi ne pas te diriger vers des études d'ingénieur ? » Ou : « La science n'a rien d'ennuyeux, jeune fille ! »

Hum ! Il avait peut-être raison. J'aurais sans doute dû l'écouter.

Oh, mais… Et si je poussait Minnie à s'orienter vers l'ingénierie ? Si elle mettait au point un ressort révolutionnaire et que nous devenions milliardaires. (Entre deux titres de championne olympique de jumping bien sûr !)

Raymond poursuit sa saga.

— Une fois le voyage terminé, ils ont loué un laboratoire et travaillé sur le ressort. Quatre ans plus tard, ils l'ont mis sur le marché. Ou plutôt, Corey s'en est chargé.

— Corey seul ? Pourquoi pas Brent ?

Le visage de Raymond se ferme.

— Brent a tiré sa révérence au bout de trois ans.

— *Trois ans ?* Vous voulez dire avant le lancement ? Donc, il n'en pas tiré profit ?

— Pour ainsi dire aucun. Il venait juste de renoncer à ses droits.

Cette révélation m'horrifie.

— Mais pourquoi a-t-il fait ça ? Il devait connaître le potentiel énorme de cette invention.

— Je crois que Corey lui a dit…

Il stoppe net puis déclare, soudain très nerveux :

— C'est le passé. Et ça ne regarde qu'eux.

— Corey lui a dit quoi ? *Quoi*, Raymond ?

— *Quoi ?* répète Suze.

Ce qui déclenche chez notre hôte une sorte de grondement peu aimable.

— Corey était responsable du volet commercial. Il

a peut-être fourni à Brent de fausses informations. Que les investisseurs ne se bousculaient pas au portillon, que leur produit était difficile à vendre, que ça coûterait très cher de l'améliorer. Donc, Brent a vendu ses parts pour… Pratiquement rien, en fait.

Je suis consternée.

— Corey a *escroqué* Brent ? Mais, ça mérite la prison !

Des images défilent dans ma tête. Le palais de Corey à Las Vegas. Et la roulotte de Brent. C'est tellement injuste. Insupportable même.

— À ma connaissance, Corey n'a enfreint aucune loi. À certains égards, il avait raison – la réussite n'était pas certaine. Il fallait des investisseurs. Brent aurait dû y regarder de plus près. Se montrer plus malin.

— Vous savez que Brent vivait dans une roulotte et qu'il en a été expulsé ?

— Si Brent a été assez idiot pour croire au baratin de Corey, c'est son problème, réplique Raymond. Je crois qu'il a entrepris une action en justice, mais les éléments dont il disposait n'étaient pas suffisants. C'était la parole de Corey contre la sienne.

— C'est inadmissible ! Brent est le co-inventeur d'un truc qui a rapporté des millions.

— Et alors ?

Le visage de Raymond se ferme. Je le méprise !

— À vrai dire, vous préférez ne pas savoir. Pas étonnant que vous viviez en reclus, pour ainsi dire coupé du monde.

— Si Brent était si doué, pourquoi ne s'est-il pas lancé dans autre chose ? demande Suze.

— Oh, il n'a rien d'un bagarreur. La réussite de

Corey l'avait miné. Il buvait, il a fait des mariages désastreux. On claque vite son argent en menant cette vie.

— Bien sûr que cette l'histoire l'a miné ! Ça minerait n'importe qui. Alors vous, ça ne vous dégoûte pas ? Un de vos amis en arnaque un autre et vous n'avez pas envie de réagir ?

— Je ne me sens pas impliqué. De toute façon, nous nous sommes perdus de vue.

— Mais vous touchez toujours de l'argent.

— Votre père aussi, je vous ferais remarquer. Pour autant que je sache, il perçoit des dividendes.

Quelle embrouille ! Papa. L'argent. Les dividendes. Pourquoi n'en a-t-il jamais parlé ? Dieu sait qu'il nous a raconté par le menu ses vacances avec ses potes dans l'Ouest américain. Mais il nous a caché le principal.

Maman ne sait sûrement rien, sinon elle l'aurait dit. Ce qui veut dire que… Qu'il a gardé ce secret pendant toutes ces années.

Mon père est la personne la plus ouverte et la plus franche du monde. Pour quelle raison a-t-il fait un tel mystère ?

Suze est aussi interloquée que moi.

— Bex, tu savais tout ça ?

— Absolument pas.

— Pourquoi ton père a-t-il caché cette affaire ?

— Aucune idée. C'est bizarre.

— Tu crois que ton père est un milliardaire clandestin ?

— Impossible.

— À mon avis, la somme que touche votre père n'est pas énorme, intervint Raymond qui a entendu notre échange. C'était un accord entre copains. Il doit récolter quelques milliers de dollars par an.

Quelques milliers de dollars… par an. J'ai comme une illumination : la Super-Prime de papa. Sa SP. Cette prime prétendument liée à ses activités de consulting privé dans laquelle il puise pour nous emmener faire des repas délicieux et nous offrir des cadeaux. Est-ce qu'elle ne viendrait pas… de Corey ?

Je croise le regard de Suze. Je vois qu'elle se pose la même question.

— La SP, souffle-t-elle.

Il se trouve que, une année, Suze séjournait chez nous à l'époque de la SP annuelle. Papa lui avait offert un sac Lulu Guinness, malgré ses protestations véhémentes.

— Oui, la SP. Elle provient du ressort, pas des missions de consulting.

J'ai la tête qui tourne. Tous ces mystères ! Il faut que j'en aie le cœur net.

— Corey sait-il que Brent a été expulsé du parc de caravanes ?

Cette fois, c'est Suze qui a posé la question.

Silence. Raymond remue nerveusement sur sa chaise et regarde par la fenêtre.

— Je crois que Graham lui a dit et qu'il lui a demandé un arrangement financier en faveur de Brent.

— C'est donc ça qu'il essayait de rectifier ? Je vois.

Tout commence à se mettre en place.

— Et Corey lui a répondu quoi ? je reprends.

— Je crois qu'il a refusé.

— Vous ne vous en êtes pas mêlé ?

— Ce n'est pas mon problème, répond Raymond sans la moindre gêne.

C'est fou ce que je déteste cet homme. Rien ne le touche. Il se protège. Pour lui, c'est parfait : il a la chance de vivre des revenus de son investissement, avec ses poteries, son ranch et sa maison bordélique. En se fichant de Brent. Brent qui n'a probablement plus de toit sur la tête.

J'ai les larmes aux yeux. Je suis fière de mon père, qui se bat pour son vieux copain en essayant de réparer les pots cassés.

— Mais Corey, il ne se sent pas coupable ? s'enquiert Suze. Vous étiez censés être des amis proches, quand même.

— Les relations entre Brent et Corey ne sont pas simples. C'est de l'histoire ancienne.

— Qui remonte à quand ?

— À Rebecca, je dirais.

Rebecca ? Je suis près d'hyperventiler.

— Qui ? Quoi ? j'articule avec peine.

— Nous voulons savoir qui est cette Rebecca, décrète Suze. Dites-nous tout, sans omettre aucun détail.

Légèrement autoritaire, ma copine. Visiblement, Raymond n'apprécie pas trop.

— Je ne dirai rien, rétorque-t-il. Je suis fatigué de remuer le passé. Si vous voulez apprendre des choses sur Rebecca, demandez donc à votre père.

— Vous *devez* nous en parler, insiste Suze.

— Je ne dois rien du tout. Je vous en ai assez dit. L'entretien est terminé.

Il se lève et, avant que j'aie pu régir, il m'arrache *Deux fois une* des mains tout en ordonnant à Suze :

— Vous ! Posez ma sculpture ! Et quittez les lieux avant que j'appelle la police.

Oh, là, là! Raymond ne rigole plus ! Il est temps de

ficher le camp. En me levant, je ne peux m'empêcher de lui décocher un regard méprisant.

— Eh bien, merci pour ce récit. Je suis ravie que ça ne vous empêche pas de dormir, je lui balance.

— Trop aimable. Au revoir ! Maria, vous pouvez venir ?

— Une dernière chose. Vous savez où se trouve mon père ?

À son expression, je devine le combat qui se livre en lui.

— Vous avez essayé Rebecca ?

Une fois encore, ça me fait tout drôle d'entendre mon propre prénom.

— Non ! Vous n'avez pas compris ? Nous ne savons rien à son sujet. Ni son nom de famille, ni où elle habite…

— Rebecca Miades. Elle vit à Sedona, à quatre cents kilomètres au nord d'ici. Votre père parlait de la contacter. Elle était présente lors de la fameuse nuit. Elle a vu comment les choses se sont passées.

Elle était là ? Pourquoi nous a-t-il caché cette information ? Au moment où je m'apprête à le sonder, la domestique arrive.

— Maria, reconduisez ces filles à la porte. Faites attention qu'elles n'emportent rien.

Comme si nous étions des voleuses !

Sur ce, sans un mot, il quitte l'atelier par une porte qui mène au jardin et allume sa pipe. En croisant le regard de Suze, je vois que nous partageons la même opinion : *Ce mec est infect, totalement infect.*

Comme mon téléphone n'a pas quitté ma poche, maman a dû entendre une partie de la conversation, à condition bien sûr qu'elle ait pu capter. Je ne me sens pas de la voir tout de suite. Donc, dès que nous avons franchi les portes de la propriété, je m'assieds en tailleur sur un coin de terre sans broussailles et envoie un message à Luke :

Tout va bien. Nous revenons.

Puis je lève la tête et contemple l'immensité du ciel bleu.

Pour être honnête, je me sens dépassée. Je suis fière de mon père qui est parti aider son ami, mais je suis également perplexe. Pourquoi nous a-t-il caché la vérité ? Pourquoi nous a-t-il servi ce mensonge sur la Super-Prime ? Pourquoi ces omissions ?

— On n'en a pas fini, déclare Suze. Maintenant, on doit filer à Sedona.

— Oui.

Pour tout dire, je suis un peu fatiguée de cavaler derrière mon père à travers tout le pays.

J'ai soudain la nostalgie de notre vie toute simple à Oxshott. Des soirées télé, des dîners Marks & Spencer tout prêts pour lesquels on félicitait maman, des discussions sur la longueur des cheveux de la princesse Ann.

— Je comprends la décision de papa vis-à-vis de Brent, je dis à Suze tout en admirant toujours ce ciel d'un bleu magnifique. Mais pourquoi ne nous en a-t-il pas parlé ?

— C'est vraiment bizarre.

Elle aussi a l'air éreintée. Nous nous taisons un moment, nous contentant de respirer l'air du désert et de savourer la chaleur du soleil sur notre visage.

Sous ce ciel immense, je me sens à des millions de kilomètres de tout, et il me semble aussi y voir plus clair.

— Cette histoire a causé bien trop de divisions, dis-je soudain. Personne n'est plus sur la même longueur d'onde. Papa et maman, toi et Tarkie, mon père et moi. On se retrouve en pièces détachées avec des secrets, des malentendus, des incertitudes… c'est horrible. J'en ai assez de ces divisions. J'ai envie de cohésion, j'ai besoin de nous sentir rassemblés. Suze, je vais aller à Sedona pour retrouver mon père. Quoi qu'il fasse ou qu'il projette, nous l'accompagnerons, parce que nous sommes une famille.

— Je veux en être aussi, réplique Suze sans hésiter. Je suis ta meilleure amie. C'est comme de la famille. Tu peux compter sur moi.

— Tu peux aussi compter sur moi, fait une voix.

Luke apparaît, tenant Minnie par la main.

— On se demandait où vous étiez passées. Becky chérie, tu ne peux pas disparaître dans la nature sans prévenir.

— Mais on était là. Avec Suze, nous parlions de la prochaine étape.

— C'est ce que je viens d'entendre, fait Luke en m'enveloppant de son regard chaleureux. Je te le dis et te le répète, Becky, je veux être de la prochaine expédition.

— Tu peux aussi compter sur ta mère et moi, s'empresse d'annoncer Janice. Moi aussi, je suis quasiment de la famille, mon chou. Tu as raison, ton père a besoin de soutien.

— J'en suis également ! lance Danny, qui arrive derrière Janice. Nous avons tout entendu au téléphone.

Quelle ordure, ce Corey ! Et Raymond ne vaut pas mieux. Mais ton père est génial. Nous devons l'aider au maximum.

Son enthousiasme m'émeut. Danny est un créateur connu, avec d'énormes responsabilités. Rien ne le force à être là. D'ailleurs, aucun d'entre nous n'est obligé de se trouver dans ce coin perdu de l'Arizona et de réparer une injustice qu'a subie un copain de mon père il y a très longtemps. Les gens ont d'autres chats à fouetter, non ? Mais l'amour et l'affection que je vois sur les visages qui m'entourent me donnent presque envie de pleurer.

— Merci à vous tous. Mon père serait touché.

— Becky ?

Janice, toute chiffonnée, et maman traînent les pieds sur le bas-côté de la route. Ma pauvre mère, les joues rouges, échevelée, n'est plus elle-même.

— Pourquoi ment-il ? dit-elle simplement d'une voix cassée par la douleur.

Je souffre pour elle.

— Je ne sais pas, maman. Mais il y a sûrement une explication...

Maman joue avec ses perles. Son collier Super-Prime. Mais doit-on encore l'appeler ainsi ?

— Alors, on va à Sedona ?

Elle semble à plat. Comme si elle voulait que je prenne la relève.

— Oui. C'est la meilleure façon de dénicher papa.

En plus – mais je me tais –, c'est la meilleure façon de rencontrer mon homonyme, Rebecca. Et franchement, j'ai hâte de faire sa connaissance.

13

Pourquoi personne ne m'avait-il encore jamais parlé de Sedona ? C'est à couper le souffle, c'est indescriptible.

Bon, d'accord, pas « indescriptible » au sens littéral du terme. On peut décrire l'endroit. Dans des termes du genre : *Partout où l'œil se pose, d'énormes roches rouges émergent du désert et vous font sentir minuscule et insignifiant. L'aridité qui s'étend à perte de vue donne la chair de poule. Un oiseau de proie solitaire plane au-dessus de nos têtes, très haut dans le ciel, qui fait prendre conscience de la fragilité de l'espèce humaine.*

Tout cela est exact, mais être sur place n'a rien à voir.

— Regarde...

Je n'arrête pas de pointer du doigt à droite, à gauche, et Danny ne cesse de s'extasier.

Pour une fois, Suze semble se détendre un peu. Maman et Janice, le nez collé à leur vitre, s'émerveillent également à qui mieux mieux. En fait, le paysage semble booster le moral de tout le monde.

Finalement, nous avons passé une seconde nuit à

Wilderness. Nous avions tous besoin de sommeil, et Luke a estimé qu'il n'y avait aucune raison de se précipiter à Sedona le jour même. Suze a passé environ deux heures sur Skype avec ses enfants. Après quoi, Minnie et moi nous sommes jointes à eux pour jouer aux devinettes, également sur Skype, ce qui est très distrayant. Il est évident que Suze est pressée de retrouver une existence normale. Elle est affreusement malheureuse et dort très mal. Elle reste toujours sans nouvelles de Tarkie et n'en sait pas plus sur cette idiotie d'arbre. Ni le gardien-chef de la propriété ni ses parents n'ont répondu à ses questions, ce qui est vraiment nullissime. Je leur en veux terriblement.

Mais quand je l'ai interrogée, elle a admis qu'elle avait laissé un message super-vague. Pourquoi ? Par pure parano, parce qu'elle s'imaginait qu'ils feraient le rapprochement entre son couple et Owl's Tower, si bien que personne n'a pensé qu'il y avait urgence.

Toujours est-il qu'elle est dans un sale état. L'inquiétude filtre pour ainsi dire par tous les pores de sa peau. Elle a besoin de savoir à quoi s'en tenir. Il y a sûrement quelqu'un en mesure de l'aider.

Minute ! J'ai une idée.

Je rédige subrepticement un bref mail, en cachant mon iPhone derrière un magazine pour que Suze ne me demande pas ce que je fabrique. Ce n'est pas gagné…. Mais on ne sait jamais. J'appuie sur Envoyer, pose mon iPhone et me concentre à nouveau sur les étendues spectaculaires que nous traversons.

Nous avons démarré à l'aube. Cinq heures déjà que nous roulons, avec un bref arrêt pour nous restaurer. Le ciel a ce bleu intense du milieu de journée. Je donnerais n'importe quoi pour une tasse de thé.

Notre destination est le High View Resort. D'après leur site, *l'endroit offre un panorama intégral des roches rouges et se trouve à quelques minutes à peine des boutiques chic et des galeries du centre-ville de Sedona.* Mais ce n'est pas pour cela que nous tenons à y séjourner. Notre but est de rencontrer la directrice du programme de méditation et du centre New Age de l'hôtel, qui n'est autre que Rebecca Miades.

Sur le site figure même son portrait, que je me suis bien gardée de montrer à maman. Car cette Rebecca est particulièrement jolie pour une femme de son âge. Elle a de superbes cheveux longs teints en rouge vif et un regard super-sexy.

On s'en fiche, d'ailleurs, qu'elle soit jolie ou non. Je suis sûre que papa... Je suis *sûre*...

Bon, je préfère ne pas m'aventurer sur ce terrain. Mais inutile que cette photo tombe dans les mains de ma mère.

Chaque fois que je regarde le visage de cette Rebecca, ça me fait un choc. J'avais commencé à me persuader qu'elle n'existait pas. Mais si. Et je vais enfin comprendre le pourquoi du comment. Il est plus que temps ! L'ignorance fatigue sérieusement les neurones. Comment font les détectives pour rester sains d'esprit ? Moi, je ne cesse d'échafauder des hypothèses. *Et si... Se pourrait-il que... Sans doute que...* jusqu'à ce que mes méninges soient sur le point d'exploser.

— On arrive ! annonce Luke.

L'hôtel se trouve en retrait de la route, au bout d'une allée bordée de palmiers. C'est un bâtiment bas en pierres rouges qui se fond parfaitement dans le paysage.

— Je vais garer le camping-car, dit Luke. Allez vous inscrire à la réception et toi, Becky, tâche de mettre la main sur ton homonyme.

Nous échangeons un petit sourire. Je crois que lui aussi a très envie de rencontrer cette Rebecca.

Faire la répartition des chambres prend pas mal de temps. Pour finir, Suze s'y colle. Danny, qui a repéré une affiche vantant les bienfaits d'une séance de remise en forme au spa, décide d'y aller sans attendre car, déclare-t-il, « cette expédition m'a *flingué* les muscles et les nerfs ». (La faute bien sûr au voyage, pas à ses nuits blanches de Las Vegas, ni aux verres de bourbon au thé glacé de la foire !). Moi, j'ai déniché une brochure sur les activités proposées par Rebecca Miades. Je me retire dans un coin du hall, me love dans un grand fauteuil de bois et commence à lire avec avidité.

Le High View Resort est fier d'accueillir entre ses murs Rebecca Miades, conseillère en spiritualité et médium psychique. Rebecca a été formée à ces disciplines en Inde, où elle a étudié. Diplômée de l'Institut de mysticisme Alara, elle dirige aujourd'hui le centre de spiritualité de Sedona où, sous les fameuses roches rouges, se tapissent des vortex millénaires, des énergies telluriques et des forces mystiques à même de fortifier l'âme et l'esprit.

Waouh ! Je n'avais pas réalisé que le sous-sol de Sedona regorgeait de vortex millénaires. Et de forces mystiques. Je regarde autour de moi dans l'espoir de voir cette énergie se matérialiser. Mais à part une vieille dame qui pianote sur son iPad, je ne remarque rien. Il faut sans doute que je sorte de l'hôtel.

Rebecca vous propose des circuits guidés à la découverte des vortex sacrés. Elle propose également des séminaires, des consultations de conseil intuitif, de soins, de lecture d'aura, de communication avec les anges et d'arts célestes.

De *communication avec les anges* ? Je relis l'intitulé. *Anges* comme… *anges* ? Jamais entendu parler de ce truc. Ni de cette histoire d'arts célestes, d'ailleurs. À mon avis, ça consiste probablement à dessiner des étoiles.

Un bruit de carillon à vent attire mon attention. Un jeune homme aux cheveux longs émerge de derrière un rideau de perles. Sur le badge épinglé à sa chemise je lis : SETH CONNOLLY – CONSEILLER BIEN-ÊTRE. Il se fend d'un grand sourire amical et, avisant la brochure que je tiens, me demande aimablement :

— Notre centre New Age vous intéresse ? Puis-je vous y emmener ?

— Hum, peut-être ! Je viens de lire les informations concernant Rebecca Miades.

Il sourit.

— Ah, Rebecca, la personne que j'aime le plus au monde !

Je suis surprise.

— Vraiment ? Elle est comment ?

— Douce et bonne. Vous voyez ce que je veux dire… Elle fait un travail sensationnel. Elle aide nos résidents à trouver leur lumière spirituelle. D'ailleurs, elle est diplômée en thérapie séraphique, si ça vous dit. Elle lit aussi dans les cartes, déchiffre les auras…

— OK, je vais voir. Elle est très séduisante,

j'ajoute, espérant déclencher une foule de révélations. Ces cheveux !

— Ils font sa gloire. Elle les teint chaque année d'une couleur différente. Bleu, rouge, vert. Nous lui avons suggéré de prendre le nom d'Arc-en-ciel !

— Pensez-vous que je pourrais la rencontrer ? je demande, l'air de rien. Prendre rendez-vous avec elle ?

— Bien sûr ! Elle réside au centre New Age. Elle était en déplacement, mais elle a dû revenir. Si vous y allez, un conseiller spirituel vous prendra en charge. Par ici, m'indique-t-il en désignant le rideau de perles, puis vous traversez le salon de lecture. Le centre est tout au bout.

— Très bien. J'irai tout à l'heure. Merci.

Une fois qu'il est parti, je jette un coup d'œil furtif dans le hall. Maman, Minnie et Janice regardent les capteurs de rêve exposés dans une vitrine. Suze parle à une employée de la réception tandis que Danny emboîte le pas à une fille en uniforme blanc, en direction du spa.

Je crois que je vais débarquer au centre New Age pour voir Rebecca tranquillement. En tête à tête. En me levant, j'ai l'impression d'être une boule de nerfs et je m'enjoins de me ressaisir. Je n'ai aucune raison d'être nerveuse. Cette femme fait partie du passé de papa. Et alors ?

Je traverse le rideau dans un tintement harmonieux et me retrouve dans un vaste espace meublé de canapés et de fauteuils, où quelques personnes lisent des journaux ou des magazines. Il y a des palmiers en pots, une immense baie vitrée et un écriteau indiquant la direction du centre New Age. Je suis sur le point de m'y rendre quand une paire de chaussures dépassant d'un large fauteuil en rotin attire mon attention. Des mocassins en daim usés. Je connais ces chaussures ! Je les connais. Tout comme le bras posé sur l'accoudoir, juste un peu plus bronzé que d'habitude.

— Papa ?

Mon cri a jailli de mon gosier avant que je puisse l'arrêter. *Papa ?*

Le bras bronzé se soulève, les chaussures s'animent. Le fauteuil, repoussé en arrière, grince sur le carrelage en terre cuite. Et mon père tout entier se matérialise devant moi. En chair et en os. Mon père disparu !

— *Papa ?* dis-je en me retenant pour ne pas pleurer.

— Becky, ma puce !

Visiblement, il est autant sous le choc que moi.

— Bon sang ! Qu'est-ce que... Qui t'a dit que j'étais ici ?

— Personne. Nous sommes à ta recherche, nous avons suivi ta trace. Tu te rends compte – j'ai du mal à traduire en paroles mes pensées tourbillonnantes –, tu te rends compte, papa, que...

Il ferme les yeux comme s'il n'y croyait pas.

— Becky, je t'avais dit d'arrêter cette poursuite et de rentrer chez toi...

— Nous étions morts d'inquiétude, tu ne comprends pas ? Littéralement morts d'inquiétude.

Toutes sortes d'émotions me traversent. J'ai l'impression d'être un volcan sur le point de cracher sa lave brûlante. Comment savoir si je suis soulagée, heureuse, furieuse, ou si j'ai envie de hurler. Les larmes ruissellent sur mes joues.

— Tu es parti sans prévenir, dis-je, à bout de souffle. Tu nous as *quittés*.

— Becky. Viens ici, ma puce, fait-il en ouvrant grands les bras.

— Non ! C'est trop facile. Tu sais dans quel état est maman ? Maman, je crie. Maaaaaman !

Un moment plus tard, maman, Janice et Minnie font leur apparition, dans un grand bruit de perles de bois.

— GRAHAM ?

La voix de maman a atteint son degré de stridence maximal. On dirait le sifflement d'un train. Nous tressaillons. Nous entendons les fauteuils grincer. Les gens tournent leurs sièges pour ne rien perdre du spectacle.

Ma mère s'approche de mon père. Ses yeux jettent des éclairs de fureur, ses narines sont dilatées.

— Où étais-tu PASSÉ ?

— Jane, je t'ai dit que j'avais une mission à accomplir.

— Une mission ? Je croyais que tu étais MORT !

Elle éclate en sanglots. Mon père l'enlace.

— Jane, mon amour, roucoule-t-il. Ne t'en fais pas.

Maman dresse la tête comme un cobra.

— Tu en as de bonnes, Graham ! Je suis ta FEMME, tu as oublié ?

D'un ample mouvement, elle lui balance une gifle.

Horreur malheur ! C'est la première fois que je vois maman frapper papa. Je suis atterrée. Heureusement, Minnie, qui s'amuse avec le rideau de perles, n'a rien vu.

— Ma puce, lui dis-je en hâte, Grandpa et Grana doivent… euh… se parler.

— Ne t'avise plus jamais de disparaître ! J'ai cru que j'étais devenue veuve, sanglote maman, lovée contre lui.

— C'est vrai, confirme Janice. Jane relisait vos contrats d'assurance-vie.

— *Veuve ?* s'exclame papa avec un rire incrédule.

— Ne te moque pas de moi, Graham Bloomwood ! JE T'INTERDIS DE RIRE !

Si elle lui flanquait un coup de poing dans le nez, je ne serais pas étonnée.

— Allez, mon chou, viens !

J'attrape la main de Minnie et je l'entraîne de l'autre côté du rideau, le cœur battant. Janice me rejoint un instant plus tard. Nous échangeons un regard en secouant la tête.

— C'est quoi ce ramdam ? demande Suze en nous apercevant. Pourquoi ta mère pousse-t-elle les hauts cris ? À nouveau à cause de la prononciation correcte du mot « scone » ?

Un jour, maman nous avait emmenées prendre le thé dans un grand hôtel de Londres ; elle avait eu une prise de bec avec un membre du personnel pour cette raison. Suze s'en souvient encore.

— Pas du tout, je dis, proche du fou rire nerveux. Suze, figure-toi que…

Il me faut deux Arizona Breeze (gin, jus d'airelles, jus de pamplemousse : un *délice*) pour me calmer. Dieu sait le nombre de verres dont maman va avoir besoin. Papa est ici. Nous l'avons trouvé. Après toutes ces recherches, toutes ces angoisses… Et il était là, dans un fauteuil, en train de lire tranquillement le journal. *Au secours !*

Impossible de m'asseoir. Je n'ai envie que d'une chose : retourner dans le salon de lecture pour cuisiner papa, tout apprendre, jusqu'au plus infime détail. Mais Suze m'en empêche.

— Tes parents ont besoin de tranquillité. Laisse-les seuls. Donne-leur du temps. Sois patiente.

Elle me défend même de passer devant eux pour aller au centre dénicher la fameuse Rebecca. Et elle s'est interdit de demander des nouvelles de Tarkie.

Nous sommes tous sur la véranda, installés dans des fauteuils en osier, nous dévissant la tête chaque fois que la porte s'ouvre. Je dis tous, mais Luke est allé consulter ses mails au centre d'affaires. Et nous patientons depuis une bonne demi-heure.

Soudain, les voilà ! On dirait que maman vient de courir un marathon. Mon père est surpris de voir notre petite troupe et sursaute à chaque interpellation ; les « Graham ! », « Vous étiez où ? », « Tout va bien ? » ne manquent pas. Il répond invariablement : « Oui, je vais bien. Je n'avais aucune idée… Bon, maintenant que nous sommes réunis, qui veut quelque chose à boire ? Ou à grignoter ? On va commander. »

Il est très agité, ce qui ne lui ressemble pas du tout.

Dès que nous sommes servis, les bavardages s'arrêtent. Un par un, nous nous tournons vers mon père.

Je suis la première à dégainer.

— Bon, alors pourquoi as-tu disparu ? Quel est donc ce grand secret ?

Suze enchaîne.

— Pourquoi n'avoir rien dit ? Je me suis fait tellement de souci…

— Ma petite Suze, je suis désolée. Je ne pouvais pas imaginer… (Il hésite avant de poursuivre.) J'ai découvert récemment une injustice terrible que j'ai décidé de réparer.

— Mais pourquoi ce secret ? lance Janice, assise à côté de maman. Jane était bouleversée, elle imaginait le pire.

— Je sais, déclare papa en se passant la main sur le visage. J'ai été assez naïf pour penser que, si je vous demandais de ne pas vous inquiéter, vous suivriez mon conseil. Il y a une autre raison pour laquelle je vous ai caché cette affaire. Oh ! je me sens tellement ridicule !

— La Super-Prime, je dis.

Il hoche la tête, sans oser nous regarder.

— C'est le comble, d'être pris en flagrant délit de mensonge à mon âge !

Il a l'air sincèrement malheureux. Quant à moi, j'hésite entre la consternation et la colère.

— Mais, papa, *pourquoi* ? (Je suis incapable de réfréner mon exaspération.) Pourquoi nous avoir raconté que cet argent provenait de tes missions de consulting ? Pourquoi avoir inventé cette fable de Super-Prime ? Tu aurais pu nous dire que Corey te versait cet argent. Ça n'avait aucune espèce d'importance.

— Ma puce, tu ne comprends pas. Peu après ta naissance, j'ai perdu mon boulot. Sans que j'y sois pour quelque chose : une compression de personnel. Mais ta mère… Elle n'a pas bien réagi.

La discrétion typique de papa. Connaissant maman, je traduis : *Elle m'a lancé des assiettes à la figure.*

— J'avais peur, se défend maman. Il y avait de quoi, non ? Nos revenus avaient dégringolé, et il y avait le bébé.

— Oui, c'était une période difficile, acquiesce papa.

— Tu t'en tirais très bien, Jane, intervient Janice

en tapotant la main de maman. Je me rappelle. Tu faisais des merveilles avec quelques bouts de viande hachée.

— Je suis resté plusieurs mois au chômage. Une situation délicate. Et un jour, j'ai reçu une lettre de Corey avec un chèque. Après des débuts tranquilles, l'invention rapportait beaucoup d'argent. Il se souvenait de notre accord en forme de blague et il l'honorait. Cette première fois, il m'a envoyé cinq cents livres. Je n'en croyais pas mes yeux.

— Tu n'as pas idée de ce que représentaient cinq cents livres à cette époque, l'interrompt maman, tournée vers moi. Avec cette somme, tu pouvais acheter… une maison !

— Pas une maison, corrige papa, mais une voiture d'occasion, oui.

— Cet argent nous a sauvés ! s'exclame maman avec des accents de tragédienne. Il t'a sauvé la vie, Becky ! Qui sait si autrement tu ne serais pas morte de faim ?

Suze ouvre la bouche prête à protester, à dire un truc du genre : « Il y avait sûrement un système d'aide sociale », mais je lui fais signe de la boucler. Maman, à fond dans son rôle, n'a pas envie d'entendre parler d'aide sociale.

— C'est là que j'ai commis une grosse erreur…

Papa se permet une longue pause. Nous sommes suspendus à ses lèvres.

— C'était de l'orgueil. Je voulais que ta mère soit fière de moi, Becky. Nous étions jeunes mariés, parents de fraîche date, et j'avais perdu mon travail. Alors… j'ai menti. Je me suis inventé un boulot et un salaire. Quelle bêtise, vraiment !

— Jane, je me souviens quand tu es venue me

prévenir en courant, dit Janice, dont le visage s'éclaire. J'étendais ma lessive. Tu as déboulé en criant : « Devine ce que mon génial mari vient de m'annoncer ! Nous sommes tellement soulagés ! » Vous n'imaginez pas la pression qu'elle avait subie, avec l'arrivée du bébé et les factures qui s'accumulaient…

Après cette envolée, elle se penche pour tapoter gentiment le bras de papa.

— Pas la peine de culpabiliser, Graham. Tout le monde aurait raconté un bobard dans ces circonstances !

— Non, c'était lamentable, soupire papa. Je voulais être le sauveur.

— Mais tu l'étais. Cet argent est arrivé grâce à toi, Graham. Peu importent les conditions.

Papa reprend son récit.

— Je lui ai écrit : « Corey, vieille branche, tu as sauvé mon couple. » Il m'a répondu : « Tu sais, je pourrai faire pareil l'an prochain ! » Tout a commencé comme ça.

Il boit une gorgée, puis il nous couve des yeux, maman et moi.

— Chaque année, je me disais que j'allais vous avouer la vérité. Mais vous étiez si fières de moi. C'était devenu une telle tradition de dépenser ensemble la Super-Prime.

Maman tripote ses perles. Et je me souviens de toutes ces années. Des merveilleux déjeuners censés fêter la prime de papa. Des cadeaux qu'il nous offrait. De notre joie et de notre gratitude. Pas étonnant qu'il ait continué ! Je le comprends à cent pour cent.

Je comprends aussi sa réaction horrifiée quand il a appris que Brent avait été expulsé de son mobile home, alors que lui-même menait une vie prospère : De là à disparaître pendant des jours en faisant tant de mystères !

— Bon, mettons les choses à plat, papa. Tu espérais pouvoir aller à Las Vegas, voir Corey, arranger le problème de Brent et revenir sans que personne n'exige de détails ?

— En résumé, c'est à peu près ça, acquiesce-t-il après quelques secondes de réflexion.

— Tu pensais qu'on t'attendrait patiemment sans bouger ?

— Oui.

— Alors que nous étions persuadées que Bryce vous avait kidnappés, Tarkie et toi, pour vous manipuler.

— Ah…

— Tu pensais qu'à ton retour maman dirait « Tu as fait bon voyage, chéri ? », que tu répondrais « Oui » et que le sujet serait clos ?

— Hum ! Je n'ai pas vu aussi loin.

Les hommes !

— Pour finir, qu'est-il advenu de Brent ?

Luke vient de se joindre à nous. Il ajoute avec un sourire en serrant la main de mon père :

— Content de vous voir, Graham ! Et de vous retrouver sain et sauf.

— Brent ? Il est dans le pétrin. J'ai tout essayé. J'ai fait appel à Corey, j'ai fait appel à Raymond. Mais il y a eu des différends entre eux, vous savez.

Toute cette histoire m'exaspère.

— Cela n'a pas de sens ! Pourquoi Corey t'envoie-t-il de l'argent chaque année alors qu'il a complètement arnaqué Brent ? Il lui en veut pour quelle raison ?

— C'est une histoire qui remonte au voyage, dit-il en regardant maman bizarrement. À cause de…

— *Cherchez la femme*, décrète maman en levant les yeux au ciel. Je le savais ! N'ai-je pas dit et répété « Tout ce ramdam c'est à cause d'une femme » ?

— Oui, tu l'as dit, mon chou ! confirme la loyale Janice. Alors, qui est cette femme ?

— Rebecca, déclare papa avec ce qui semble être du soulagement.

Silence de mort. Nous retenons tous notre respiration.

— Graham, dit Luke de son ton calme que j'admire tant, Graham, pourquoi ne pas nous expliquer qui est cette Rebecca ?

J'ai appris pas mal de choses durant ce voyage. J'ai appris que l'on ne pouvait pas danser convenablement le quadrille en tongs. J'ai appris que je n'aimais pas les flocons de maïs (j'en ai commandé à Wilderness. Minnie aussi trouve ça « beurk »). Et j'apprends maintenant que, quand votre père vous déballe une ancienne histoire d'amour à trois hyper-compliquée, il vaut mieux prendre des notes. Ou lui demander de faire une présentation PowerPoint avec impression du document.

Bien que totalement désorientée, je vais essayer de résumer les faits à ma façon pour clarifier les choses, en laissant tomber les couchers de soleil, la fournaise des journées et tout le baratin poétique dont mon père agrémente son récit.

Si je peux comprendre les histoires de serial killers que je regarde sur DVD, je peux sûrement suivre cette histoire. Il suffit de la considérer comme un feuilleton. Avec des épisodes. Oui ! Bonne idée !

Épisode 1 : Pendant leur randonnée en voiture, papa, Corey, Brent et Raymond rencontrent dans un bar une fille superbe qui s'appelle Rebecca Miades. Corey en tombe amoureux mais elle lui préfère Brent.

(Jusque-là, tout est limpide.)

Épisode 2 : Corey n'oublie jamais Rebecca. (J'anticipe rapidement : il nomme même sa première fille Rebecca. Sa première femme l'apprend, pense qu'il est obsédé par cette nana et le quitte.) Quand Brent et Rebecca se séparent, Corey essaie de reconquérir Rebecca. Elle le fait marcher un moment et, pour finir, retourne dans les bras de Brent.

(À ce stade, je comprends toujours.)

Épisode 3 : Au cours des années, les relations entre Brent et Rebecca oscillent entre le beau fixe et la rupture. Ils ont une fille qui s'appelle également Rebecca.

(Je l'ai rencontrée ! C'est la fille qui était sur les marches du mobile home et qui m'avait traitée de « princesse de mes fesses ». Je pige maintenant la raison de son hostilité, ce qui n'excuse pas le commentaire (« avec votre petite voix branchée ! ») que cette teigne m'a balancé.

Épisode 4 : Papa savait que Rebecca avait fait marcher Corey. Sa réticence à me baptiser Rebecca tient au fait qu'il ne la trouvait « pas claire ».

Épisode 5 : Entre-temps, ils se sont tous perdus de vue car Facebook n'existait pas, que les coups de téléphone coûtaient une fortune, etc.

(On se sent désolé pour la vieille génération. Comment se débrouiller quand on ne dispose que de cabines téléphoniques, de télégrammes et de courrier par avion ?)

Épisode 6 : Corey commence à gagner beaucoup d'argent. Papa reçoit son premier chèque et suppose que Brent profite de cette manne également. Il ne se doute pas que Corey a truandé Brent par dépit amoureux et jalousie.

(Encore une fois, si seulement ils avaient eu Facebook. Ou même s'ils s'étaient passé un coup de fil…)

Épisode 7 : Des années plus tard, papa découvre que Brent n'a pas un rond. Le choc est si grand qu'il saute dans un avion, direction les États-Unis, et se précipite chez lui. Mais l'entretien se passe mal et Brent disparaît. Papa engage Tarquin et Bryce et, tels les Trois Mousquetaires, ils essaient d'obtenir un rendez-vous avec Corey. Ce dernier refuse de leur parler au téléphone et de les rencontrer.

(Ce qui me le fait détester encore plus. Comment quelqu'un peut-il éconduire mon père ?)

Épisode 8, le dernier de la saison : Aujourd'hui, Brent n'a plus de toit mais Corey s'en fiche. Raymond se planque dans son ranch. Personne ne sait où se trouve Brent et…

— Minute, je m'écrie soudain. Rebecca !

Il faut que je sois drôlement tourneboulée pour avoir oublié Rebecca.

L'excitation me fait cracher les mots en rafale :

— Papa, tu sais qu'elle travaille ici ? Rebecca qui n'est *pas* la raison pour laquelle je m'appelle Rebecca est dans cet hôtel. Ici même. Oui, ici !

— Je sais, ma puce. D'où ma présence à Sedona.

— Bien sûr, qu'est-ce que je suis bête !

— Elle s'est absentée mais elle doit rentrer aujourd'hui. C'est pour ça que je me trouve dans ce salon, je l'attends.

— Je vois !

J'ai vraiment besoin du document imprimé.

— Y a-t-il un espoir de retrouver Brent ? s'enquiert Luke au moment où le serveur apporte une autre tournée de boissons. Quelle est votre stratégie ?

— J'ai d'abord cru que Corey se serait adouci avec l'âge, répond tristement papa. Je me trompais. J'ai mis un avocat sur l'affaire. Mais c'est difficile, sans Brent. Tout s'est passé il y a tellement longtemps… Il n'y a aucune preuve écrite, et il me semblait que Rebecca pourrait m'aider… Mais je ne sais pas si nous allons aboutir.

— Et Tarkie dans tout ça ?

La pauvre Suze a attendu tout ce temps avant de poser la question. Elle se tord nerveusement les mains, assise sur le bord de son siège.

— Il va bien ? reprend-elle. Ça fait un moment que je n'ai pas eu de ses nouvelles.

— Ne t'inquiète pas, ma petite Suze. Tarquin est très occupé en ce moment. Il est resté à Las Vegas pour en apprendre davantage sur le compte de Corey. Sans me dire comment il allait s'y prendre. Ton mari est un homme plein de ressources.

Ce qui ne semble pas apaiser Suze.

— Très bien. Bon, Graham, dites-moi, est-ce que, à un moment ou à un autre, il aurait mentionné un… arbre ?

— Un *arbre* ? s'étonne papa.

— Aucune importance, dit Suze.

Elle attrape un morceau de pain qu'elle déchiquette machinalement.

— J'ose espérer que Brent apprécie ce que tu fais pour lui… Après tout ce que nous avons subi.

Là, c'est maman qui intervient, les joues rouges d'énervement.

— Je ne pense pas, réplique papa d'un air badin. J'aimerais que tu le rencontres. C'est un vieil obstiné qui peut être son pire ennemi, mais il possède une certaine sagesse. Sa phrase favorite était : dans la vie, on a le choix entre VP ou GP. Je m'en suis toujours souvenu.

— Traduction, Graham, s'il te plaît, implore Janice.

— On peut vivre petit ou gagner plus.

— Excellent ! Je vais le noter, se réjouit Janice.

Je regarde papa avec stupéfaction : « VP ou GP », ça vient de Brent ?

— Mais c'est la devise de Becky ! s'écrie Suze, également étonnée. Il s'agit pour ainsi dire de son évangile.

— Papa, je croyais que c'était de toi, dis-je d'un

293

ton accusateur. J'ai toujours précisé : « Comme l'affirme mon père », en citant cette formule.

— C'est vrai que je l'utilise, sourit-il. Mais je l'ai empruntée à Brent. En fait, il m'a beaucoup appris.

— Par exemple ?

— Plein de trucs ; je ne sais plus.

Mon père se cale contre le dossier de son fauteuil et, son verre à la main, regarde dans le vague.

— Brent était un genre de philosophe, qui savait aussi écouter. À cette époque, j'avais des doutes quant à mon orientation professionnelle. Il m'a aidé à prendre du recul. Sa deuxième phrase fétiche était : « L'autre a souvent raison. » Il la sortait en particulier quand Raymond et Corey se querellaient, ce qui arrivait généralement après quelques bières. (Il sourit à ce souvenir.) Ils se disputaient comme des chiffonniers et lui, allongé par terre, les pieds sur une pierre, cigarette à la main, leur disait : « L'autre a souvent raison. Écoutez-le. » Ça les rendait dingues.

Il marque un arrêt, perdu dans ses pensées.

OK. Quand, à Noël prochain, papa nous racontera son voyage, je boirai chacune de ses paroles. Promis juré !

Je me risque à demander :

— S'il était tellement avisé, comment expliques-tu que Brent s'en soit si mal sorti ?

Une ombre de mélancolie passe sur son visage.

— Pas si facile quand il s'agit de sa propre vie. Il savait qu'il buvait trop, à l'époque aussi, même s'il le cachait. Je voulais le mettre en garde mais… nous étions jeunes. Et puis, qu'est-ce que je savais de l'alcoolisme ? Quel dommage ! conclut-il, l'air démoralisé.

Nous restons un moment silencieux. Cette histoire est tellement triste. Comme mon père, je brûle d'une juste indignation. J'ai envie de rétablir Brent dans ses droits et de faire rendre gorge à l'infâme Corey.

— La suite des événements est indécise, poursuit papa. Si je n'ai pas accès à Corey…

— Incroyable qu'il ne veuille pas te voir. Toi, son vieil ami.

— Il a construit une forteresse autour de lui, dit papa en haussant les épaules. Des portes, des gardes, des chiens…

— On nous a laissés entrer parce que c'était l'anniversaire de leur fille et qu'on nous a pris pour des invités.

— Bravo ! Je n'ai même pas réussi à l'avoir au téléphone.

— Nous avons vu sa nouvelle femme. Elle a l'air assez cool.

— D'après ce qu'on m'a dit, elle est très gentille. Je me suis imaginé que je pourrais passer par elle. Mais Corey la surveille. Il veut tout le temps savoir où elle est, il lit son courrier… J'ai essayé de la rencontrer, mais elle m'a renvoyé un mail de refus, en me priant de ne plus la contacter. Mail à mon avis rédigé par Corey.

— Je suis désolée, papa !

— Il y a pire : j'ai essayé de les intercepter alors qu'ils sortaient de leur propriété en voiture. J'ai crié, agité les bras… En vain.

Ce Corey est un vrai salaud ! Comment ose-t-il traiter mon père de la sorte ?

— Si seulement Brent se rendait compte de tout

ce que tu fais dans son intérêt ! Tu crois qu'il en a une vague idée ?

— Ça m'étonnerait. Il sait que je suis désireux de l'aider. Mais il ne m'imagine certainement pas engagé dans une telle aventure.

Un bruit de perles entrechoquées l'interrompt. Il cille plusieurs fois, avec un drôle d'air. Je me retourne et me fige.

Ce n'est pas possible !

Ça y est, le feuilleton continue. Une nouvelle saison démarre.

Saison 2, Épisode 1 : Quarante-cinq ans plus tard, dans un hôtel de Sedona, en Arizona, Graham Bloomwood et Rebecca Miades se retrouvent face à face.

Elle se tient devant le rideau de perles, enroulant autour de son doigt une longue mèche de cheveux teints en rouge. Ses yeux verts sont noyés sous des tonnes d'ombre à paupières ambre et un excès de khôl. Elle arbore une longue jupe flottante bordeaux et un top assorti très décolleté. Ses ongles sont vernis de noir, et un tatouage au henné grimpe le long de son bras. Elle dévisage papa et, sans dire un mot, sourit en le reconnaissant. Ses yeux se plissent comme ceux d'un chat.

— Mon Dieu ! s'exclame finalement papa d'une voix éteinte. Rebecca !

— Bon Dieu ! entend-on quelqu'un s'écrier derrière elle d'une voix éraillée. La princesse de mes fesses !

De : dsmeath@locostinternet.com
À : Brandon, Rebecca
Objet : Re : un service GIGANTESQUE

Chère Madame Brandon,

Votre mail, qui m'est parvenu il y a une heure, m'a alerté par son ton d'urgence. Je ne comprends pas bien en quoi, « des vies peuvent être en jeu », dans ce que vous m'exposez mais je perçois votre angoisse. Et je me souviens effectivement vous avoir « proposé mon aide », ainsi que vous le rappelez.

J'ai donc quitté immédiatement mon domicile avec un petit en-cas et mon Thermos et me trouve en ce moment même dans une station-service de l'A 27, d'où je vous écris.

J'espère atteindre ma destination sans trop tarder et vous tiendrai au courant des prochains développements.

Bien à vous !

Derek Smeath

14

Bon, pour commencer, il y a beaucoup trop de Rebecca à cette réunion.

Moi, Becky.

Rebecca.

Et Becca, la fille de Brent et Rebecca. Celle que j'ai rencontrée dans le parc de mobile homes à Los Angeles. Et qui vient de nouveau de me traiter de « princesse de mes fesses ».

Une demi-heure s'est écoulée. Papa a commandé une nouvelle tournée de rafraîchissements et de petits trucs à grignoter, (plutôt pour nous occuper qu'autre chose), et nous essayons de lier connaissance avec les deux nouvelles venues. Le climat est loin d'être détendu. Maman jette des regards soupçonneux à Rebecca, ou plus exactement à sa tenue. Maman a des principes très stricts quant au code vestimentaire des femmes d'un certain âge. Et celui-ci exclut aussi bien décolleté profond que tatouage au henné, et *piercing* dans le nez (un anneau si minuscule que je viens à peine de le remarquer).

Becca est assise à côté de moi, en jean coupé. Je respire les puissants effluves d'adoucissant qui émanent de son tee-shirt. Elle est avachie sur son siège, les jambes écartées, dépourvue de la grâce de sa mère, qui ressemble à une sorcière élégante à cheval sur son balai.

Becca, qui est en route pour Santa Fe, où elle travaille dans un hôtel, s'est arrêtée à Sedona pour la nuit. Quand je lui demande des nouvelles de Scooter, le petit jack russell qui était avec elle dans le parc de mobile homes, elle me répond qu'elle a été obligée de le donner, ses nouveaux employeurs n'acceptant pas les animaux. Elle me crache ça avec agressivité, comme si c'était ma faute.

J'ai du mal à comprendre son hostilité. Les deux Rebecca, mère et fille, devraient applaudir papa pour son action en faveur de Brent. Voire y participer. Au lieu de quoi Becca, sur la défensive, ne répond à chaque question que par monosyllabes. Elle ignore où se trouve son père. Selon elle, il la contactera quand il le jugera bon. Elle ne voit pas comment papa peut réparer l'injustice dont Brent a été victime. Elle n'en a pas la moindre idée, et elle n'a pas envie de se casser la tête pour ça.

Pendant ce temps, Rebecca mère nous décrit les bienfaits de son étonnant parcours de purification spirituelle. Quand papa remet la conversation sur Brent, elle lui parle du shaman dont ils avaient fait connaissance dans une réserve indienne.

Papa finit par exploser.

— Écoute, Rebecca, j'ai besoin de ton aide. J'essaie de réparer les torts infligés à Brent, que justice soit faite.

Elle se contente de répondre avec son mystérieux sourire :

— Oh, Graham ! Tu es tellement bon ! Tu l'as toujours été. Tu débordes de bonté.

— *La justice* ! marmonne Becca, l'œil mauvais.

Elle a le don de me mettre en rogne, celle-là !

— C'est quoi ton problème ? je rugis. Pourquoi tu es tellement négative ? On est là pour aider ton père.

— C'est un peu tard, crache-t-elle. Vous étiez où, en 2002 ?

— Quoi ?

— Mon père a appelé Corey à l'aide en 2002, parce qu'il était vraiment au bout du rouleau. Il a enfilé un costume et s'est propulsé à Las Vegas. La présence de ton père n'aurait pas été du luxe.

— Mais papa était en Angleterre. Il ne savait pas.

— Bien sûr que si. Papa lui a écrit.

Ça suffit !! J'interromps mon père, en grande conversation avec Rebecca :

— Tu savais que Brent avait demandé à Corey de l'aider en 2002 ?

— Non. Première nouvelle.

— Tu n'as jamais reçu de lettre ? Becca pense que tu as reçu une lettre de Brent.

— Certainement pas, s'énerve papa. Tu crois que je n'aurais pas réagi si j'avais appris ce qui se passait ?

Cette réponse prend Becca au dépourvu.

— Eh bien, Corey a dit à mon père que vous saviez. Il a dit que vous étiez au courant et qu'à votre avis, c'était… Il a dit que…

Elle s'arrête. C'est frustrant. Je me demande quelles horreurs a proférées Corey.

— Corey a pu mentir, explique papa gentiment.

Voilà. Tout prend forme. Corey a raconté des craques sur mon père, du coup, Becca nous hait.

— Tu as compris ? Mon père n'a jamais tenu les propos abominables que Corey lui a prêtés.

Alors pas besoin d'être si teigneuse, je poursuis

silencieusement. *Pas besoin de crier : « Tire-toi, princesse de mes fesses ! »*

Je m'attends à ce que Becca s'exclame : « *Mon Dieu ! Je comprends, maintenant. Je me suis trompée sur votre compte. Je vous demande pardon.* » Mais elle hausse les épaules en fixant son portable et grommelle :

— De toute façon, vous pouvez toujours courir pour obtenir quelque chose de Corey !

C'est fou ce que les gens sont décevants dans la réalité. Dans une série, elle se serait mieux comportée. Autant dire que je suis plutôt contente de la voir quitter la pièce.

— Adios, princesse de mes fesses ! lance-t-elle en mettant son sac sur l'épaule.

J'ai envie de rétorquer : « Salut, espèce de pouffe mal élevée ! » mais je souris et me borne à dire : « On garde le contact », en ajoutant à part moi : Dans tes rêves, pauvre cloche !

Une fois Becca et sa mère parties, l'atmosphère s'allège un peu. Suze va dans sa chambre pour appeler ses enfants. Maman se demande tout haut si elle va commander un autre petit quelque chose ou si elle ne va pas se réserver pour le dîner, et Janice lit à notre intention une brochure sur les guides spirituels.

Surprise ! Rebecca réapparaît soudain, les yeux brillants.

— Ça va t'amuser de jeter un œil là-dessus, dit-elle en tendant à papa une vieille photo en noir et blanc un peu passée.

— Montre-moi, fait papa en ajustant ses lunettes.

Il contemple longuement le cliché avant de le poser sur la table. Je me penche pour regarder : toute la bande du voyage est là, immortalisée sur fond de désert.

Papa n'a pas tellement changé. Corey n'a rien à voir avec le type à la bobine archi-liftée que nous avons vu à Las Vegas. Raymond est plus ou moins le même, bien qu'avec sa longue barbe grise actuelle il soit difficile de juger. La personne qui attire surtout mon attention, c'est Brent. Je scrute son visage pour essayer de me faire une idée de l'homme qui occupe nos pensées.

Il a un visage large, surmonté d'un grand front rectangulaire. Même en photo, il a l'air têtu. Tout en dégageant une impression de gentillesse et de sagesse, comme a dit mon père. Mon regard passe à Rebecca. Là, je cligne deux fois des yeux. Une vraie bombe ! Elle est assise un peu à l'écart, la tête renversée en arrière, ses cheveux cascadant sur son dos, ses seins jaillissant presque du décolleté de sa robe western. Je vois pourquoi Corey est tombé amoureux d'elle. Pourquoi Brent a succombé à ses charmes. Qui n'aurait pas craqué ?

Raymond et papa ont-ils eux aussi été séduits ?

Cette idée me donne un petit coup au cœur.

— Fais voir ! s'écrie maman en s'emparant de la photo.

La bouche pincée, elle étudie de près Rebecca. Et son expression ne change pas quand elle pose son regard sur la Rebecca d'aujourd'hui.

— J'ai pris la liberté de vous réserver une séance de massage à tous, demain, annonce cette dernière de sa voix ensorceleuse. Ensuite, l'hôtel peut vous organiser un pique-nique. Vous devez absolument aller admirer les genévriers.

— Ce n'est pas un voyage d'agrément, objecte papa. Oublions les massages.

— Vous pouvez quand même vous offrir quelques

jours de détente, répond-elle avec son sourire félin. Pas besoin de vous épuiser.

— Hélas, non. Nous n'avons pas de temps à perdre.

— Tu es à Sedona, Graham. La capitale de la relaxation. Profites-en puisque tu es ici.

— Je te le répète : non. Brent est notre priorité, la victime à aider.

— La *victime* ! murmure Rebecca en levant les yeux au ciel.

Elle parle si bas que je ne suis pas certaine d'avoir bien compris. Papa, en revanche, a entendu.

— Rebecca ? Qu'est-ce que ça signifie ?

— J'en ai assez de me taire. Vous croyez bien faire, tous autant que vous êtes ? Eh bien moi, je vous dis que c'est n'importe quoi.

— Nous voulons réparer l'injustice dont a été victime un vieil ami de papa, je dis, énervée.

Elle me fixe avec colère.

— Réparer l'injustice ? Mais vous êtes complètement à côté de vos pompes ! Si Brent s'est fait escroquer, c'est sa faute à lui. Tout le monde savait que Corey était un menteur. Si Brent n'avait pas tant bu, il aurait pu éviter cette situation.

— Tu es cruelle, se récrie papa, choqué.

— C'est la vérité. Brent est un loser. Depuis toujours. Vous voulez l'aider ? (Elle semble hors d'elle.) Pourquoi devrait-on l'aider ?

Nous échangeons des regards choqués. Apparemment, l'histoire d'amour de Brent et Rebecca n'a pas connu une fin heureuse.

Je m'insurge.

— C'est quand même le père de votre fille, et il est très probablement à la rue.

— Je m'en moque. Cet imbécile n'a à s'en prendre qu'à lui-même.

La transformation est radicale. En dix secondes, toute sa douceur sirupeuse a disparu, et avec elle son vernis de séduction. Tout à coup, elle a l'air vieille et amère, avec des plis aux coins de la bouche. J'ai envie de lui glisser à l'oreille : « La méchanceté, ça enlaidit, vous savez. »

Papa la dévisage longuement. Je me demande si elle était comme ça dans le temps. Elle était peut-être pire.

En tout cas, maman n'a pas à se faire de souci, j'en suis persuadée.

Papa se décide enfin à lui répondre, d'un ton amène.

— Nous agissons comme bon nous semble. Libre à toi de penser ce que tu veux. Ravi de t'avoir revue, Rebecca.

Il se lève et attend. Au bout d'un moment, elle l'imite et ramasse son sac en cuir à pompons.

— De toute façon, tu n'arriveras à rien, siffle-t-elle. Becca a raison : tu peux toujours courir.

Sur ce, elle se hâte vers la porte.

Je bous d'indignation. Cette femme est une sorcière. Je sors mes griffes.

— Une seconde, Rebecca ! Vous croyez que je m'appelle Rebecca à cause de vous ? Comme Becca et comme la fille de Corey ?

Sans répondre, elle se contente de secouer sa longue chevelure avec un petit sourire satisfait à l'intention de papa. Elle croit certainement que les hommes l'adorent tellement qu'ils ont donné son prénom à leur fille.

— J'ai compris ! C'est ce que votre fille croyait, la première fois que je lui ai parlé. Vous l'avez cru aussi. Eh bien, vous avez tout faux, Je m'appelle Rebecca à cause du livre.

— Exactement, insiste maman. À cause du *livre*.

— Et information encore plus intéressante, j'ajoute d'un ton cinglant, papa ne voulait pas qu'on m'appelle Rebecca. Il aurait préféré n'importe quel autre prénom. Je me demande pourquoi. Pas vous ?

Rebecca reste sans voix. Deux petites taches rouges apparaissent sur ses joues. Ha ! Très bien.

Quand le rideau de perles se referme derrière elle, nous respirons.

— Eh bien ! explose maman, si je…

— Allons, dit papa en secouant la tête.

— Elle me rappelle cette Angela qui venait à la tombola de l'église, commente Janice. Tu te souviens d'elle, Jane ? Avec plein de bracelets et une Honda bleue ?

Impayable Janice ! Il n'y a qu'elle pour parler de la tombola de la paroisse à un moment pareil. Je sens le fou rire me gagner, suivi d'un genre de reniflement. Puis j'éclate d'un vrai grand rire. Ça ne m'était pas arrivé depuis bien longtemps.

Papa a le sourire, et même maman semble s'amuser. Je regarde Luke : il rit aussi. Quant à Minnie, elle ne veut pas être en reste.

— Trop drôle, annonce-t-elle en se tenant le ventre. La daaame, elle est drôle !

— Tu l'as dit, Minnie, approuve Janice.

Et nos rires redoublent. Quand Suze vient nous retrouver, nous hoquetons encore. Elle nous considère avec étonnement.

— Pardon, Suze ! je dis en me mouchant. Je t'expliquerai. Ça roule, à la maison ?

— Tout va bien. Il fait si beau que je me disais… On devrait profiter de cette fin d'après-midi. Une petite balade, ça te dit ?

15

Sedona est un lieu parfait pour se promener. Les hautes roches rouges qui le dominent évoquent un décor de film. Nous ne cessons de lever le nez pour nous assurer de leur présence. Quand nous arrivons devant les boutiques chic et les galeries, mes parents se tiennent le bras de manière touchante. Minnie trottine entre Suze et Janice, qui lui détaillent les vitrines. Luke tape un mail sur son portable. Quant à moi, j'avance seule, dans une sorte de transe. J'écume toujours de rage en pensant à Rebecca (et à sa fille). Plus on me prédit que je vais échouer, plus j'ai envie de prouver le contraire. Nous allons réparer cette injustice. Oh oui ! Elle va voir.

Des idées germent dans ma tête, des réflexions, des ébauches de plan... Je prends un stylo et un carnet dans mon sac pour mettre tout ça noir sur blanc. On y arrivera. D'une manière ou d'une autre.

— Qu'est-ce que tu fabriques, mon chou ? demande maman.

J'arrête de griffonner.

— J'ai peut-être un plan pour coincer Corey. Un début de plan..., je dis, les yeux sur ma feuille.

Nous nous réunirons dans la soirée. D'ici là, j'espère que ce vague projet aura pris forme.

— Bravo, ma chérie !

— Pour le moment, j'en suis au virtuel. Il faut que j'affine tout ça.

— Oh, regardez ! s'écrie Suze.

Nous nous arrêtons devant une boutique à l'enseigne de « Prime à l'imprimé ». La vitrine regorge de cahiers, classeurs, boîtes de rangement et coussins, tous décorés au pochoir d'arbres, d'oiseaux, de feuilles ou de fleurs.

— C'est ravissant ! dit maman. Becky, tu as vu ces mignonnes petites valises ? Allez, on entre !

Luke reste dehors pour finir son mail. Il prétend que c'est super-urgent, mais qu'autrement il aurait été enchanté de venir admirer des cadres ornés de cactus. (Quel menteur !). À notre entrée, une femme en robe à motifs de plumes se lève pour nous accueillir en souriant.

— Bienvenue !

— C'est vous qui avez fait tous ces dessins ? demande Suze. Je les adore.

Elle mitraille la femme de questions sur la pratique du pochoir. Suze a un tempérament d'artiste. Je la verrais bien dans un magasin comme celui-là. En fait, elle devrait peut-être faire ça à Letherby Hall : créer toute une collection d'impressions exclusives. Ce serait fantastique. Je vais garder cette idée en tête pour lui en parler plus tard. Pour le moment, je tombe en arrêt devant un présentoir de crayons comme je n'en ai jamais vu.

Un peu plus épais que les crayons ordinaires, ils sont couverts de motifs imprimés, et leur bois aussi est coloré. Ainsi, il y a des crayons à motifs orange et bois lavande ou à motifs turquoise et bois rouge vif. C'est étonnant. Et en plus, ils sont parfumés. J'en approche un de mon nez et je respire une merveilleuse odeur de santal. Divin.

— Tu en achètes un, Becky ? s'enquiert maman.

Elle tient dans ses bras trois grandes boîtes ornées d'arbres et Janice a en main une dizaine de serviettes à thé décorées de citrouilles.

— Non, je ne crois, pas je réponds automatiquement en reposant le crayon. Mais ils sont très jolis.

— Ils ne coûtent que deux dollars quarante-neuf, précise maman en soulevant un crayon vert et ambre. Tu devrais en prendre un.

— Et toi, qu'est-ce que tu achètes ?

— Je réorganise ma vie, m'informe fièrement maman. Un grand changement. Lettres, garanties, mails imprimés. Cette paperasserie me tue ! J'en ai partout dans la cuisine.

— Pourquoi tu imprimes tes mails ?

— Je n'arrive pas à bien les lire sur écran. Je me demande comment tu fais. Et Luke qui travaille sur son minuscule portable ! Comment y arrive-t-il ?

— Tu peux agrandir les caractères, dis-je.

Maman me dévisage comme si j'avais annoncé qu'il était possible de se rendre sur Mars.

— Je m'offre une série de boîtes pour tout archiver. Ce sera beaucoup plus simple, déclare-t-elle en les tapotant avec affection.

Parfait, je sais ce que je vais lui offrir pour son anniversaire : une journée de cours d'informatique.

— Et toi, qu'est-ce que tu achètes ? Un crayon ? Ils sont ravissants.

— Rien, je dis en souriant. Allez, va payer tes achats.

— Bex a arrêté le shopping, intervient Suze, qui nous a rejointes. Même si ce magasin est très abordable.

Elle donne la main à Minnie. Toutes deux ont dans les bras ce qui ressemble à des tabliers ornés de lapins.

— Comment ça ?

— J'ai voulu lui offrir une paire de bottes de cowboy mais elle a refusé, explique Suze.

— Je n'en avais pas besoin.

— Mais tu as forcément besoin d'un crayon, objecte maman. Pour rédiger ton plan.

— Non, non ! Allez, on s'en va.

— Ils ne sont pas chers, observe Suze. Et ils sentent si bon.

Je contemple de nouveau les crayons, me sentant tourmentée et malheureuse. En effet, ils sont superbes. Et tout à fait dans mes prix. Mais j'ai comme un blocage. L'horrible petite voix de la raison se fait encore entendre.

— Si on allait explorer le reste de la ville ? je propose, pour changer d'air.

Maman me lance un regard soucieux.

— Becky, ma puce. Ça ne te ressemble pas. Qu'est-ce qui t'arrive ? Des ennuis ?

La voix affectueuse de ma mère, cette voix que j'entends depuis ma naissance, a un effet sur moi. Elle perce mes défenses et s'insinue au plus profond de mon cœur. Je ne peux que l'écouter. Et accepter ce qu'elle dit.

— Je... euh... je suis responsable de ce qui s'est passé à L.A. J'ai fichu le bazar, et c'est à cause de moi qu'on a dû se lancer dans ce voyage. Tout est ma faute… Donc… Disons que je ne mérite pas… Enfin peu importe. Tout va bien. Je suis censée arrêter de faire des achats compulsifs. Voilà.

J'ai livré cette confession les yeux rivés au sol.

— Mais pas de cette façon ! s'insurge maman. Pas en te punissant toi-même ! Quelle idée ridicule. *Tu ne mérites pas un crayon !* C'est ce qu'ils t'ont mis dans le crâne, dans ce centre ?

— Pas exactement.

À vrai dire, à La Paix d'or, on m'a appris à « faire des achats réfléchis », à « dépenser à bon escient », le but étant de trouver un juste équilibre. Le hic, c'est que je ne suis peut-être pas faite pour le juste équilibre.

Maman cherche des yeux le soutien de papa et de Suze.

— Je me fiche de ce qui s'est passé à Los Angeles, décrète-t-elle. Ce que je vois en face de moi, c'est une jeune femme qui a tout laissé tomber pour venir en aide à son amie. Qui a réussi à trouver l'adresse de Corey. Qui a trouvé le moyen d'approcher Raymond. Et quoi d'autre encore ?

— Qui a percé Alicia à jour, complète Suze.

— Exactement ! fait maman. Tu as été sensationnelle, Becky. Tu n'as pas à culpabiliser.

— Becky, pourquoi penses-tu que cette expédition a lieu à cause de toi ? intervient papa.

— Eh bien, si j'étais allée voir Brent sans traîner, il n'aurait pas été expulsé, il n'aurait pas disparu de la circulation…

— Becky, dit mon père en posant ses mains sur mes épaules et me regardant avec son regard avisé.

Tu n'as aucune raison de te sentir fautive. Ce n'est pas à cause de ça que Brent s'est volatilisé. En fait, il n'avait pas besoin de partir. J'avais réglé ses arriérés et le loyer de son mobile home pour l'année à venir.

Première nouvelle !

Très vite, la surprise fait place à l'admiration. Mon père s'est montré à la hauteur, comme d'habitude.

— Mais sa fille a prétendu que…

— Elle n'était sans doute pas au courant. Ce sont des affaires compliquées, Becky. Personne n'est à blâmer, et toi moins que quiconque.

Je lâche un profond soupir. Je ne sais pas quoi dire. Une chose est sûre pourtant : le poids qui alourdissait mon cœur est en train de s'alléger.

Papa reprend.

— À la lumière de ces précisions, je te demande donc d'accepter que je t'offre un crayon. Tu le mérites à plus d'un titre.

— Non, non ! s'interpose maman. Ce qui est primordial, c'est Becky. Ce qu'elle ressent au fond d'elle-même.

Nous profitons de la pause qu'elle observe pour échanger des regards incertains.

Très vite, maman poursuit :

— Je refuse d'avoir élevé une fille qui répugne à s'acheter un crayon dans un réflexe d'autopunition. Becky, ma puce, refuser le shopping pour de bonnes raisons et le refuser pour de mauvaises raisons sont deux choses différentes. Personne ne souhaite que tu succombes à tes anciens démons, que tu caches de nouveau tes reçus de carte Visa sous ton matelas. Désolée, ma puce, ça m'a échappé.

— Ne t'en fais pas, je réponds en piquant un fard. Tout le monde le sait, nous sommes entre amis.

Je croise le regard d'une femme qui a de toute évidence entendu notre échange. Elle file sans demander son reste.

— Mais tu t'y prends mal, pour suivre tes bonnes résolutions, reprend maman. Tu es à découvert ?

— En fait, non. J'ai été payée pour mon travail de styliste à L.A. Je n'ai pas de problème d'argent.

— Tu as envie d'un crayon ?

— Hum… (Je déglutis avec peine…) Oui. Sans doute. Peut-être.

— À toi de décider, ma puce. Tes choix t'appartiennent. Tu as parfaitement le droit de ne rien vouloir acheter. Mais arrête avec tes « Je ne le mérite pas » et compagnie. C'est ridicule.

Pendant le silence qui suit, le groupe se disperse dans le magasin, l'air dégagé. Je me sens très bizarre, comme si on venait de redistribuer les cartes, et que j'avais une meilleure main. Donc ce n'est pas ma faute… En tout cas, pas *complètement*. Peut-être…

Peut-être vais-je m'offrir un crayon, après tout. En souvenir. Pourquoi pas le violet, superbe, avec des impressions grises et du bois orange ? Ce n'est pas cher, et un crayon, c'est toujours utile, non ?

Oui, moi, Becky Brandon, née Bloomwood, je vais acquérir un crayon.

Au moment où mes doigts se referment dessus, je sens la joie envahir mon visage. Une étrange chaleur s'insinue dans mon ventre. Comme ces sensations m'ont manqué !

Oh ! Minute ! Suis-je en train de faire un achat calmement et en toute conscience ? Faut-il que j'analyse la situation ? Voyons voir : suis-je calme ? À mon avis, oui. En ce qui concerne la conscience ? Eh bien, n'est-ce pas accorder une importance démesurée à un petit crayon ?

Minute ! Le fait est qu'il s'agit d'un *magnifique* crayon. Je ne suis pas la seule à le dire. Suze aussi.

— Super-crayon, Bex, fait-elle avec un sourire en coin, comme si elle lisait dans mes pensées.

Papa hoche la tête. Et Janice y va de son encouragement :

— Tu vas adorer t'en servir, mon chou.

J'ai l'impression d'avoir cinq ans. Surtout quand papa et maman échangent des regards et que maman me dit :

— Tu te souviens des achats de la rentrée scolaire qu'on faisait chaque mois de septembre ?

Me voilà expédiée dans le passé, en quête d'une trousse. Je supplie mes parents de m'acheter celle couverte de fourrure rose. Après quoi ils me demandent si j'ai *vraiment* besoin d'une nouvelle équerre.

À vrai dire, chaque année je me faisais acheter une nouvelle équerre sans jamais l'utiliser. Détail que je me gardais bien de leur signaler.

— Dès qu'on aura payé, on ira prendre des photos de ce superbe paysage, suggère maman. Une occupation esthétique te remettra les idées en place, ma chérie. Tu nous photographieras, Minnie et moi, sur un gros rocher rouge. On enverra ça à Elinor.

Minnie perchée sur un de ces énormes rochers rouges ? Elle plaisante !

— Bonne idée ! Mais *à côté* d'un rocher.

À la caisse, la femme vêtue de la robe à plumes a l'air ravie. Quand mon tour arrive, je tends un billet de cinq dollars. Et j'aperçois une grande boîte de crayons identiques au mien. Une étiquette indique « Offre spéciale : dix crayons pour le prix de cinq ».

Cette promotion vaut le coup.

Je tombe en arrêt. Voyons... Je me livre à un rapide calcul mental. Ça fait dix crayons pour douze dollars quarante-cinq. Pas mal ! Il faut ajouter la taxe locale, d'accord. Mais quand même. Et j'ai ce vieux billet de vingt dollars qui moisit depuis des siècles dans la poche de ma veste. En plus, je pourrais donner un crayon à chaque membre de notre petite bande. Comme porte-bonheur.

— Bex ? demande Suze, percevant mon hésitation, tu le prends ou pas ?

— Oui. Mais regarde cette offre. Alléchante, non ? Tu vois, je me disais que j'aimerais bien vous offrir un petit souvenir. Après tout, un crayon, c'est... toujours utile.

J'entends soudain un drôle de bruit, comme une explosion assourdie. Tout à côté de moi. Suze ? Mais comment s'y est-elle prise pour produire un tel son.

— C'était quoi ?

Au lieu de me répondre, elle me dévisage avec une expression indéchiffrable. Tout à coup, elle m'enlace si fort que je manque étouffer.

— Rien, Bex, murmure-t-elle à mon oreille. Rien du tout.

En sortant de la boutique, je plane. Cela fait longtemps que je ne me suis pas sentie aussi heureuse. Finalement, je ne suis pas fautive. Je ne m'étais pas rendu compte à quel point je culpabilisais. Maintenant, je me sens libérée.

En fin de compte, nous avons acheté les dix crayons, mais chacun a contribué d'un ou deux dollars. Maman et Janice ont déjà choisi le leur. Suze hésite entre le turquoise et le rose pâle.

— Le turquoise va avec tes yeux, je bonimente. Mais le rose va avec tout. Et tu as vu ce bleu pâle ? Divin aussi…

— Suze ?

Elle n'écoute pas. Le crayon en main, elle fixe un point précis derrière mon épaule gauche, avant de pousser un petit couinement.

— Tarkie ?

C'est Tarkie ? *Tarkie ?*

Il est là, sa silhouette se dessinant à contre-jour dans la lumière de la fin d'après-midi. On ne peut pas discerner ses traits. Malgré tout, chose curieuse, il a l'air différent. On dirait qu'il a grandi. Est-ce une question de posture ? Un nouveau costume, peut-être ?

— Oh, Tarkie, pleurniche Suze.

Deux larmes roulent sur ses joues. Puis elle s'élance vers lui avec une telle violence qu'elle pourrait presque le renverser.

À présent, elle aussi se détache en ombre chinoise dans la lumière vive. On n'aperçoit que leurs silhouettes fondues l'une dans l'autre en une étreinte sans fin. Que se passe-t-il ? Que se disent-ils ? Peut-être se taisent-ils. Comme avec la boîte noire d'un avion, je saurai plus tard.

Si Suze me raconte, bien sûr. Elle peut aussi ne rien me dire. Il y a des choses qu'on veut garder pour soi. Après tout, nous sommes des adultes et les adultes n'ont pas envie de tout partager. (Cela dit, j'espère bien qu'elle me racontera.)

Je les observe, immobile, la main plaquée sur ma bouche. Je ne suis pas la seule, mes compagnons de voyage semblent également fascinés. Quelques passants s'arrêtent. L'un laisse même échapper un « Ah » de sympathie.

Luke se matérialise à mon côté

— Tu as vu, Becky ? Tarquin est là.

— Évidemment, je l'ai vu ! Tu crois qu'il lui a pardonné ? Que tout est rentré dans l'ordre ? Qu'est-ce qu'il peut bien lui dire ?

— C'est leur affaire, je pense, fait Luke.

Il exagère. Je sais bien que c'est leurs oignons, mais Suze est ma meilleure amie.

À ce moment-la, mon téléphone vibre. Ce qui s'affiche sur l'écran me flanque un choc. Il faut prévenir Suze. Vite. Subrepticement, je m'approche du couple, en tendant l'oreille.

— Nous avons eu l'un et l'autre un comportement absurde, dit Tarkie, les yeux plantés dans ceux de sa femme. Mais nous n'étions pas vraiment nous-mêmes.

Suze déglutit péniblement.

— Non, je n'étais pas moi-même. Je ne sais pas ce qui m'a pris.

— La vraie Suze n'est pas cette fille de L.A. avec des extensions capillaires. La vraie Suze aime… la nature, les arbres…

Il appuie ses paroles d'un large mouvement de main.

Un long silence suit. Les paupières de mon amie tressautent de nervosité.

— Hum… Oui. Les arbres, finit-elle par dire. Tu as raison. À propos d'arbres, je me demandais… Comment se porte Owl's Tower ?

— Comme toujours, Suze. Comme toujours.

Le regard de Tarquin est grave, son ton, indéchiffrable. La pauvre Suze le scrute avec nervosité, essayant désespérément de décrypter le message.

— Donc, ni mieux ni plus mal ? lance-t-elle au hasard.

— Tu connais Owl's Tower, Suze. Tu n'as pas besoin que je te fasse un dessin.

C'est de la torture !

— Suze, je chuchote. Il faut que tu voies un truc.

Mais elle secoue la tête et m'envoie bouler, l'air furieux, d'un mouvement de la main.

— Bex, tu ne vois pas que ce n'est pas le moment ?

— Oui, mais… Excuse-moi, Tarkie, j'en ai pour deux secondes.

Je me rue vers Suze avant qu'elle me repousse et lui fourre mon portable sous le nez.

Toutes rides dehors, Derek Smeath sourit sur l'écran. Il se trouve dans une forêt sombre où, à l'aide d'une lampe torche, il éclaire un tronc d'arbre. En zoomant, on peut apercevoir une petite étiquette métallique indiquant « Owl's Tower ».

— Ce n'est pas possible, s'exclame Suze. Non !

— Mais si ! L'arbre a l'air en pleine santé, je commente en faisant défiler des tas de photos de feuillage touffu. Il est là pour durer. Comme ton couple, Suze. Fort, prospère, grandiose.

Des larmes jaillissent de ses yeux. Elle laisse échapper un petit sanglot, puis pose une main sur sa bouche. Je la console d'une accolade. Quel enfer elle a vécu !

— Mais comment tu as… ? demande-t-elle lorsqu'elle a repris ses esprits.

— Je te raconterai plus tard. Ah, salut Tarkie,

tu vas bien ? Bon, je vous laisse, les amis. Désolée de vous avoir dérangés.

Suze se met soudain à sangloter de toute son âme, comme si elle ne pouvait plus se retenir.

— Tarkie, je suis tellement, tellement navrée…

Il l'enlace d'un bras ferme et protecteur et l'emmène dans le jardin d'un café tout proche. Je croise le regard de Luke en frissonnant. Pourvu qu'ils se rabibochent ! Que tout redevienne comme avant. Mais au fond, j'en suis sûre. Maintenant que Tarkie est là, ils vont pouvoir s'expliquer.

En tout cas, cette histoire montre que les choses peuvent se désintégrer à vitesse grand V. Une seule erreur, et…

— Luke, on ne sera jamais infidèles ! je déclare à brûle-pourpoint en attrapant le bras de mon mari, en quête de réconfort.

Il a une expression amusée.

— D'accord ! On ne sera jamais infidèles.

— Tu me fais marcher, je proteste en le pinçant. Arrête, je suis sérieuse.

— Je ne te fais pas marcher. Juré !

Dans son regard profond, je lis plus qu'un acquiescement. Une approbation.

— Non seulement on ne se trompera jamais, mais on ne communiquera jamais de façon codée ! promet-il en riant. (Pour Luke, cette énigme forestière était de la bêtise pure. Pas son style du tout.)

— Motion adoptée.

Quand il m'embrasse, je le serre fort, très fort, contre moi. Au risque de l'étouffer. Tant pis, je ne peux pas m'en empêcher.

C'est un peu comme attendre une naissance. Nous entrons dans le jardin du café et, en restant délibérément à distance de Suze et Tarkie, nous commandons des boissons et causons de tout et de rien. Le jardin est assez grand, avec des rochers, des arbres, des buissons. Je prends une photo de maman adossée à une grosse pierre, une autre de Minnie assise dessus et une dernière d'un lézard qui paresse à l'ombre.

— Tu es capable de faire beaucoup de choses, si tu le désires, ma chérie, sort maman de but en blanc. Pourquoi tu ne deviendrais pas photographe naturaliste ?

Moi, photographe naturaliste ?

Je comprends immédiatement qu'elle a parlé à Suze ou à Luke, voire aux deux, de mon chômage forcé et de l'inquiétude qui me ronge quant à mon avenir professionnel. Même si je ne me vois pas du tout en photographe naturaliste, sa remarque me touche profondément. Maman croit en moi. Elle me pense capable de tout réussir.

— Oui ! Bonne idée, maman. Pourquoi pas ?

Et je commence à mitrailler toutes sortes de buissons. Environ quatre-vingt-quinze prises de vue que j'effacerai plus tard.

Quand la commande arrive, nous nous rasseyons. Pendant tout ce temps, mine de rien, nous n'avons pas quitté des yeux Suze et Tarkie, en pleine conversation. Est-ce bon signe ? Tarkie lui tient la main. Elle parle avec volubilité, tout en versant des larmes que Tarkie essuie avec son mouchoir.

Il faut préciser qu'ils désiraient autant l'un que l'autre se marier ensemble. Un excellent début pour un couple, non ?

Tout à coup, ils cessent de parler et s'avancent vers

nous. Nous nous efforçons d'avoir l'air naturel, de bavarder normalement au lieu de surveiller chacun de leurs mouvements en spéculant sur ce qu'ils peuvent se dire.

— C'est incroyable, ces roches rouges ! lance maman, tandis que Janice s'exclame :

— Quelle citronnade délicieuse !

— Salut, tout le monde, dit Suze, timidement.

Aussitôt, nous affichons une expression de surprise.

— Oh, Suzie, te voilà ! s'exclame maman comme si elle ne l'avait pas vue depuis longtemps. Et toi aussi, Tarquin ! Tu as l'air en forme, dis-moi.

Commentaire extrêmement judicieux, car Tarquin a l'air tout à fait bien dans sa peau. Ses cheveux ont pas mal repoussé depuis la coupe immonde que lui avait infligée un coiffeur de Los Angeles. Il est mieux habillé (un impeccable costume en lin bleu marine) et même sa mâchoire semble plus volontaire.

— Je suis heureux de vous voir, Jane, dit-il à ma mère en se penchant pour l'embrasser. Et vous, Janice, pas trop fatiguée par ce voyage ?

Sa voix semble plus assurée. Il n'a pas bégayé une seule fois. D'accord, il n'a prononcé que quelques mots, mais quand même. Où est passé l'aristocrate un peu godiche, timide et bredouillant, qui sautait en l'air si on lui criait « Bouh ! » à l'oreille ?

Je dévisage Suze, qui se soustrait à mon regard en reculant comme si elle ne voulait pas qu'on la remarque.

Je tapote la chaise libre à côté de moi.

— Suze, viens t'asseoir. Tu prendras bien un peu de citronnade ? Comment ça se passe ? j'ajoute entre mes dents.

— Pas trop mal. Tarkie a une telle grandeur d'âme. Il essaie de minimiser sa blessure parce qu'il veut vraiment que tout rentre dans l'ordre. Il veut aussi se concentrer sur l'affaire qui occupe ton père. Mais il devrait être mortifié, et m'en vouloir, tu ne crois pas ?

Je tourne la tête vers lui qui, rayonnant, gratifie mon père d'une vigoureuse poignée de main.

— Content de vous revoir, Graham, dit-il avec une intonation on ne peut plus sincère.

— Laisse-le gérer ça à sa manière, Suze. Le principal, c'est que vous soyez réunis. Car c'est le cas, hein ? je demande, soudain prise de panique.

— Oui, dit Suze, mi-riant, mi-pleurant. Mon Dieu, oui ! Nous nous sommes retrouvés.

— Tu lui as parlé d'Owl's Tower ?

— Pas encore. Quand nous serons rentrés, je lui raconterai tout, *absolument tout*. Mais pas tout de suite. On dirait qu'il ne voulait pas savoir. Il me fait penser à un joueur de tennis au top de son jeu, hyper-concentré, presque en transe.

— C'est vrai. Il est transformé.

Je le scrute d'un regard curieux.

— Dites-moi, Graham, fait Tarkie en s'asseyant, vous avez lu mes messages ?

— Oui, mais donne-moi des précisions. Tu dis que tu as pris contact avec Corey. Tu lui as écrit ? Envoyé un mail ?

— Pas du tout, je l'ai rencontré.

— Comment ça « rencontré » ?

— Pour déjeuner.

Tarkie a déjeuné avec Corey ? Sur le moment, l'ébahissement nous cloue le bec.

— Tarkie, tu es… incroyable ! bredouille Suze.

— Mais non ! Je me suis servi de mon titre. Ça aide, parfois.

— Et votre entretien portait sur quoi ?

— Sur ma société de capital risque et mon envie de m'associer avec lui. Une société inventée de toutes pièces.

— Tarquin, tu es formidable ! s'écrie papa en se tordant de rire.

— Génial, j'ajoute avec élan.

— Je vous en prie, proteste l'intéressé. J'ai eu accès à Corey, c'est le principal. Un bon début, je dirais. Maintenant, il faut réfléchir à la façon pertinente d'utiliser cette porte d'entrée.

Tarkie m'impressionne. Il semble si adulte et déterminé. Ce n'est plus le même homme.

Papa est visiblement épaté.

— Tarquin, ce que tu as fait constitue un progrès immense dans notre enquête. Une avancée inespérée.

Quant à moi, je digère cette nouvelle information. Voilà qui change tout. Je veux dire... Bon... J'ouvre mon carnet, raie certaines idées, en ajoute quelques autres.

— Nous allons nous réunir et discuter de tout ça, poursuit papa. Un peu plus tard, pour permettre à tout le monde (il regarde Suze) de récupérer.

— Parfait, dit Tarkie. Je vous donnerai tous les détails. Et maintenant, je propose qu'on célèbre la nouvelle autour d'un verre.

Nous restons un bon moment à boire et à bavarder tranquillement tout en admirant le paysage de roches rouges. Sedona doit générer des ondes mystiques bénéfiques pour l'âme car je sens que nous sommes enfin sur le chemin de la zénitude.

En route vers l'hôtel, les mains de Suze et Tarkie se frôlent sans arrêt. Un présage encourageant dont je suis vraiment ravie. Parce que je ne suis pas en faveur du divorce. Ça laisse trop de traces indélébiles.

— Ton père est merveilleux, me confie Tarkie pendant que nous attendons au feu pour traverser.

— Je sais, je réponds avec fierté.

— C'est son héros ! affirme Suze en serrant tendrement la main de son mari.

— De quoi avez-vous parlé pendant le trajet en voiture ? je demande.

Je suis réellement intriguée. Car si mon père et Tarquin s'apprécient mutuellement, ils n'ont pas grand-chose en commun. Sauf peut-être le golf.

— En fait, il m'a remonté les bretelles, sérieux.

— Pauvre de toi ! fais-je.

— Pas du tout, j'en avais besoin. Il m'a dit que, dans la vie, chacun avait un rôle à jouer, et que je me défilais. Que ce que j'étais représentait quelque chose. Je ne l'avais pas choisi, certes, mais je ne pouvais pas me débiner. Je devais l'assumer. Et j'en ai l'intention. Je vais mener à bien mes plans d'amélioration de Letherby Hall, quoi qu'en pensent mes parents.

— Ses idées sont brillantes. Letherby Hall va devenir un autre Chatsworth, approuve Suze.

— Peut-être pas, proteste Tarkie. Mais je vois exactement à quoi je veux aboutir. Et on y arrivera. Oui, on va réussir.

On a l'impression qu'il veut s'en persuader lui-même. Est-ce l'influence de papa ? En tout cas, il a mûri. Il s'est affirmé. Il ressemble à un homme prêt à prendre en main son empire, plutôt qu'à s'en trouver accablé.

Suze et moi marchons côte à côte. Nous nous éloignons un peu du groupe pour nous retrouver en tête à tête (avec une demi-tête de plus, puisque Minnie nous accompagne).

— Bex, souffle-t-elle. Devine ?

— Quoi ?

— Je suis…

Et elle esquisse des gestes vagues à sa manière habituelle.

— Quoi ? Non, ne me dis pas…

— Si, répond-elle en rougissant.

— *Tu n'es pas…*

— Eh si !

OK. Je dois m'assurer que nous sommes sur la même longueur d'onde. Parce que moi, j'ai un truc précis en tête, alors qu'elle veut peut-être simplement me dire qu'elle a l'intention de suivre des cours de cuisine à son retour en Angleterre.

— *Enceinte ?* je murmure.

— Oui !

— Tu le sais depuis quand ?

— Le lendemain du jour où Tarkie est parti. J'étais complètement paniquée, me confie-t-elle, le visage tendu au souvenir de son stress. Oh ! quel moment atroce, Bex ! Je ne savais pas quoi faire. L'horreur… Un vrai cauchemar.

OK, voilà qui explique beaucoup de choses. D'abord, sa mauvaise humeur. Elle est toujours irritable quand elle attend un bébé. Ensuite, le fait qu'elle ait perdu les pédales avec Bryce. Elle se disait que son mariage était foutu, que Tarkie ne savait pas qu'il allait être de nouveau père... Quand je pense qu'elle a assumé ça toute seule.

Peut-être pas, au fond ?

— Alicia était au courant ?

Ma question a fusé plus brutalement que je ne le voulais.

— Bien sûr que non ! Je ne le lui aurais jamais dit avant que toi tu le saches. Jamais, Bex, insiste-t-elle en me serrant le bras.

Je la regarde attentivement. Tous les signes annonciateurs que seule une amie intime peut discerner sont là. La peau de ses narines est irritée. Ce qui lui arrive toujours quand elle est enceinte. Et...

En fait, c'est tout.

— Hé ! Mais tu as picolé ! De la tequila. Et le thé glacé au bourbon.

— J'ai fait semblant. Je m'en débarrassais quand tu regardais ailleurs. Sinon, tu aurais deviné.

— Tout juste ! Oh mon Dieu, Suze ! Quatre enfants. *Quatre*, tu te rends compte ?

— Je sais.

— Ou cinq, si tu as des jumeaux. Ou même six, si tu as des triplés...

Suze n'est pas d'humeur à plaisanter. Elle semble tout ce qu'il y a d'effrayé.

— Boucle-la, s'il te plaît. Je souhaiterais... J'aimerais que ce soit toi qui...

— Je sais ce que tu penses, ma Suze.

— Ce n'est pas juste. Ce n'était pas voulu, tu sais. La surprise est totale.

Une surprise totale ? J'adorerais ça ! Je me sens un peu jalouse. Comble de l'horreur, je sens les larmes arriver, et je me hâte de me détourner.

Allons, tout va bien. Luke et moi sommes les parents comblés de la délicieuse Minnie. Qui est bien plus que délicieuse. Nous n'avons pas besoin d'un autre enfant. Je me penche pour embrasser ma puce. Je l'aime tant que ça me fait mal. En me redressant, je croise le regard brillant de larmes de Suze.

— Ah non, ne pleure pas, Suze ! dis-je, avec difficulté. Écoute, on ne peut pas tout avoir.

— C'est vrai.

— Non, on ne peut pas tout avoir, je répète en marchant.

C'est ma citation favorite. Je l'ai même sur un magnet de frigo.

— Oui, parfaitement, *on ne peut pas tout avoir*, je répète de nouveau. Parce que, bon sang, où on mettrait tout ça, hein ?

Suze pouffe de rire. Je l'imite. Elle me donne un coup d'épaule, je lui réponds par une tape. Puis nous prenons chacune une main de Minnie et nous commençons à la soulever tous les deux pas.

— Encooore ! Encoore ! demande-t-elle.

Pendant quelques minutes, il n'y a plus ni stress ni urgence. Nous sommes simplement deux amies, dans une rue ensoleillée, qui jouent à balancer une adorable petite fille.

16

Pour notre réunion, Tarkie a retenu une salle de conférences. Il a même négocié le prix. C'est l'homme de la situation. *Incontestablement.* Sur la table, devant chaque place : un bloc, un crayon porte-bonheur, et un verre d'eau. Sur la première page de mon bloc, j'ai déjà écrit *Justice pour Brent*, en le soulignant trois fois pour me motiver.

Suze et moi sommes côte à côte. On n'arrête pas de se donner des coups de coude tout en admirant nos nouvelles bottes de cow-boy. Suze a insisté pour les acheter ; elle m'a pratiquement traînée dans le magasin en annonçant à la propriétaire : « Nous voulons voir des bottes » avec une fermeté proche de l'agressivité. Ensuite, nous avons essayé presque tous les modèles. On s'est bien amusées.

C'est bizarre ce qui m'est arrivé le jour où j'ai refusé les bottes. Vous connaissez une fille qui refuserait qu'on lui offre des bottes de cow-boy ? Non ! Aujourd'hui, j'ai l'impression que le brouillard qui épaississait mon cerveau s'est dissipé. Je suis à nouveau Becky.

Mes bottes sont grises, ornées de clous argentés.

Minnie est en extase devant. Dès que je les ai sorties de la boîte, elle les a enfilées et s'est baladée avec toute la soirée. Elle voulait même les garder dans son lit. Quand je lui ai expliqué qu'elle ne pouvait pas dormir avec des bottes aux pieds, elle m'a répliqué qu'elle allait les serrer contre elle comme un nounours. J'ai été obligée de lui dire que j'allais les porter pour dîner. Alors, vous savez ce qu'elle m'a sorti ?

« Les bottes adoooorent Minnie ! »

Et elle m'a lancé un regard triste, plein de reproche. Résultat : je me sens coupable alors que ces bottes sont *à moi*.

En ce moment elle dort. Judy, une baby-sitter dont on nous a dit le plus grand bien, la gardera pendant le temps que durera notre réunion. Bien sûr, j'aurais pu emmener Minnie et l'installer sur mes genoux. Mais premièrement, ça la ferait veiller tard. Et deuxièmement, il s'agit d'une réunion sérieuse. La détermination tend nos traits. Sauf ceux de Danny, raidis par le « sérum fermeté » qu'on lui a injecté lors de ses soins du visage. (Son après-midi au spa a été si merveilleux qu'il ne regrette pas d'avoir raté les grands moments que nous avons vécus. Je pourrai toujours le mettre en courant, dit-il – autrement dit, il compte sur moi pour tout lui raconter !)

La voix de mon père me ramène à la réalité.

— Corey ressemble à une forteresse, imprenable, commence-t-il. Néanmoins, Tarquin a réussi à pénétrer dans son sanctuaire.

— Il m'a demandé de rencontrer ses administrateurs. J'ai son numéro de portable. Je peux l'appeler à tout moment.

— Bravo ! Bien joué !

Je commence à applaudir, immédiatement imitée par l'ensemble du groupe, tandis que Tarkie affiche un air modeste.

— Pourtant, la situation reste délicate, ajoute-t-il. D'abord, parce qu'il s'est un peu retiré de la direction de ses affaires. Il tient à sa nouvelle femme et à sa fille comme à la prunelle de ses yeux. C'est même la seule chose qui le passionne vraiment. Ensuite, parce qu'il n'aime pas parler du passé.

— Sa femme croit qu'il a seulement cinquante ans et quelques, je l'informe. C'est pour ça !

Mon commentaire fait rigoler papa.

— Pas seulement, explique Tarkie. Il est presque phobique. Il évite toute référence à sa jeunesse. Quand, par exemple, je lui ai demandé s'il avait effectué un tour des États-Unis après ses études, il a tressailli et s'est lancé dans le récit de ses dernières vacances à Hawaï.

— Par conséquent, inutile de faire appel à sa bonté. Ou à une quelconque nostalgie, en déduit papa.

— Exact, renchérit Tarkie. Il nous faut malgré tout le forcer à régler sa dette. Comme je vous l'ai dit, des avocats examinent à ma demande l'accord qu'avait conclu Brent. Malheureusement, il n'existe aucune preuve de mensonge ou de tromperie. C'est de l'histoire ancienne. La parole d'un homme contre celle d'un autre.

— Nous avons quand même le témoignage de Raymond, fait remarquer Suze.

— Peut-être. Mais crois-tu qu'il viendra à la barre déposer en faveur de Brent ? J'en doute. Et Corey prétendra que Brent n'est qu'un homme amer, un raté qui s'en veut d'avoir fait un mauvais choix.

— Comme la marque de disques EMI laissant tomber les Beatles, ajoute Janice obligeamment. Brent étant dans le rôle d'EMI.

— Non, dans le rôle du batteur, riposte maman. Du deuxième batteur.

— Tu veux parler de Ringo Starr, Jane ?

— Non, de Peter Trucmuche.

— Très intéressant, Jane, l'interrompt brusquement Tarkie. Mais si revenions à nos moutons… ?

Il jette à maman un regard qui, de sa part, est presque sévère. Et qui, à ma grande surprise, lui coupe immédiatement le sifflet.

— Il y a un point obscur que les avocats examinent plus particulièrement. Entre-temps, nous sommes en présence du dilemme suivant : est-ce que nous contactons Corey *avant* de recevoir leur rapport ou est-ce que nous attendons ?

— Que lui dira-t-on si on prend contact avec lui ? demande maman.

— Nous ferons pression sur lui. Nous tenterons de l'influencer, peut-être même en usant de menaces, répond Tarkie.

— De *menaces* ? s'inquiète Janice.

— J'ai une cliente qui pourrait me donner un coup de main, intervient Danny. Elle est russe et richissime. Question menaces, son mari est l'homme qu'il nous faut.

Papa est horrifié.

— Vous faites allusion à la mafia russe, Danny ?

— Pas du tout, répond celui-ci en faisant le geste de fermer la bouche. Première règle de la mafia : ne jamais évoquer la mafia.

— C'est la règle du *Fight Club*, objecte Suze.

— Du *Fight Club* et de la mafia. Et de mon défilé de haute couture au Qatar.

Danny me fait des cachotteries, maintenant ?

— J'ignorais que tu faisais une présentation haute couture au Qatar, je dis.

Il lève un sourcil d'un air mystérieux.

— C'est précisément parce que je ne peux pas en parler.

Voilà qui est palpitant. Je meurs d'envie d'en savoir plus, mais le moment semble mal choisi.

La pauvre Janice est proche du malaise.

— On ne peut pas avoir à faire avec la mafia. Graham, tu n'as jamais parlé de la mafia.

— Bien sûr que non ! Pour la bonne raison que nous n'avons rien à voir avec la mafia, réplique papa, agacé. Ni de près, ni de loin, Janice.

À moi de faire entendre mon opinion.

— Je ne crois pas que menacer Corey est la tactique à adopter. Plus on menace ce genre de personnes, plus elles sont combatives. Il faut au contraire les prendre dans le sens du poil. Les cajoler. Arriver à les convaincre. Comme dans le conte de l'homme et de son manteau que le vent n'arrivait pas à lui retirer, alors qu'au soleil il l'enlevait de lui-même. Tu te souviens de cette histoire que tu me lisais, maman ? Avec ces ravissantes illustrations ?

J'aimerais gagner maman à ma cause mais elle semble un peu perturbée.

— Ma chérie, tu crois vraiment pertinent de te référer à un livre pour enfants ?

— Pourquoi pas ? Le convaincre est le seul moyen d'atteindre notre but. Ni les avocats ni la mafia n'auront le moindre effet. Il s'en fichera.

— Mais, ma chérie, comment nous y prendre pour le persuader ? demande gentiment papa.

— J'ai une petite idée, je confesse.

— Fais-nous-en profiter, glapit Suze.

— Bon, c'est un peu compliqué. Il faut que nous nous mobilisions tous, et aussi que nous retournions à Las Vegas et que nous passions quelques coups de fil. L'opération doit être planifiée au détail près. Nous allons le piéger. Le duper. Pour cela nous avons besoin d'Elinor. Elle doit prendre part à l'opération.

— Ma mère ? s'étonne Luke. Becky, tu manigances quoi au juste ?

Papa, inquiet, renchérit :

— Tu espères duper Corey ?

— Tu as dit « persuader », intervient maman. Duper un type comme lui, c'est dangereux.

— Ma chérie, tu crois que c'est très prudent ? insiste papa.

— Écoutez, il s'agit de l'arnaquer juste un peu. C'est possible, si nous sommes tous dans le coup.

Je m'efforce de leur communiquer mon enthousiasme avant de reprendre.

— Nous savons travailler en équipe, n'est-ce pas ? Nous l'avons déjà prouvé. Chacun aura son rôle. Tout est une question d'organisation et de synchronisation.

— Combien sommes-nous ? fait Suze, en commençant à compter sur ses doigts : Toi, moi, Luke, Tarkie, Jane, Graham, Janice, Danny, Elinor...

— Peut-on inclure aussi Ulla, ton assistante ? je demande à Danny. Elle pourrait nous être utile.

— Bien sûr. Tout ce que tu veux.

— Donc, on est dix, récapitule Suze. Dix pour

berner un homme d'affaires à Las Vegas. Tu te rends compte, Bex ? C'est « Becky's Ten ».

— Oh, mon chou ! s'extasie Janice.

— « Becky's Ten » ? répète papa. Je ne comprends pas.

— Le film, explique Suze. Vous vous souvenez ? *Ocean's Eleven*, avec Brad Pitt et George Clooney.

— Ah oui, ça m'avait bien plu, acquiesce papa.

— Super-cool, approuve Danny. Je serai le milliardaire. Un rôle que je sais jouer au petit poil. Je m'imagine déjà avec un employé de l'hôtel. « Je voudrrrais mettre une arrrrme nucléairrre dans votre coffrrre-forrrt », dit-il avec un accent d'Europe centrale trrrrès prrrrononcé.

— Nous ne mettrons rien dans un coffre-fort, je rectifie. Et d'ailleurs, c'est plutôt « Becky's Eleven ». Nous devons enrôler quelqu'un d'autre. Un personnage essentiel.

— Qui ?

Occupée à réfléchir à mon plan, je ne réponds pas. Il faut que je mette le scénario au propre et que je l'examine sous toutes les coutures pour voir si ça va marcher.

Rectification. Je sais déjà que ça va marcher.

Deuxième rectification. Je ne sais pas si mon plan va marcher… mais c'est une possibilité. Et même une probabilité.

Je commence à écrire, le cœur léger, excitée, en pleine action. *J'élabore* quelque chose. Derek Smeath a raison : les démarches positives sont excellentes pour le moral.

— Il nous faut plein de ballons, dit Danny, en veine d'inspiration. Et tout le monde doit porter des lunettes noires. Même à l'intérieur des casinos. D'ailleurs, je vais vous créer un look. On ne peut pas tourner « Becky's Eleven » sans un look d'enfer. Donc, en résumé, on retourne à Las Vegas, on s'installe au Bellagio, on monte notre coup, et ensuite on admire les jeux d'eau musicaux. C'est ça, Becky ?

— En gros, je dis.

— Cool. Bon, j'en suis. Et toi, Suze ?

— Moi aussi, évidemment.

— Moi également, déclare Tarquin.

— Pareil, fait Janice.

Autour de la table, tout le monde est d'accord, malgré l'air inquiet de mon père.

— Ma chérie, en quoi consiste ton plan exactement ?

— Je vous le dirai quand j'aurai mis au point les détails. Pour le moment, on fait les réservations à Las Vegas et on règle quelques trucs. Mais avant tout, il y a un point important dont nous devons nous occuper sans attendre.

17

— Mes biens chers frères, entonne Elvis. Hon-hon-hon. Nous voici réunis. Hon-hon-hon…

Bon sang ! Il va faire *hon-hon-hon* après chaque phrase ? J'ai du mal à ne pas pouffer de rire.

Cet Elvis est assez impressionnant. En costume noir pailleté, avec super-pattes d'ef, boots à semelle compensée et une énorme perruque qui couvre tous ses vrais cheveux. Il a déjà chanté « Can't Help Falling in Love » avec vigueur et force contorsions de hanches.

Nous avons quitté Sedona voilà deux jours. Nous sommes de retour à Las Vegas, dans la chapelle des mariages Elvis-Presley. L'ambiance est topissime. Minnie, déguisée en demoiselle d'honneur, est au comble de la joie. Suze, encore plus sublime que d'habitude, porte une ample robe blanche, et une couronne de fleurs orne ses cheveux. Maman, assise au premier rang, lui a déjà lancé une poignée de confettis alors que la cérémonie n'a pas encore commencé (ce matin je suis tombée sur papa et maman dans le bar de l'hôtel en train de siffler du champagne. Et plus d'une flûte chacun, à en juger par l'addition).

— Pour témoigner de l'amour renouvelé de ce couple. Hon-hon-hon.

Elvis regarde Suze.

— Quels sont vos vœux ?

Elle s'éclaircit la voix, contemple son mari qui, très fier, se tient à côté d'elle.

— Moi, Susan, je te jure d'être toujours ton amie, Becky. Pour le pire et pour le meilleur, à toutes les heures du jour et de la nuit, y compris à trois heures du matin. Je le jure sur mes nouvelles bottes de cow-boy.

— Hon-hon-hon, approuve Elvis.

— Hourra ! crie maman en lançant sur Suze une nouvelle poignée de confettis.

— Et moi, Becky, je jure d'être ton amie pour toujours, Suze, je dis d'une voix légèrement tremblante. Pour le meilleur et pour le pire, à toutes les heures du jour et de la nuit, y compris à trois heures du matin. Nous ne laisserons personne nous séparer.

Je ne dis pas *Spécialement Alicia la Garce-aux-longues-jambes*, mais tout le monde a compris à qui je faisais allusion.

— Je le jure sur mes nouvelles bottes de cow-boy, j'ajoute, pour faire bonne mesure, en ponctuant mes propos d'une petite pirouette.

J'adore mes nouvelles bottes. Je les porterai jusqu'à la fin de mes jours. Et pour le quadrille, elles sont parfaites, comme je m'en suis aperçue hier soir, dans le bar où nous sommes allés. C'est Suze qui a insisté. Une soirée de fous. Je dois absolument acheter à Luke une paire de bottes pour que nous soyons assortis.

(Dans tes rêves, Becky !)

C'est au tour de Tarquin de renouveler ses vœux :

— Je jure de ne jamais te quitter, Suze, affirme-t-il

en serrant fort les mains de sa femme dans les siennes. Je jure de t'aimer et de te protéger aussi longtemps qu'Owl's Tower sera debout. Ou plus longtemps, s'il tombe, se hâte-t-il d'ajouter quand il voit que Suze s'apprête à protester. Beaucoup plus longtemps. Jusqu'à ce que la mort nous sépare.

— Je fais le vœu de toujours rester ta femme, Tarquin, répond Suze. Et de t'être fidèle, mon mari bien-aimé.

Elle ressemble à un ange, dans sa robe légère, avec son visage apaisé qui reflète l'amour et l'espoir. En les regardant, j'ai l'œil humide. Pourvu que j'aie un mouchoir dans mon sac !

À ce moment-là, Luke se lève.

— Becky, moi aussi, j'ai un serment à te faire.

Sa voix profonde résonne dans la chapelle, me faisant sursauter. Cette séquence n'était pas prévue. On en a parlé, puis on a abandonné l'idée en riant. Non, nous n'avions pas besoin de renouveler notre serment de mariage. Et pourtant, voilà Luke debout, comme étonné de sa décision.

Je sais pourquoi il fait ça. À cause de… d'un truc. Un truc privé. Qui s'est passé à L.A. Les problèmes conjugaux de Suze et Tarkie nous ont incités à reconsidérer notre propre mariage. Mais surtout, après les révélations de Suze, nous avons compris que notre couple n'était pas concerné – en tout cas, cette fois-ci. Hier soir, au lit, nous en avons parlé pendant des heures. Et…

Je suis plus franche avec Luke que je ne le suis avec quiconque, même avec Suze. Donc il sait.

— Je jure…

Il cherche les mots justes. C'est comme si je voyais

337

les rouages de son esprit passer en revue différentes éventualités avant de les rejeter. À vrai dire, il ne les trouvera pas. À vrai dire, il n'en a pas besoin.

— Je sais, je déclare, la gorge serrée. Je le jure aussi.

Les yeux de Luke sont rivés aux miens. J'ai un peu le tournis. J'aimerais que nous ayons cette chapelle pendant des heures, rien qu'à nous. Mais ce n'est pas le cas. Alors je me reprends, hoche la tête deux fois et murmure « Amen ». Ce qui est assez absurde, je vous l'accorde, mais rien n'a vraiment de sens à Las Vegas.

— Très bien, dit Elvis, l'air un peu surpris par l'intervention de Luke. Mesdames et messieurs, aimez-vous tendrement. Faites-vous confiance. Hon-hon-hon. Par les pouvoirs qui me sont conférés…

— Attendez ! je n'ai pas terminé, l'interrompt Luke. Mère, je souhaite t'adresser un vœu.

Elinor est assise en retrait dans un tailleur en soie noir et blanc beau à pleurer. Nous nous sommes retrouvés ce matin. Et, comme prévu, nos plans ne l'ont pas du tout impressionnée. Avec son petit chapeau incliné sur un œil, elle se tient droite comme un i, parfaitement maîtresse d'elle-même.

Elle qui ne voyage jamais sans chapeau s'est montrée très étonnée que nous n'en portions pas.

— Je souhaite que nos rapports soient meilleurs, que nous passions du temps ensemble pendant les vacances, que nous formions une véritable famille, si… cette idée t'agrée.

Luke et sa mère se ressemblent tellement. Ils se regardent en silence au fond de leurs yeux noirs.

L'expression de Luke est tendue et déterminée. Comme celle d'Elinor.

— Elle m'agrée.

— Elle m'agrée aussi, s'enthousiasme maman, qui à l'évidence a abusé du champagne. Bien sûr qu'Elinor fait partie de la famille !

Et, lançant ses confettis avec vigueur, elle déclare :

— Moi, Jane Bloomwood, je jure d'honorer et de respecter la mère de mon gendre, Elinor. Ainsi que mon incomparable et chère voisine. Janice, que serais-je sans toi ? Tu réponds toujours présente. Dans la maladie et dans la santé… quand je me suis cassé la cheville… quand les plombs ont sauté et que tu es venue à mon secours…

— OK, il est temps de poursuivre, les amis ! s'impatiente Elvis en consultant sa montre. Hon-hon-hon.

Et, s'adressant à Suze :

— Répétez après moi : Je ne marcherai pas sur tes chaussures en daim bleu (Au cas où on l'aurait oublié, il s'agit d'un des tubes du vrai Elvis).

Mais Suze ne l'écoute pas, trop absorbée par le duo de maman et Janice.

— Oh, mon chou, tu aurais fait la même chose !

— Tu nous as apporté du hachis parmentier. *Ton* hachis parmentier.

— Jane, tu avais dit qu'on ne renouvelait pas nos vœux, intervient papa en tirant sur la robe de maman.

— Je n'ai pas changé d'avis.

— Mais si, Jane, tu n'arrêtes pas de donner ta parole. Dans ce cas, moi aussi je vais prêter serment.

Il se tourne vers maman.

— Moi, Graham, je jure de ne jamais plus te laisser, Jane chérie. Jamais, au grand jamais.

— Ça suffit ! s'énerve Elvis. Vous n'êtes pas autorisés à faire des vœux à tout bout de champ. Vous n'avez pas payé pour.

— Je m'engage à toujours te faire confiance, répond maman en chevrotant un peu. Et je me fiche de la provenance de la Super-Prime. Graham, je suis fière de toi !

— Arrêtez ! tonne Elvis.

Aussitôt, Danny saute sur ses pieds, une lueur malicieuse dans l'œil.

— À moi ! Elinor, je jure de vous créer une nouvelle garde-robe à tomber si vous me jurez de porter une de mes créations au prochain bal du Metropolitan Museum.

— Par le pouvoir dont je suis investi...

— Lunettes, se réjouit Minnie en s'approchant d'Elvis.

Elle lui tend les lunettes de soleil à monture blanche que Janice lui a données en montrant du doigt celles, pailletées, du faux rocker.

— J'adoooore tes lunettes. S'il te plaaaît.

— Bon sang de bois ! Par les pouvoirs qui me sont conférés dans cette chapelle, je vous proclame copains comme cochons. Tous. Vous méritez bien d'être ensemble, bande de dingos. Hon-hon-hon.

18

Bon, on verra comment ça se passe. Mais au moins, nos costumes sont super. Parfaitement adaptés aux personnages.

Danny a habillé Luke, papa et Tarquin d'un complet-veston accompagné d'une cravate en soie et d'une chemise brillante. Le genre de fringues dans les beiges et mauves qu'aucun d'eux ne choisirait jamais. Luke s'est regardé dans la glace en poussant des cris d'horreur :

— Je ressemble à un gangster en vacances !

Et alors ? Je me demande s'il a vraiment vu *Ocean's Eleven*.

Suze et Elinor sont très glamour. Elinor en particulier, portant des vêtements luxueux qui accentuent encore son rôle de grande et richissime mondaine. Suze arbore un collier de perles sur une robe en laine crème. Elle joue l'aristo de service. (Elle aurait préféré être Amazing Yen, le Chinois du film, se planquer dans un chariot de supermarché et exécuter un salto arrière, mais je lui ai fait remarquer que ce rôle n'existait pas dans « Becky's Eleven ».)

Danny est en jean et tee-shirt troué. Mais c'est OK parce qu'il joue son propre rôle. Maman, Janice et moi avons revêtu les uniformes du personnel du centre de conférences de Las Vegas, où l'action est censée se dérouler.

C'est Danny qui a dégotté les uniformes. Comment ? Grâce à un « contact », comme il dit. Je suis habillée d'une blouse de femme de ménage avec un badge au nom de Marigold Spitz. Janice est en robe noire et petit tablier blanc – elle fait sans doute partie de l'équipe des serveuses du département traiteur, mais rien n'est moins sûr. Quant à maman, elle a revêtu un tailleur strict, genre gérante ou réceptionniste d'hôtel.

L'important, c'est d'avoir obtenu les salles de réunion que j'ai demandées – communiquant entre elles par des doubles portes. J'en ai surnommé une « Ben » et l'autre « Jerry's ». Pour le moment les portes qui les séparent sont fermées.

Pour la millionième fois, je passe ma troupe en revue.

— OK. Chacun de vous sait ce qu'il a à faire ?

La musique d'*Ocean's Eleven* résonne dans ma tête : nous l'avons visionné hier soir pour nous plonger dans l'atmosphère. Nous avons aussi joué aux cartes en buvant de la bière et en rugissant à tout bout de champ : « Alors, tu en es ou pas ? »

— Où sont les cupcakes ? demande Suze.

Je sors une boîte à gâteaux d'un buffet et je dispose dix cupcakes sur une assiette que nous contemplons toutes les deux en silence.

— Tu crois qu'il en faut un de plus ?

Suze ne bouge pas une oreille. Seul son œil tressaute.

Je répète ma question. Elle ne bronche toujours pas. Je sais pourquoi. Elle joue Brad Pitt, je suis donc George Clooney.

— Pigé, je dis d'un air impassible. J'en ajoute un.

Et je perche le onzième cupcake au sommet de la pile avant de m'essuyer les mains.

— Voilà ! Nous sommes prêts, je déclare.

— Corey est arrivé, prévient Luke en regardant son téléphone.

Il est là. J'ai les boules. Une peur épouvantable. Moteur. Action. Va-t-on vraiment tourner ?

Au moins, Minnie est à l'abri dans notre chambre, sous la surveillance de la délicieuse Judy. (Elle est venue avec nous de Sedona comme nounou temporaire. Une excellente idée de Luke.)

— Cyndi sera là dans dix minutes, annonce Danny. Bonne chance à tous !

Mon cœur bat à se rompre, mes mains sont moites. J'ai presque envie de tout annuler. Mais tout le monde attend mes instructions. C'est mon show. À moi de le diriger. Je suis à la fois terrifiée et enchantée.

— OK. Que la fête commence ! Papa, tu disparais du champ pour le moment. Luke, tu vas dans le hall chercher Corey.

En sortant de la pièce, il s'arrête pour m'embrasser.

— Bravo, ma Super Woman à moi ! me glisse-t-il à l'oreille.

Je lui réponds d'une pression de la main avant de continuer à donner mes directives.

— Tarkie et Elinor, vous vous postez dans Ben. Danny, tu restes en contact avec Cyndi. Ulla et Suze, vous prenez place dans Jerry's. Tout le monde connaît son rôle. Maman et Janice, suivez-moi.

Je prends l'assiette de cupcakes et me propulse dans le couloir. Le pire moment de cette séquence, c'est l'attente. Je dois faire preuve de patience, et on ne peut pas dire que ce soit mon fort. Comment ne pas exploser de frustration ?

— J'ai apporté un bouquin de sudoku, dit gaiement Janice, alors que nous nous serrons dans un petit local que j'ai repéré une heure auparavant. J'ai aussi pris mon iPad avec des films. Et si on se passait *La Mélodie du bonheur* ?

Parfois, j'adore vraiment Janice.

Vingt minutes plus tard, quoique distraite par le film, je suis dans un état de tension inimaginable. Que se passe-t-il ? Oui, *quoi* ? Le moment venu, je sors enfin avec mon seau et mon matériel de nettoyage (achetés spécialement).

Je frappe à la porte de Jerry's, attends que Danny me dise d'entrer et pénètre dans la salle de réunion, tête baissée.

Je table sur le fait que Cyndi, qui ne m'a vue que brièvement pendant le goûter d'anniversaire de sa fille, ne me reconnaîtra pas. La tenue de femme de ménage est un camouflage parfait. Je garde pourtant les yeux rivés au sol, tout en m'efforçant de voir toute la scène : Cyndi est assise près de la fenêtre entourée de Suze, Danny et Ulla. Sur une table basse, des verres de champagne et, éparpillés par terre, des cartons de vêtements Danny Kovitz.

Il est évident que Cyndi n'a pas reconnu Suze. Pas étonnant, la fille hyperchic en robe de laine crème et faramineux sautoir de perles n'a rien à voir avec la créature éplorée, pâle et échevelée, qu'elle a aperçue il y a quelques jours. Ulla, elle, n'a pas changé de personnage : elle fait un croquis de Cyndi au fusain.

Cyndi est rose de plaisir. Ses yeux brillent. Danny a dû l'encenser en lui disant qu'il l'a admirée dans les pages mondaines de certains magazines et qu'il adore son élégance.

— Service de nettoyage, je marmonne.

— Oui, bonjour ! Mais ce n'est pas vraiment le moment, s'agace Danny.

— Excusez-moi. Je peux revenir plus tard.

— Tant que vous êtes là occupez-vous de cet écran de télé. Il est dégoûtant.

Il l'est, en effet, parce qu'on l'a soigneusement maculé de taches d'huile.

Chiffon à la main, je me précipite et commence à vaporiser un produit pour vitres. Tout en frottant, j'essaie désespérément d'écouter la conversation qui se déroule dans mon dos.

— Donc, comme je vous le disais, Cyndi, j'aimerais vous donner cette veste qui résume si bien votre style, dit Danny.

— Vraiment ? À moi ? s'extasie-t-elle. Vous savez qu'en recevant le mail de votre assistante je n'en croyais pas mes yeux ? Danny Kovitz veut me rencontrer ? En plus, c'est tellement flatteur qu'on fasse un croquis de moi.

— Rien de plus normal, affirme Danny. Ulla dessine les femmes qui m'inspirent. Mes muses.

— Moi ? Votre *muse* ? s'émerveille Cyndi.

— Bien sûr. Allez, je veux vous voir avec cette veste.

— Sublimissime, ma chère ! se pâme Suze.

— Oui, très bien, renchérit Danny.

— Ainsi, vous organisez un défilé de mode au bénéfice d'une œuvre caritative ? s'enquiert Cyndi en admirant son reflet dans le miroir sur pied que nous avons loué au département accessoires du centre de conférences.

— Absolument. Je présente mes créations et l'événement aura lieu sous le patronnage de lady Cleath-Stuart, l'un des grands noms de l'aristocratie britannique. Nous étions sûrs que vous seriez partie prenante, en tant que membre de la haute société, et philanthrope.

Cyndi est sans aucun doute flattée par l'évocation de ce nom prestigieux, sans parler de l'attention que lui porte Danny. On le serait à moins. Mais il fallait ce beau plateau de vedettes pour l'attirer ici.

Tout en frottant l'écran, je jette des regards en coin à la dénommée Cyndi. Je comprends pourquoi Corey en est fou. Elle est *ravissante*, avec son teint de pêche, ses lèvres charnues qu'elle ne cesse de mordiller et ses grands yeux innocents. Si j'étais un homme, je tomberais probablement amoureux d'elle. Impossible d'en vouloir à Corey d'être aussi épris.

C'est d'ailleurs là-dessus que nous comptons pour la piéger. Ni sur la force, ni sur les menaces, mais en lui faisant honte devant l'amour de sa vie.

— Mon mari connaît lord Cleath-Stuart, vous savez, dit Cyndi en ajustant les manches de la veste.

— Nous le savons, bien évidemment, acquiesce Danny. C'est aussi pour cette raison que nous avons pensé à vous. Il sait que vous êtes ici aujourd'hui ?

— Je ne lui ai pas vraiment précisé, répond Cyndi, le rose aux joues. J'ai dit que je voyais des amis. Mais il sera ravi quand il saura.

— Formidable ! s'écrie Suze. Danny, tu devrais montrer à Cyndi le modèle suivant.

J'en ai assez entendu. Après un dernier coup de chiffon, je remballe mon matériel et retourne dans le couloir. Puis je frappe à la porte de Ben et pénètre dans la salle de réunion.

— Service de nettoyage, je marmonne.

Comme personne ne répond, je décide de m'attaquer à l'écran de télé. Luke, Tarquin, Corey et Elinor sont réunis autour de la table. Corey raconte une anecdote où il est question d'un ours et d'une carabine. À la fin de l'histoire, Luke et Tarquin se permettent un rire poli, tandis qu'Elinor approuve d'un petit hochement de tête.

— Mais, lord Cleath-Stuart, vous devez être un excellent fusil, fait remarquer Corey, rouge d'excitation, dans cette lande à grouses.

— En effet. Peut-être viendrez-vous un jour vous en rendre compte par vous-même.

— Ce serait un honneur, milord, dit Corey dont le visage a tourné à l'écarlate.

— Et votre épouse ? Aimerait-elle visiter l'Angleterre ?

— Elle *adorerait* ! Et, madame Sherman, je vous remercie pour votre très aimable invitation dans les Hamptons.

— Votre femme aimerait peut-être être conviée au bal annuel du Metropolitan ? demande Elinor avec un sourire glacial. Je suis toujours heureuse d'introduire mes associés dans la haute société new-yorkaise.

Après un instant de stupéfaction muette, Corey répond :

— Oh, pour Cyndi, ça serait le paradis !

Luke m'adresse un discret clin d'œil. Parfait ! Pour le moment tout fonctionne à merveille.

Je quitte la salle et m'octroie une petite pause dans le couloir. Bon, passons à l'étape suivante. Évidemment, ça serait beaucoup plus facile si nous disposions de caméras vidéo, comme dans *Ocean's Eleven*. Mais ce n'est pas le cas.

Je retourne devant le petit local, frappe cinq fois, comme convenu, et entre.

— Tout roule, j'annonce. Janice, c'est à toi !

Je pose le vase de fleurs que nous avons commandé sur la table roulante. (Luke l'a dénichée dans un autre couloir, et nous avons juste retourné la nappe.) Mon boulot consistait à m'assurer que dans les deux salles les conversations allaient dans la bonne direction. Celui de Janice, c'est de donner le signal pour passer au niveau deux.

Quand elle commence à pousser la table roulante, je remarque que ses mains tremblent.

— Un problème, Janice ?

— Oh, Becky, je ne suis pas faite pour ça.

— Pour quoi ?

— Pour ces actions criminelles de haut niveau.

Allons bon ! On n'aurait jamais dû la laisser voir *Ocean's Eleven*. Maintenant, elle s'est mis dans la tête qu'elle participe au cambriolage d'un casino.

— Janice, nous ne commettons pas une « action criminelle de haut niveau » !

— C'est seulement un gentil petit braquage, la rassure maman.

— Non, ce n'est pas un *braquage* ! je proteste.

Maman sait-elle seulement ce qu'est un braquage ?

— Janice, c'est simple comme bonjour. Tu apportes ces fleurs dans la pièce, tu les poses quelque part et tu sors. OK ?

Comme je prends ses mains dans les miennes, elle tressaille.

— Bon, écoute, je vais t'accompagner. Tout se passera bien.

J'ouvre la porte et nous avançons lentement dans le couloir. Janice, qui pousse la table roulante, tremble de tous ses membres. Si j'avais su qu'elle serait si nerveuse, je ne l'aurais pas incluse dans la bande des Onze. Mais il est trop tard pour modifier le plan.

— Tout doux, Janice ! On y est presque.

— Où allez-vous ? nous interpelle une voix nasale.

Quoi ?

Une femme habillée exactement comme maman, mais avec des cheveux mal teints en noir, sort d'une chambre située de l'autre côté du couloir.

— Et ces fleurs, elles viennent d'où ? fait-elle en plissant les yeux dès qu'elle remarque le vase. C'est la première fois que je vois ce genre de composition.

Oh, nooooon ! C'est sans doute parce que j'ai bâclé ce bouquet en cinq secondes.

Comme Janice semble devenue muette, je réponds à sa place :

— Euh, je ne sais pas.

— Vous êtes qui ? demande la femme en scrutant mon badge.

— Je suis Marigold.

— Marigold ? Je croyais qu'elle était partie.

Quelle emmerdeuse ! Pourquoi se montrer si soupçonneuse ? C'est très mauvais pour le teint.

Je hausse les épaules. La femme s'adresse ensuite à Janice :

— Et vous, comment vous vous appelez ?

Pauvre Janice ! Je dois la soutenir dans cette épreuve. Mais que se passe-t-il, la voilà complètement hagarde.

Son visage exprime une terreur effroyable. Avant même que j'ouvre la bouche, elle s'effondre.

Malheur !

— Janice ! je m'écrie en m'agenouillant. Tu vas bien ?

Elle ne bouge pas. Mauvais signe.

— Janice, j'insiste en fourrageant dans ses vêtements pour essayer de percevoir les battements de son cœur.

— Elle respire toujours ? demande la femme.

— Je n'en sais rien, je réplique. Laissez-moi m'en assurer.

Je pose mon oreille sur sa poitrine, mais comment savoir si j'entends son cœur ou mon propre pouls ? J'approche alors mon visage de sa bouche pour vérifier son souffle.

À ce moment-là, je l'entends chuchoter :

— Je joue la comédie, ma choute. Comme dans le film.

Elle…

Quoi ?

Je n'en crois pas mes oreilles.

Cette séquence n'était pas prévue. Je vais sonner les cloches à Janice. Mais en attendant, il faut que j'improvise.

— Elle est inconsciente ! je m'exclame en m'accroupissant. Appelez un médecin. Et restez avec elle pendant que je livre ce bouquet.

Je dois absolument arriver dans la salle avec ces maudites fleurs. Danny et Suze attendent le signal. S'ils ne l'ont pas, ils ne sauront pas comment faire pour…

— Attendez, dit la femme alors que je commence à faire avancer la table roulante.

— Appelez un médecin, c'est urgent, je répète.

Elle me regarde d'un drôle d'air mais sort son téléphone et compose un numéro :

« Juliana, c'est Lori. Passe-moi l'infirmerie. »

— Mais qui vois-je là ? C'est Becky, ma parole.

Une voix d'homme, cette fois.

Ah, non ! Quoi encore ?

La curiosité me fait tourner la tête. Arghh, Mike, le mec de la roulette du Venitian. Celui qui voulait que je reste. Il attend l'ascenseur à vingt mètres de moi et me fait des grands signes.

— Alors, la chance vous sourit toujours ? Vous travaillez vraiment ici ?

— *Taisez-vous !* j'implore en silence. *S'il vous plaît, bouclez-la !*

— « Becky » ? s'étonne la femme, l'œil mauvais.

Heureusement, les portes de l'ascenseur se referment sur Mike avant qu'elle puisse lui poser des questions.

— N'importe quoi ! C'était qui, ce type ? De toute façon, il m'a sûrement confondue avec… Mon Dieu ! Est-ce qu'elle respire encore ?

Je profite de ce que la femme au tailleur examine Janice pour galoper avec ma table roulante. Un toc-toc à la porte de Jerry's, et j'entre sans attendre de réponse. Cyndi, en manteau long, prend des poses devant le miroir.

— Il est d'une générosité naturelle, explique-t-elle avec sincérité. Vraiment généreux. Il a emmené toute ma famille en vacances l'an dernier, sans jamais regarder à la dépense. Ma maman, mon papa, ma sœur Sherilee…

— Il a l'air formidable, murmure Suze.

— Livraison de fleurs, j'annonce, malgré l'évidence des faits.

Et je pose le vase sur une table en prenant le temps de croiser le regard de Suze. Nous échangeons un imperceptible clin d'œil.

Puis Suze reprend, à l'adresse Cyndi :

— Quelqu'un d'autre m'a parlé de la générosité de votre époux : Brent Lewis. Ce nom vous dit quelque chose ?

Silence. Immobile, j'attends une réponse.

— Brent Lewis ? répète Cyndi en fronçant les sourcils. Non, je ne crois pas.

— C'est une belle histoire, s'enthousiasme Suze. Superbe. Tout à l'honneur de votre époux. Je suis surprise qu'il ne vous en ait jamais parlé.

— Il est trop modeste, commente Danny.

— Trop modeste, en effet, approuve Cyndi. Je ne cesse de lui dire : « Corey, mon poussin, mets tes qualités en avant ! » Mais racontez-moi cette histoire.

— Ç'a commencé avec le ressort. Vous savez, le fameux ressort-ballon qui a lancé les affaires de votre mari, il y a des années.

— Euh, j'ai dû en entendre parler, hésite Cyndi.

C'est parti ! Tout est sous contrôle.

Je sors de la salle, ferme tranquillement la porte et réfléchis en reprenant une respiration normale. OK. À maman d'entrer en scène !

Au fait, et Janice ? Elle ne gît plus à terre. Lori a également disparu. Le médecin serait-il déjà passé et aurait-il emmené Janice ? Dieu du ciel !

Mais non, les voilà.

Dans le couloir, Lori avance péniblement, Janice pendue lourdement à son bras. Comme si elle sentait mon regard, elle se retourne.

— Eh, vous ! J'ai deux mots à vous dire.

— Je vous en prie, ne me laissez pas, gémit Janice. C'est urgent, je me sens mal. Il faut que j'aille aux toilettes. Ne me quittez pas ! Je ne veux pas rester seule !

Je réprime un énorme fou rire. Janice est vraiment unique.

— Vous ! aboie de nouveau Lori.

Mais je fais semblant de ne pas entendre et file de l'autre côté.

— Maman, je dis en ouvrant la porte du petit local (plus la peine de s'embêter avec un signal !), le plan se déroule bien. Si ce n'est que Janice s'est permis une petite fantaisie. Tu es prête ?

— Oh, ma puce, j'ai peur !

— Ah non, pas toi !

On leur a confié les tâches les plus simples, et elles trouvent le moyen de perdre leur sang-froid !

— Becky, viens avec moi, supplie maman. Toute seule, je n'y arriverai pas.

— J'y suis déjà allée une fois. Corey va trouver ça louche.

C'est pour qu'il ne se doute de rien que nous avons mis au point trois différents rôles.

— Mais non ! Il ne t'a certainement pas remarquée.

Elle a raison. Les hommes de cet acabit ne font pas attention au personnel.

Pour finir, j'accepte, non sans lever les yeux au ciel.

— Très bien. Je t'accompagne, et j'envoie ensuite un message à papa.

Je craignais tellement que Corey aperçoive mon père que je l'ai expédié à l'étage du dessous. Désormais, il n'y a plus de risque, il peut remonter.

J'attends avec maman devant la porte de la salle. Quelques instants plus tard, papa arrive.

— Alors ?

— Pour le moment, zéro problème. Il est à l'intérieur.

Papa regarde maman d'un air incrédule, avec une sorte de sourire désabusé, et déclare en désignant la porte :

— Je ne peux pas croire que nous soyons embarqués dans une affaire pareille. Tu y crois, toi, Jane ? De toutes les aventures folles dans lesquelles Becky nous a entraînés au fil des années, celle-ci est…

— J'ai décidé de ne pas y penser. Je me contente de suivre le mouvement. C'est plus facile, dit maman.

Pitié ! Ils exagèrent. Comme si je leur faisais faire n'importe quoi !

— Mais si ça marche…, continue papa en serrant ma main dans la sienne. Becky, tu as déjà réussi beaucoup de choses dans ta vie, mais cet exploit sera ton apothéose, ma chérie. Je le pense sincèrement.

— À condition que le plan fonctionne…

— Mais oui, nous allons réussir, prédit maman.

Je lis la fierté dans leurs yeux. Comme quand j'avais dix ans et que j'avais récolté le plus de fonds pour la construction du nouveau terrain de netball. (Comment j'avais fait ? J'avais écrit des petites histoires sur mes camarades de classe en les agrémentant de figurines en papier habillées de vêtements découpés. Résultat ? Les mères avaient donné des tonnes d'argent.)

— Ne nous porte pas la poisse ! je m'exclame. Allez, maman, on se bouge.

Pendant qu'elle arrange sa veste de tailleur, je demande à papa ce qu'il a prévu de dire à Corey.

— Par curiosité, tu vas commencer par quoi ?

Je veux dire, il a refusé de te voir et de te prendre au téléphone. À ta place, je lui flanquerais un gnon.

Papa secoue la tête.

— Cette histoire n'a rien à voir avec Corey et moi. Elle concerne Corey et Brent. Allez, ouste, va-t'en !

Tandis qu'il recule, je frappe à la porte et, avant même de m'en rendre compte, nous sommes dans la pièce.

Corey, Luke et Elinor, assis autour de la table, écoutent Tarquin évoquer des financements par capitaux propres. À notre arrivée, ils lèvent la tête avec une surprise bien imitée.

— Oui ? s'enquiert Elinor.

— Désolée de vous déranger, fait maman avec la mine affairée des directeurs d'hôtel. Je crois que vous avez retenu une double salle de réunion.

Son accent américain est absolument atroce, mais Corey ne semble pas le remarquer. Tout au moins, il ne fait aucun commentaire.

— C'est vrai, dit Luke, je comptais d'ailleurs me plaindre.

— Toutes mes excuses, monsieur. Je vais immédiatement vous ouvrir les portes.

Pourquoi maman aurait-elle besoin de soutien ? Elle est géniale. Elle s'approche du mur de droite – celui qui sépare Ben de Jerry's. Mon cœur s'affole, on y est ! *On y est !*

Ces salles de réunion ont des portes magiques. C'est pour ça que j'ai choisi le centre de conférences. Les portes coulissent dans le mur de façon à doubler la surface des salles ou les diviser, au choix.

Sans se presser, très professionnelle, maman ouvre

la porte de communication. Pendant un moment rien ne se passe. Puis…

— Corey, c'est toi ? s'étonne Cyndi.

Elle se précipite vers lui.

— Oh, mon poussin, quelle coïncidence !

Je ne quitte pas Corey des yeux. Il sursaute en entendant la voix de sa femme mais recouvre très vite son sang-froid. Il se lève aussitôt, aux aguets.

— Salut, mon chou ! Qu'est-ce que tu fais là ? Qui sont ces gens ?

Son regard va de l'un à l'autre pour essayer de comprendre ce qui se passe.

— Je te présente Danny Kovitz, le fameux créateur de mode. Il organise un défilé de charité et voudrait m'engager comme mannequin. Et voici lady Cleath-Stuart…

— Votre femme, je présume, lord Cleath-Stuart.

— Euh, oui, effectivement, répond Tarkie avec un tel accent de surprise que je manque m'esclaffer. Coucou, ma chérie !

— Peyton et moi allons ouvrir le défilé avec des robes assorties. Géant, non ?

— Super, se borne à répondre Corey.

Mais il continue à scruter la scène, l'air aux abois. Ce n'est pas le dernier des abrutis, il doit se douter que cette prétendue coïncidence n'est qu'un leurre.

Il faut absolument que Cyndi continue à jouer son personnage. Elle l'ignore, mais son rôle est déterminant. Elle me fait penser à une pêche sur un arbre. Une belle pêche mûre prête à se détacher de sa branche. Allez, continue ! Ne t'arrête pas !

— Oh, Corey ! Je viens juste d'entendre parler de

ton affaire avec Brent ! Tu t'es montré si juste ! Si gentil !

Et bing ! La pêche est tombée. Cela dit, vu la tension qui règne dans la pièce, ce pourrait aussi bien être une bombe. Je risque un regard en coin vers Corey. Miséricorde, il est livide.

— De quoi tu parles, mon chou, parvient-il à demander d'un ton enjoué.

— De Brent ! Tu sais bien, l'accord que vous avez passé !

— *L'accord ?*

Il semble buter sur ce mot.

— Justement, intervient Luke avec bonne humeur, j'allais y venir. L'un de nos précieux associés est Brent Lewis, qui se trouve vous avoir beaucoup aidé dans l'établissement de Firelight Innovations, Inc, n'est-ce pas ?

— Je ne vois pas à quoi vous faites allusion, réplique Corey sèchement.

— Oh ! Ne faites pas le modeste, Corey ! s'exclame Luke en riant.

Et, s'adressant à Cyndi :

— La bonne nouvelle est que votre mari si généreux s'apprête à faire une donation en faveur de Brent Lewis en remerciement de sa participation à la réussite de Firelight Innovations. N'est-ce pas adorable ? Les avocats attendent en bas avec les documents. Ce sera l'affaire de quelques minutes.

— Corey, quel ange tu es ! s'extasie Cyndi. Comme je le répète souvent : « On récolte toujours ce que l'on sème. »

— Vrai à cent pour cent, approuve Luke.

— C'est une question de karma, confirme Danny, en veine de spiritualité.

— Bien sûr, légalement parlant, Corey ne doit rien à Brent. Mais il ne laisserait jamais un ami mourir de faim dans la rue. N'est-ce pas, vieille branche ? fait Luke en lui assénant une tape dans le dos.

— C'est évident ! dit Cyndi, choquée à cette seule éventualité. Corey prend toujours soin de son prochain. Pas vrai, poussinet ?

— Et la somme est si modique que vous vous en apercevrez à peine, persiste Luke.

Luke et les avocats ont déterminé ce qu'ils estimaient être un juste prix. Une somme suffisante pour améliorer grandement la vie de Brent mais pas excessive, afin de ne pas rebuter Corey. En fait, comme dit Luke, pour lui, cela ne représente pas grand-chose.

J'étais pour qu'on lui extorque des milliards, mais Luke a sagement refusé, en arguant que nous devions être réalistes.

Les yeux de Corey lancent des éclairs, la colère fait frémir ses narines. Il ouvre et ferme la bouche plusieurs fois sans que, pour le moment, aucun son n'en sorte. Je comprends son problème. Avec Cyndi qui le considère comme un héros, il est bel et bien piégé.

— On va dîner ? propose-t-il finalement d'une voix étranglée.

— Et si vous veniez *tous* dîner, s'emballe la gentille Cyndi. Improvisons une fête ce soir ! Un barbecue près de la piscine, avec de la musique…

— Je ne…, l'interrompt Corey.

— Oh, mon chéri, *s'il te plaît*. On n'invite jamais personne ! Vous avez des enfants ? Amenez-les, bien sûr. Et si vous pensez à d'autres personnes…

Mais nul ne répond, car la porte devant laquelle elle se trouve s'est ouverte, livrant passage à papa. Il fait quelques pas puis s'arrête et considère Corey. Au fond de ses yeux si bons je discerne une lueur d'ironie. Je rêverais de fixer ce moment en photo. Après toutes ces années, papa et Corey se retrouvent enfin face à face.

Je pense aussitôt au cliché de leur voyage dans l'Ouest. Quatre garçons en virée, ignorant ce que la vie leur réservait.

Corey est peut-être le plus riche, mais c'est mon père le gagnant. Gagnant toutes catégories. Haut la main.

— Content de te revoir, Corey, se borne à dire papa.

— Qui êtes-vous ? demande Cyndi.

Papa lui adresse son plus charmant sourire.

— Je suis avec les avocats. Je suis monté pour dire à Corey combien j'étais heureux qu'il ne laisse pas tomber son vieil ami.

Fascinée, j'étudie le visage de Corey pour voir si l'ombre d'un remords va se manifester sur son visage. Ou une pointe de regret. Si un voile de tristesse va apparaître. Ou un sentiment quelconque. Mais il reste impassible. Peut-être un effet secondaire d'un excès de chirurgie esthétique.

— Alors, on le signe, ce document ? demande papa aimablement.

Il sourit à Corey en l'invitant à sortir. Mais celui-ci ne bouge pas.

— Corey ? reprend papa. Ça ne te prendra que cinq minutes. Pas plus.

Corey reste désespérément immobile. Je vois presque ses méninges en plein travail. Il réfléchit… Il cogite…

— Lord Cleath-Stuart, s'exclame-t-il en se rasseyant à côté de Tarkie, j'y pense tout à coup. Je suis très intéressé par votre fondation caritative. Vous avez dit qu'elle soutenait des entreprises locales ?

— Ah bon ? fait Tarquin, un peu surpris. J'ai dit ça ?

— Je désire participer à hauteur d'un demi-million de dollars, proclame Corey. Un demi-million de dollars, immédiatement. Donnez-moi les coordonnées bancaires et je m'arrangerai pour que le transfert s'effectue sans tarder.

— Oh, mon poussin ! s'écrie Cyndi d'une voix énamourée. Tu es… *extraordinaire !*

— À quoi sert d'être riche si on ne partage pas ?

Corey récite cette phrase comme s'il l'avait apprise par cœur. Puis, avec désinvolture, il s'adresse à papa.

— On n'a qu'à remettre l'autre question à un prochain jour.

Un prochain jour ?

Je suis consternée. J'envoie un signal muet à Luke. Non. *Nooon !*

Corey est un type tordu. On le tenait, il était à notre merci, et voilà qu'il arrive à s'échapper de notre piège.

Cyndi est son talon d'Achille. Elle aurait pu le persuader de signer l'accord. Notre plan était basé là-dessus. Mais maintenant qu'elle est captivée par la plus que généreuse donation à Tarkie, le cas Brent ne la passionne plus. Corey va repousser sa signature indéfiniment. Pour finir par se dérober.

Je le hais. Encore plus qu'avant. Quel esprit pervers ! Il préfère cracher un demi-million de dollars au bénéfice d'une fondation dont il vient à peine d'entendre parler que réparer une terrible injustice infligée à un ami. Tout ça par rancune. Parce qu'ils se sont disputé une femme. C'est horrible. Tragique. Indigne.

Heureusement…

Loin de moi l'idée de me vanter, mais…

Je l'avais vu venir.

Bon, ce n'est pas tout à fait vrai. Si je n'avais pas exactement prédit ce qui arrive, j'avais imaginé un plan de rechange en cas d'imprévu. Et j'ai l'impression que c'est le moment de l'activer.

M'efforçant d'être discrète, je me rapproche du mur du fond de Jerry's. Car en fait nous avons retenu trois salles (j'ai appelé la troisième Häagen-Dazs). Et notre équipe compte un onzième membre qui attend patiemment dans Häagen-Dazs, prêt à agir si besoin est.

Lentement, presque silencieusement, je pousse les portes coulissantes et je lui fais signe.

Il m'a fallu une soirée entière pour convaincre Rebecca de coopérer. Elle n'est pas folle de Brent – elle se fiche bien qu'il crève de faim. Elle n'adore pas mon père non plus (à mon avis, il lui a brisé le cœur autrefois. Toutefois, je me garderais bien de faire part de cette hypothèse à mes parents). Mais celui qu'elle déteste le plus, c'est Corey – et cela a joué en notre faveur. Parfois, il faut faire appel aux mauvais sentiments des gens. Ce n'est guère reluisant, mais tant pis !

À la seconde où Rebecca se plante dans l'ouverture qui sépare Häagen-Dazs de Jerry's, le gang se mobilise. Ils connaissent tous le plan B. Nous l'avons étudié, chorégraphié, répété. Suze, Danny et Ulla se déplacent, sur le qui-vive. Nous savons tous ce que nous avons à faire, se débrouiller pour que Cyndi ne se retourne pas. Qu'elle n'aperçoive pas Rebecca.

Suze ouvre le bal :

— Alors, Cyndi, combien d'enfants avez-vous ?

— Vous devriez choisir les croquis que vous voulez

emporter chez vous, embraye Ulla en lui tendant son carnet de dessins.

— Oui ! poursuit Danny. Regardez celui où vous portez ma veste. Divin !

Cyndi est enchantée.

— Vraiment, je peux ? Sur celui-là, je me trouve si élégante ! Pour répondre à votre question, lady Cleath-Stuart, j'ai un enfant. Mon bien le plus précieux. Et vous ?

Rebecca est debout dans l'embrasure de la porte du fond. Elle ne bouge pas, ne parle pas. Elle attend seulement qu'on la remarque.

Corey écoute Tarquin, les yeux au plafond. Il fronce les sourcils avec impatience. Puis, son regard passe de Tarkie à Cyndi et… Son visage se crispe d'horreur.

C'est bon. Il l'a vue.

Autant avouer que je ne suis pas déçue par sa réaction. Les yeux fixes, les joues blafardes, on dirait un fantôme. Il paraît tellement sonné que je suis presque désolée pour lui, malgré la haine qu'il m'inspire. Cet homme fait tout pour effacer le passé. Il ne lésine pas sur les liftings. Il ment sur son âge, renie ses amis. Il ne veut pas que ses années de jeunesse le rattrapent. Mais son passé est là, en face de lui, dans une ample robe violette, les yeux cernés de khôl.

Pendant un moment, Rebecca se contente de le dévisager, avec son regard de chat démoniaque. Ensuite, sans un mot, elle se penche vers les écriteaux que nous avons préparés ensemble avec des cartons et un marker. Nous les avons même testés à distance : leurs inscriptions sont parfaitement lisibles.

(Je précise que cette idée ne vient pas d'*Ocean's Eleven*. Je l'ai péchée dans *Love Actually*. Tiens, pourquoi ne pas rebaptiser notre bande « Becky Actually » ? Non, c'est nul. Et de toute façon, ce n'est pas notre priorité.)

Sur le premier écriteau, on lit :

Salut Corey !

Elle le tient en l'air pendant quelques secondes puis le remplace par le deuxième.

Ça fait longtemps...

La façon méprisante dont Rebecca regarde Corey donne à ces trois mots tout leur mordant. En produisant le troisième écriteau, elle le fixe toujours.

J'adorerais rencontrer ta femme.

Elle tourne son regard vers Cyndi, ce qui a pour effet de décupler la rage de Corey. Il n'ose émettre aucun son pour ne pas l'alerter. Il est piégé. Une nouvelle fois.

Parler avec elle du temps passé.
Tu trouves que
c'est une bonne idée ?

Il semble paralysé. Apparemment, il est au supplice. Pas seulement apparemment, véritablement. Rebecca, elle, prend son pied.

— Et le jardin d'enfants ? Vous l'appelez maternelle, ici, non ? s'informe Suze auprès de Cyndi. En Grande-Bretagne, c'est tellement dur d'obtenir une place.

— Ne m'en parlez pas ! s'exclame Cyndi, inconsciente du drame qui se joue tout près d'elle. Pourtant, Peyton est hyper-douée mais…

Et pour la donation à Brent ?

Rebecca brandit un écriteau puis un autre :

Tu as une dette envers lui.
Tu as une dette envers lui, Corey.

Subitement, elle griffonne quelque chose sur un écriteau supplémentaire. Un message que nous n'avons pas prévu. Elle le brandit, les yeux brillant d'une lueur mauvaise.

Je peux t'empoisonner la vie.
J'adorerais t'empoisonner la vie.

Voilà qui s'appelle de la franchise. Corey est congestionné, les veines de son front saillent. Il serre les poings. Comme s'il allait lui foncer dessus.

Signe, et je disparais de ta vie.
Signe l'accord, Corey !
Fais-le !

Corey a le souffle court. On dirait qu'il va exploser.

Signe cet accord, bordel !
Allez, Corey !
Signe ! signe ! signe !

— D'accord !

Corey émet un beuglement de taureau enragé.

— OK, je vais le signer, ce foutu accord ! Passez-moi un stylo, que je m'en débarrasse !

Mon Dieu, il l'a dit.

Je croise le regard de Rebecca en retenant ma respiration. On a *réussi* ? On a gagné ?

Oui, on a gagné.

Lentement, silencieusement, Rebecca referme la double porte. C'est comme si elle n'avait jamais été là.

— Parfait, déclare Luke. Comme c'est gentil de votre part, Corey. On règle ça tout de suite ?

— Ça ne va pas, mon poussin ? s'étonne Cyndi. Tu n'es pas dans ton assiette ? Tu as l'air tout… désintégré.

— Non, non, dit Corey avec un sourire figé. Je veux juste en finir avec ce truc.

— Une bonne action, applaudit papa. Allons trouver les avocats.

Sans attendre, papa pousse Corey vers la porte. En les regardant passer, une drôle de sensation m'envahit. Soulagement ? Nerfs qui lâchent ? Incrédulité ?

Pendant que Cyndi se répand sur les talents de ballerine de sa fille, je croise le regard de Suze. Puis celui de maman. Je fais ensuite le tour de la pièce. Tarquin, Danny, Elinor et, en dernier, Luke. Il me sourit en levant sa tasse de café en l'honneur de notre victoire. Je souris à mon tour, de toutes mes dents. Après toutes ces épreuves, nous avons réussi.

Nous avons réussi.

19

Les jeux d'eau du Bellagio sont magiques. *D'accord*, c'est une attraction touristique. *D'accord*, c'est banal d'en parler. *D'accord*, des tas de gens les admirent en même temps que nous… Mais, en cet instant, j'ai l'impression qu'ils jaillissent et s'élèvent pour nous seuls. Pour notre gang des Dix. C'est notre récompense.

Nous sommes alignés le long de la balustrade, comme les comédiens à la fin d'*Ocean's Eleven*. J'ai dans la tête les notes de piano de la bande-son. Aucun de nous ne parle, mais nous sommes radieux. Je me sens en paix comme jamais. C'est fait, nous avons obtenu justice. Brent n'en sait rien, ce qui est assez ridicule, mais on verra plus tard.

Je crois que je n'ai jamais éprouvé une telle satisfaction. La vie me semble parfaite.

La machination a superbement fonctionné. Chacun s'est acquitté de son rôle impeccablement, de Tarquin à Janice… Une mention spéciale à Janice. (Apparemment, elle s'est enfermée dans les toilettes pour dames en geignant jusqu'à ce que Lori s'en aille chercher du secours. Après quoi, elle a décampé vite fait.) Pendant que nous buvons le verre de la victoire, je raconte en détail ses hauts faits. Elle rougit et réclame du champagne. Puis chacun évoque son rôle. Papa, qui est resté hors champ pendant un bon moment, demande aux autres de décrire leur prestation. Maman dit que c'est dommage de ne pas avoir de vidéo-souvenir. Luke répond qu'en avoir une risquerait de nous envoyer en prison pour coercition.

Comment savoir s'il plaisante ?

Mais je m'en fiche, les documents sont signés. Brent va toucher son argent. Il pourra s'acheter une maison, c'est tout ce qui compte.

Rebecca ne s'est pas jointe à nous. Elle a tiré sa révérence sans dire au revoir. Ce qui... Bof, c'est son choix. Et pour être honnête, je m'en réjouis. Et je serai ravie de ne plus jamais la voir. Fini de farfouiller dans le passé. Je veux aller de l'avant. M'intéresser à l'avenir. Il est temps de rentrer à la maison avec Luke et Minnie. Pas à L.A. *Chez nous*.

Suze et Tarkie vont partir eux aussi. Ils vont récupérer leurs enfants et sauter dans un avion dès que possible. Direction l'Angleterre, Letherby Hall et leur existence normale. Tarkie attend avec impatience de reprendre ses travaux d'embellissement. Suze meurt d'envie de revoir Owl's Tower. Elle dit qu'elle va lui mettre de l'engrais toutes les semaines pour qu'il se porte bien. (Elle ferait mieux de s'abstenir. Ça risque de le tuer.)

Luke et moi devons préparer notre déménagement, prévenir l'école de Minnie, régler certains détails. Dans un sens, je suis triste, mais c'est le mieux à faire. Je souris à Luke, dont le visage est éclairé par les fontaines de lumière. Il me serre contre lui.

Que va-t-il se passer, maintenant que chacun de nous va retourner à son existence quotidienne ? La différence avec *Ocean's Eleven* est que nous sommes dans la réalité, pas dans la fiction, et que nous ne sommes pas millionnaires. Et aussi que nous n'allons pas nous séparer en silence pour la bonne raison que nous avons réservé une table dans un steak house dont Luke a entendu dire le plus grand bien.

Je fais un clin d'œil à maman, qui donne un coup de coude à papa. Janice, le nez sur son téléphone, annonce à la cantonade que son mari est en chemin.

— Il vient d'embarquer à Heathrow !

Martin vient passer quelques jours aux États-Unis. En compagnie de mes parents, Janice et lui iront visiter quelques vignobles de Californie. Une bonne idée de balade. Et, de la part de mes parents, une gentille façon de remercier Janice, qui le mérite à cent pour cent.

— On y va ? fait maman.

— Je veux d'abord immortaliser cet instant. Tout le monde devant les fontaines, s'il vous plaît ! s'écrie Janice.

OK ! Là, nous nous éloignons vraiment du scénario d'*Ocean's Eleven*. Vous imaginez Brad Pitt demandant à un touriste de prendre « un cliché du gang, si ça ne vous ennuie pas » ?

Ensuite, maman veut une photo d'elle et papa et une autre avec Janice. Je suis sur le point de demander à Suze de me prendre avec Luke quand je remarque les regards appuyés que nous jette un homme râblé. En fait, je n'aurais pas fait attention à lui s'il n'avait fixé papa aussi intensément. Quand il tourne la tête, son visage est en pleine lumière.

— Oh !

— Quoi ? dit Luke, inquiet.

— Regarde ce type. Ce n'est pas *Brent* ?

L'homme en question recule d'un pas. Son air confus le trahit. C'est lui. Le même que sur la photo, en plus sale et plus massif. On dirait qu'il regrette d'être là.

— Ne partez pas, je vous en prie ! je m'exclame.

Et je me rue vers mon père pour l'avertir.

— Tu as vu qui est là ?

— Brent, tu as réussi ! Je ne pensais pas que…, s'étonne papa.

— J'ai reçu un message de Rebecca sur mon téléphone. Elle m'a prévenu que tu étais là. Elle m'a aussi parlé d'autre chose. Un truc abracadabrant.

La bande des Dix se reforme autour de Brent. Incroyable, l'homme que nous avons poursuivi, dont nous avons tant parlé, qui a été au centre de nos préoccupations pendant tout ce temps, vient de se matérialiser. Là, sous nos yeux.

On ne peut pas dire qu'il soit séduisant. Il a toujours le front rectangulaire de sa jeunesse mais ses cheveux grisonnent, des bajoues et des yeux creux enlaidissent son visage. Sa veste est quelconque et élimée. Il porte un sac à dos sur l'épaule. Bref, on voit qu'il n'a pas eu une vie facile.

Il nous regarde à tour de rôle, l'air méfiant, comme s'il s'attendait à une mauvaise farce.

— Est-ce que Rebecca t'a parlé de la donation ? lui demande papa. De l'argent ?

Brent semble encore plus sur la défensive, ce que je comprends. À sa place, je n'y croirais pas. Je refuserais tout espoir d'amélioration avant d'en avoir la preuve.

— Ça n'a pas de sens, rétorque-t-il. Pourquoi Corey céderait-il tout à coup ? J'ai essayé en 2002.

— Je sais, dit papa. Brent, comme je te l'ai dit quand nous nous sommes vus, à ce moment-là je ne savais pas comment entrer en contact avec Corey. Je n'aurais jamais… (Il a l'air un peu dépassé.) Regarde ce papier, reprend-il. C'est l'arrangement financier qu'a signé Corey. La somme qu'il te doit moralement. Rien de plus.

La foule des visiteurs va et vient, s'arrête pour contempler les jeux d'eau, tandis que nous observons le visage de Brent en train de déchiffrer le document produit par papa.

Je suis persuadée qu'il le lit au moins trois fois. Au bout d'un moment, il lève les yeux, hoche la tête et réagit enfin.

— Je vois. Oui. Je peux le garder ?

Indifférence ? Ingratitude ? C'est ce qu'on pourrait croire si on ne voyait pas ses mains trembler et une grosse larme s'écraser soudain sur le papier. Ce qu'évidemment nous faisons semblant de ne pas remarquer.

— Garde-le, nous avons des copies.

Brent plie soigneusement le document avant de le ranger dans son sac à dos.

— C'est à toi que je dois des remerciements, Graham ?

— À nous tous, réplique papa. Nous avons œuvré tous ensemble.

— Mais qui êtes-vous ?

— Des amis de Graham, répond Janice.

— Et de Becky, précise Danny.

— Je suis la belle-mère de Rebecca, dit Elinor.

— C'est Bex qui a mis au point le plan pour approcher Corey, ajoute Suze.

— L'opération s'appelle « Becky's Eleven », l'informe fièrement maman. Vous avez vu le film ?

— Qui est Becky ? veut savoir Brent.

Un peu nerveuse, je m'avance.

— Bonjour, c'est moi. J'ai rencontré votre fille, Becca. Dans le parc des mobile homes – elle vous l'a dit ? L'aventure a commencé quand j'ai prévenu mon père que vous aviez été expulsé.

— Nous voulions réparer les torts que vous aviez subis, intervient Janice. Ce Corey est un sale con – excusez mon langage.

— Vous êtes anglaise, d'après ce que j'entends ?

— D'Oxshott. J'ai pris l'avion pour donner un coup de main. On ferait n'importe quoi pour Jane et Graham.

— Et pour Becky, renchérit Suze. Elle a tout organisé.

— C'est un travail de groupe, je rectifie. Tout le monde a été formidable.

— Mais pourquoi ? Pourquoi m'aider ? Vous êtes pratiquement tous des étrangers. Vous ne me connaissez pas.

— On aidait le père de Becky, résume Danny.

— Tu dois remercier ma fille, Brent. Elle a été le cerveau de toute l'opération.

J'allais oublier.

— Au fait, Brent, merci pour VP ou GP. C'est la devise de ma vie, on dirait !

Mais il ne percute pas. Il regarde les membres du gang avec une expression de réelle admiration. Finalement, il s'adresse à moi.

— Chère Becky, vos amis ont de la chance de vous avoir. Ou peut-être est-ce vous qui avez de la chance de les avoir.

— C'est moi qui ai de la chance. Absolument. Ils sont épatants.

— Ça marche dans les deux sens, lance Ulla.

Je la considère avec étonnement. Jusqu'à présent, elle n'avait pas ouvert le bec. Mais elle a été parfaite avec Cyndi.

— Tout à fait d'accord, confirme Suze.

— Bref, l'important c'est de l'avoir fait. Et maintenant vous êtes là, Brent ! Venez dîner avec nous, c'est un ordre...

Mais je parle dans le vide. Brent a disparu. Où est-il passé ?

Nous essayons de le repérer dans la foule. Luke patrouille dans le périmètre des fontaines. Peine perdue, il est clair qu'on ne le retrouvera pas.

Brent s'est évaporé dans la nuit.

Le steak house recommandé à Luke est sensationnel. Nous commandons des steaks, des frites et tous les accompagnements de la carte ainsi qu'un délicieux vin rouge. Nous levons notre verre à notre succès commun. Tout le monde respire de soulagement. Enfin, notre mission est terminée.

Je suis heureuse. Nous allons tous tellement mieux qu'il y a quelques jours. Mes parents sont assis en face de moi avec Janice. Ils regardent des photos de paysages sur le portable de papa et discutent de leur tournée des vignobles. Chez maman, plus d'hystérie, plus de stress. Elle n'arrête pas de toucher le bras de papa, qui lui caresse gentiment le dos. Une façon de lui dire qu'il ne la quittera plus jamais.

Elinor est elle aussi très relax. Elle parle avec Luke des vacances que nous devons passer dans les Hamptons. Danny s'immisce de temps en temps dans la conversation avec un potin croustillant qui fait rire ma belle-mère.

Si on voulait être vraiment honnête, on pourrait se dire que Danny fait ami-amie avec Elinor parce qu'elle prévoit de lui acheter une tonne de vêtements et qu'elle va l'aider à lancer une nouvelle collection pour femmes mûres, ce qui va rapporter gros à sa maison de couture. Mais ce n'est pas seulement une question d'intérêt. Un véritable lien s'est tissé entre eux. Je suis sincère en l'affirmant. Par exemple, ils ont décidé de tout faire pour que Cyndi profite au maximum de sa soirée au bal du Metropolitan, car elle n'a rien à voir dans les combines de son mari.

Quant à Suze et Tarkie, ils ont changé du tout au tout. Suze est redevenue elle-même, riant pour un rien, détendue, sans ses affreuses rides soucieuses sur le front. Tarkie est un homme nouveau. Je n'arrête pas de le dévisager pour comprendre les raisons de sa métamorphose. Ce qu'il y a de différent ? Pas une seule chose mais plusieurs. Apparemment, un des conseils que papa lui a donnés pendant leur voyage était : « Fais semblant jusqu'à ce que tu y arrives. » Je ne sais pas ce qui est vrai ou faux – et si lui-même le sait –, mais ça marche. À son retour en Angleterre, je parie qu'il va s'imposer comme le véritable seigneur de Letherby.

— Nous allons planter trois milles arbres l'année

prochaine, confie-t-il à papa. Mais j'ai peur que Suze ne soit pas très impliquée dans ce projet.

À ces mots, Suze pique un fard.

— Au contraire. Non seulement j'aiderai à les planter mais je m'en occuperai, je les surveillerai. J'*adore* les arbres !

Tarkie lui fait un sourire taquin et elle rougit encore plus. Elle lui a certainement confessé son mensonge à propos d'Owl's Tower. Tant mieux ! Indépendamment d'eux, cette histoire me stressait énormément.

Comme si elle lisait dans mes pensées, Suze m'envoie un coup de pied discret sous la table. Nous portons nos bottes de cow-boy. Elles sont si confortables que je ne vais jamais les quitter. J'ai le style western dans la peau. Et dans la tête. Je suis folle de l'Ouest, des fringues, du soleil, du désert, de la musique…

Ce qui me rappelle quelque chose.

— Hé, Luke, j'ai oublié de te dire. Cet après-midi, quand j'étais avec Suze, je me suis amusée à jouer du banjo. On devrait en acheter un.

— *Quoi ?*

Luke, horrifié, interrompt son bavardage avec sa mère.

— Je t'avais dit qu'il refuserait, commente Suze en piquant un morceau de viande avec sa fourchette.

Je réplique :

— Ne prends pas cet air, Luke ! Ce serait bien pour Minnie d'apprendre à jouer du banjo. On pourrait prendre des leçons tous les trois et monter un groupe folk, les Brandon. Oui, plus j'y pense, plus je vois ça comme un super bon investissement…

PALAIS DE BUCKINGHAM

Mme Luke Brandon
C/o The Pines
43 Elton Road
Oxshott
Surrey

Chère Madame Brandon,

Sa Majesté la reine me prie de vous exprimer ses remerciements en réponse aux bons vœux que vous lui avez adressés.

Je suis très heureuse d'apprendre que M. Derek Smeath, résidant à East Horsley (auparavant à Fulham), s'est révélé d'une aide si précieuse, non seulement vis-à-vis de vous mais aussi pour défendre « des causes aussi importantes que l'amour et la justice ». Je suis persuadée qu'il a ainsi œuvré pour l'avènement d'un monde meilleur.

Je suis néanmoins obligée de vous dire qu'il n'existe pas de « processus accéléré » pour accéder au titre de chevalier et que la reine ne dispose pas d'une décoration de l'ordre de l'Empire britannique en trop qu'elle pourrait glisser dans une enveloppe à l'intention de votre ami.

En vous remerciant une fois encore, de la part de la reine, pour votre lettre, je vous prie d'agréer, chère Madame, l'expression de mes sentiments les meilleurs.

Lavinia Coutts-Hoares-Berkeley
Dame d'honneur

LONDON, DISTRICT
OF HAMMERSMITH & FULHAM
HÔTEL DE VILLE
KING STREET
LONDON W6 9JU

Mme Rebecca Brandon
C/o The Pines
43 Elton Road
Oxshott
Surrey

Chère Madame Brandon,

Je vous remercie de votre lettre. Il est toujours agréable de recevoir un courrier d'anciens résidents de Fulham.

Vous me voyez ravie d'avoir des nouvelles de votre ami Derek Smeath, qui a dirigé la succursale de la Endwich Bank à Fulham pendant de nombreuses années. De ce que vous dites, je déduis que M. Smeath est un homme de valeur et qu'il a fait profiter les habitants de Fulham de sa grande sagesse.

Il n'est malheureusement pas en mon pouvoir de lui « décerner une médaille ou de le nommer citoyen d'honneur de notre ville ».

En vous remerciant de l'intérêt que vous portez à notre conseil municipal, je vous joins notre

dernière brochure sur le traitement des déchets recyclables.
Très cordialement,

Elaine Padgett-Grant
Conseillère municipale

East Horsley Horticultural Society
« Little Whisperings »
55 Old Oak Lane
East Horsley
Surrey

Chère Madame Brandon,

Merci infiniment pour votre lettre. L'histoire que vous relatez m'a fasciné !

En tant que camarade de jardinage du même club, je ne peux qu'être d'accord avec vous : Derek est un homme épatant. Je suis heureux d'apprendre que lord et lady Cleath-Stuart projettent de baptiser une des nouvelles avenues arborées de leur domaine « promenade Smeath ». Il le mérite grandement.

C'est avec le plus grand plaisir que notre association prévoit une sortie de groupe pour assister à l'inauguration de cette avenue. À ce propos, je vous confirme que la somme que vous nous avez fait parvenir couvrira largement nos frais. Je vous assure également que Derek n'en saura rien et que je vous laisserai lui en faire la surprise. Il n'en croira pas ses yeux. Dans l'intervalle ce sera, comme on dit, motus et bouche cousue.

En espérant vivement vous rencontrer au cours

de cette mémorable journée, je vous souhaite, chère Madame, santé et tranquillité.
Bien sincèrement

Trevor M. Flanagan
Président

P.-S. Êtes-vous la Rebecca qui, dans le livre de Derek, s'attire tant d'ennuis ? Ne vous inquiétez pas : je garderai le secret !!!

Remerciements

Écrire un livre, c'est comme faire un voyage en voiture : on grignote beaucoup, on regarde souvent dans le rétroviseur et on a parfois peur de ne pas savoir où on va. J'exprime une gratitude sans bornes à tous ceux qui m'ont accompagnée dans ce camping-car au figuré. Sans vous je n'aurais pas pu arriver à destination. Merci. Bizzz.

Dans le camping-car britannique :

Araminta Whitley, Peta Nightingale, Jennifer Hunt, Sophie Hughes, Nicki Kennedy, Sam Edenborough et toute l'équipe de ILA, Harriet Bourton, Linda Evans, Bill Scott-Kerr, Larry Finlay, Sally Wray, Claire Evans, Alice Murphy-Pyle, Tom Chicken et son équipe, Claire Ward, Anna Derkacz et son équipe, Stephen Mulcahey, Rebecca Glibbery, Sophie Murray, Kate Samano, Elisabeth Merriman, Alison Martin, Katrina Whone, Judith Welsh, Jo Williamson, Bradley Rose.

Dans le camping-car américain :

Kim Witherspoon, David Forrer, Susan Kamil, Deborah Aroff, Kesley Tiffey, Avideh Bashirrad, Theresa Zoro, Sally Marvin, Shaaron Propson, Loren Noveck, Benjamin Dreyer, Paolo Pepe, Scott Shannon, Matt Schwartz, Henley Cox.